Rota 66

Caco Barcellos

Rota 66

A História da Polícia que Mata

23ª edição

EDITORA RECORD
RIO DE JANEIRO • SÃO PAULO

2022

CIP-Brasil. Catalogação na fonte
Sindicato Nacional dos Editores de Livros, RJ.

Barcellos, Caco

B218r   Rota 66 / Caco Barcellos. – 23ª ed. – Rio de
23ª ed. Janeiro: Record, 2022.

ISBN 978-85-01-06526-1

1. Polícia – São Paulo (SP) – Denúncia contra
a violência. 2. Crime e criminosos – São Paulo
(SP). 3. Violência – São Paulo (SP). 4. Repórteres e
reportagens – São Paulo (SP). I. Título.

CDD – 363.20981611
03-0217   CDU – 351.741(816.1)

Copyright © 2003, Caco Barcellos

Foto de capa: Agência Folha

Foto do autor: Luiza Dantas/Carta Z Notícias

Capa: 19 Design/Ana Luisa Escorel/Renata Ratto

Este livro foi revisado segundo o novo Acordo Ortográfico da Língua Portuguesa.

Direitos desta edição reservados pela
EDITORA RECORD LTDA.
Rua Argentina 171 – Rio de Janeiro, RJ – 20921-380 – Tel.: (21) 2585-2000

Impresso no Brasil

ISBN 978-85-01-06526-1

Seja um leitor preferencial Record.
Cadastre-se em www.record.com.br e receba
informações sobre nossos lançamentos e nossas promoções.

Atendimento e venda direta ao leitor:
sac@record.com.br

Sumário

Apresentação 9

Primeira Parte — **Rota 66**

1 A perseguição 15
2 Doutor Barriga 25
3 Reservada aos heróis 33
4 O futebol 47
5 Quero ser primavera 55
6 "Não atirem!" 61
7 A armação 75
8 O pior do passado 87
9 O julgamento 99

Segunda Parte — **Os Matadores**

10 Crime sem castigo 121
11 O rei da pontaria 137
12 Hospital: esconderijo de cadáver 151
13 Matador de inocentes 173
14 O campeão dos matadores 187
15 Os desaparecidos 209
16 Matador modelo 225

Terceira Parte — **Os Inocentes**

17 A polícia fala mais alto 245
18 Deputado matador 259
19 "Mataram um amigo seu" 283
20 Pixote, como no cinema 291
21 "Pelo amor de Deus, não me mate!" 301
22 O bêbado 313
23 Radiografia 327

Agradecimentos

Albeniza Garcia, Alberico de Souza Cruz, Aldo Galiano Junior, Augusto Fragelli, Carlos Schroder, Celso Kinjô, Cláudio Tognoli, Eduardo Muylaert, Emílio Chagas, Família Junqueira, Família Noronha, Funcionários da Auditoria Militar de São Paulo, Funcionários do Distribuidor Criminal da Justiça Civil de São Paulo, Funcionários do Instituto Médico Legal, Hugo Sá Peixoto, Ian, Jorge Pontual, José Reginaldo de Carvalho, Luiz Gonzalez, Maurício Maia, Mônica Thau, Nelson Massini, Pastoral Vila Brasilândia, Patrícia Mello, Pedro Montoam, Raul Bastos, Renato Rodrigues, Rubens Brasil Maluf, Silvio Roberto Richetti, Suzana Lisboa, Sylvia Saião, Toninho Pereira, Wilson Serra

Agradecimento especial:
Beatriz Fragelli

Colaboradores

INVESTIGAÇÃO

Repórteres Especiais:
Daniel Annenberg, Luciana Burlamaqui

BANCO DE DADOS

Operadores:
Wanderley Aparecido Silveira e Luis Carlos Sardinha (em memória)

Levantamento de dados:
Sidney M., Décio Mercaldi Galina, Ana Cristina Carvalho, Carlos Maurício de Souza

Digitadores:
Rosângela Pícolo Garcia (criação de programa), Daniela Azevedo, Renata Carvalho, Flávio Siqueira

Apresentação

Caco Barcellos é um jornalista que tem lado. Aliás, lado que ele, desde o começo da carreira, no Rio Grande do Sul, nunca escondeu. Um lado que continua o mesmo — o dos mais fracos, o das vítimas. Ele não está sozinho neste lado do jornalismo. Caco segue o exemplo de gente daqui e de fora, que não se aquece na própria vaidade nem proclama uma visão cínica de mundo, quase sempre um horizonte que não vai além do próprio umbigo. Lendo o livro do Caco, me vem à lembrança um jornalista, Donald Wood, e o livro dele, *Biko*, escrito em homenagem ao líder estudantil negro Stephen Biko, torturado e morto pela polícia política da África do Sul. Aliás, o livro de Wood começa onde termina o livro do Caco — uma relação de pessoas torturadas, assassinadas, e versão oficial para justificar as mortes. Versões que variam pouco: tentativa de fuga, resistência a prisão, suicídio...

Os jornalistas que escolhem ter lado, não importa onde estejam, acabam tendo comportamentos muito parecidos: sofrem as mesmas pressões, lutam pelos mesmos princípios.

Este lado que jornalistas como Donald Wood e Caco Barcellos escolheram não é confortável. É lugar para ser ocupado por gente de talento, sensibilidade; gente que, antes de tudo, tenha coragem. A coragem que levou o branco sul-africano a escrever um livro defendendo um negro na sociedade mais racista do mundo. Coragem, aliás, também presente nas reportagens do Caco Barcellos. Não me saem da cabeça as imagens e o choro dos personagens que ele foi conduzindo em quase uma hora de pura emoção, revelando a cada momento a sordidez e a violência dos cárceres militares. Guardo até hoje a emoção que travou meu peito depois de ter assistido ao trabalho sobre brasileiros desaparecidos durante a ditadura militar; homens e mulheres assassinados nas sessões de tortura. A reportagem, impecável, permanece inédita até hoje.

A busca da verdade não impede que Caco exercite sua sensibilidade: os relatos que faz têm força, são substantivos. Para ele, estar de um lado não significa distorcer a realidade, mas aprofundar discordâncias, radicalizar diferenças. E o respeito conquistado em razão da honestidade e da credibilidade deixa-o à vontade para circular em qualquer uma das versões dos acontecimentos, o que traz como resultado ser sempre ele o autor da melhor história.

As andanças de Caco Barcellos, repórter, levaram-no a caminhos e situações díspares. Ele foi dado como perdido, sequestrado e vagando pela selva colombiana; refém de guerrilheiros e à procura dos sequestradores de engenheiros da Petrobras; viveu horas de angústia quando junto com equipe foi aprisionado por contrabandistas do Paraguai e ficou a um passo da morte. As situações repetiram-se nos seus mais de 18 anos de carreira. Não importa se foram sensacionais ou simples registros. Ele está sempre recomeçando. A marca principal do trabalho desse repórter é a dedicação, a paciência e o talento para descobrir onde ficam as pontas que ligam todas as histórias. Histórias que ele conta neste livro que nunca parou de escrever e que vai continuar escrevendo durante toda a vida.

Com a mesma diligência, a mesma dedicação, a mesma humildade, o mesmo respeito pelas pessoas e por suas histórias. Respeito que ele sempre teve e terá. Porque Caco Barcellos é um jornalista que está do lado da maioria. O lado dos desgraçados, dos miseráveis. Gente sem privilégios, indefesa, e para quem o trabalho de jornalistas como Caco Barcellos ou Donald Wood representa a porta de entrada em direção à vida.

NARCISO KALILI
São Paulo, 6 de agosto de 1992

Primeira Parte

Rota 66

CAPÍTULO 1 | # A perseguição

A Veraneio cinza nunca esteve tão perto. A 200, 300 metros, 15 segundos: a sirene parece o ruído de um monstro enfurecido. Os faróis piscam sem parar. O farolete portátil de 5 mil watts lança luzes no retrovisor de todos os carros à frente. Os motoristas, assustados, abrem caminho com dificuldade por causa do trânsito movimentado nesta madrugada de quarta-feira, no Jardim América. A Veraneio, com manobras bruscas, vai chegando perto, cada vez mais perto dos três homens do Fusca azul. Eles estão na Maestro Chiafarelli e têm à frente uma parede de automóveis à espera do sinal verde para o cruzamento da avenida Brasil.

O motorista do Fusca azul, Francisco Noronha, sem tirar o pé do acelerador, reduz da quarta marcha para a terceira, em seguida para a segunda, e, ao girar o volante à esquerda, a roda dianteira bate no canteiro divisor de pista. Sem perder o controle, imediatamente ele gira à direita e segue em direção à calçada oposta. Sobe o meio-fio. Quase atropela um grupo de jovens, que tenta proteção junto ao muro. Ao desviar deles, por sorte, bate com a traseira em um poste na esquina. O Fusca se alinha sobre a calçada da Brasil, com a frente apontada à direita, que está livre para a fuga.

CACO BARCELLOS

— Atenção, tigrão. Prioridade rua Maestro Chiafarelli. É Maestro Chiafarelli, QSL, tigrão? A prioridade agora é Maestro Chiafarelli. Três elementos Fusca azul. QSL. QSL, tigrão? Câmbio.

Os cinquenta tigres estão espalhados pela cidade, cinco em cada uma das dez Veraneios cinza. Tão logo ouvem a ordem da Central de Operações, via rádio, começam a voar baixo em direção ao Jardim América.

Os tigrões que estão mais perto do Fusca azul são os da Rota 13. O ponteiro do velocímetro marca 110 quilômetros. O soldado-motorista reduz, breca, gira todo o volante à direita. A Veraneio roda em um ângulo de 90 graus. Bate de lado na traseira dos carros que aguardavam a abertura do sinal.

Com o carro ainda em movimento, o soldado posiciona o câmbio na terceira marcha, em vez da primeira, e a Veraneio avança sem força alguns metros. O barulho das velas do motor acusa o erro até ele acertar a posição. Ao lado do motorista, o sargento comandante da Rota 13 tem o dedo indicador esquerdo grudado no botão da sirene. Com a mão direita, ele pega o microfone do rádio e grita ao operador da Central de Operações (Copom).

— Fusca azul agora na Brasil. QSL, Copom. Brasil! QSL?

— Positivo, tigrão. Brasil. Viva o Brasil!

O ruído da sirene está mais distante. Noronha tenta tirar vantagem da feliz manobra da esquina. Percorre todo o quarteirão forçando a segunda marcha. E, em uma outra manobra rápida à direita, faz o Fusca derrapar e perder o atrito de duas rodas no asfalto. Ao recuperar a estabilidade, percebe pelo retrovisor que está fora da visão da Veraneio.

Depois de alguns minutos sem ser visto pelos policiais, o Fusca segue pela avenida Nove de Julho, a 120 quilômetros por hora, com todas as luzes apagadas. Para entrar, bruscamente, na Estados Unidos, Noronha reduz, aumenta a rotação do motor e faz uma conversão proibida à esquerda. Quase colide com mais uma Veraneio que entra na perseguição.

O carro da polícia que desce a Nove de Julho, sentido contrário ao do Fusca, desvia, quase capota e, meio desgovernado, segue pela mesma rua. A velocidade dos novos perseguidores é tão alta que eles preferem, em vez de manobrar e retroceder, seguir em frente, entrar na primeira rua à direita, para tentar bloquear o inimigo pelo caminho paralelo.

Agora já são cinco Veraneios e 25 homens atrás do carro de Noronha. Ele sabe, pelo ruído das sirenes, que a perseguição está mais intensa, embora não veja, pelos espelhos, nenhum carro da polícia atrás dele. Mas, logo à frente, a sorte dos três homens do Fusca azul começa a mudar. Eles fogem pela Peixoto Gomide. Entram na Oscar Freire e, em poucos minutos, estão de volta à Nove de Julho, onde são surpreendidos pela barreira de uma viatura, parada no meio da pista, em posição oblíqua.

— Aqui Rota 66. Avistamos Fusca azul. Urgente. Câmbio.

— Localização Rota 66? Câmbio.

— Nove de Julho. Reforço, Copom, reforço! Fusca azul vindo em nossa direção.

— Atenção todos os carros. Rota, Tático Móvel, Radiopatrulha. Prioridade na rede é da Rota 66. Nove de Julho. Avenida Nove de Julho. Três elementos perigosos. Fusca azul. Atenção, viaturas...

À espera do inimigo, o motorista da Rota 66 acelera muito, sem movimentar o carro, ainda parado no meio da pista. Ao lado dele, no banco dianteiro, o comandante da equipe, sargento José Felício Soares, tem uma metralhadora sobre o colo. Atrás, entre dois PMs, está o soldado Antônio Sória. Ele se apoia no encosto do banco da frente, avança o corpo o máximo que pode para ver melhor a cena. Sória é o comunicador da Rota 66.

— Só dá pra ver dois. O passageiro está usando um chapelão. O motorista é cabeludo, deve ser maconheiro, QSL? Meliante cabeludo, QSL? Está vindo pra cima de nós! É agora, Copom, vamos pegar, Copom!

Duas horas antes de cruzar com os homens da Rota 66, os longos cabelos do menor Francisco Noronha estavam entre as mãos da namorada, Iara Jamra, que os acariciava enquanto ele fazia o que mais gostava na vida: namorar em um passeio noturno de carro, em baixa velocidade, ouvindo Yes, Pink Floyd, Led Zeppelin pelas ruas arborizadas da cidade universitária. Namoro monossilábico. De vez em quando, um ou outro baixa o volume do som, para poder ser ouvido.

— Que baraaato, Iarinha!

O namoro já dura três meses, tempo suficiente para Iara entender que o significado dessa expressão de Noronha é amplo. Pode representar qualquer coisa relacionada ao prazer de estarem juntos. Um elogio ao som, aos carinhos, à bela noite, aos momentos de curtição sem palavras. Observadora sensível, Iara gosta de interpretar o silêncio do namorado como um sinal de quem está muito de bem com a vida e amando a companheira. De tempos em tempos, ela também se declara apaixonada. Bem ao jeito que Noronha gosta de ouvir:

— Que legaaal, meu!!

O passeio termina em frente à casa de Iara. Noronha estaciona o Fusca, desliga o motor. Iara encosta a cabeça no ombro dele. Os dois fixam o olhar na lua cheia. Começam a recordar o dia em que se conheceram nessa mesma rua, uma rampa de asfalto, ponto de encontro dos adolescentes skatistas do bairro. Noronha subia de skate, agarrado ao para-choque traseiro do carro de um amigo. Iara descia a rampa, deslizava em zigue-zague, de minissaia, também equilibrada sobre dois pares de rodinhas.

— Garota skatista! Achei demaaais, Iarinha.

Para Iara, a escolha de Noronha tem um sabor de conquista, de vitória numa disputa declarada entre amigas. Noronha, aos 17 anos, é uma unanimidade. As garotas adoram o jeito, o charme do skatista radical. Inquieto, irreverente, às vezes rebelde. Não é exatamente um rapaz bonito: 1,68 metro de altura, ombros largos, corpo de atleta; cabelos castanhos e crespos, longos e despenteados, sempre repartidos ao meio e a barba por fazer.

Iara lembra da roupa que ele usava naquele dia em que o namoro começou. Calça Lee surrada com várias etiquetas cobrindo as partes puídas, camiseta Hang Ten, tênis All Star. Não por coincidência, a mesma dessa noite acrescida de um suéter de cashmere. Um uniforme rebelde, americanizado. Uma moda estrategicamente fora de moda, sucesso entre as garotas. Motivo do comentário irônico da namorada:

— Ô, meu! Você deve ficar hoooras em frente ao espelho se produzindo pra parecer que odeia se produzir.

— Para com isso, Iarinha. O meu jeito é assim mesmo: largadão, não estou nem aí com a moda.

Noronha vive dizendo que odeia modismos e que não tem nenhum apego a coisas materiais. Os amigos traduzem isso como coisa de adolescente mimado, que sempre tem facilmente o que deseja. Os pais são generosos em presentes ao caçula dos dois filhos. Os amigos invejam o tipo de relação que Noronha tem com a família. Uma relação baseada no afeto, na liberdade, no diálogo sem limites, na confiança mútua. A educação familiar de Noronha explica o traço mais marcante de sua personalidade: um jovem seguro de si, com ideias avançadas em relação às dos amigos.

Mas, na hora de se despedir da namorada, Noronha revela que a autoconfiança só vai até certo ponto.

— Amanhã ao meio-dia eu vou buscar você na escola.

— Não precisa se preocupar, Noronha, eu volto sozinha. Eu até gosto mais.

— Quer você queira ou não, eu estarei lá.

Desde o início do namoro tem sido assim. O que antes parecia uma gentileza revelou-se mais tarde ser puro ciúme. Uma maneira de pressionar Iara a não cabular aula e de evitar que ela encontre alguém à saída da escola.

Depois da cena de ciúme, Iara está decidida a sair do carro e não dá muita importância ao último diálogo deles, onde Noronha revela que — se tudo acontecer como está combinado com os amigos — esta noite, para ele, ainda será longa e agitada.

— Ô, meu! Você vai dormir cedo ou ainda vai pra gandaia?

— Vou ao Paulistano. Tem um lance aí. Periga pintar um gravador. Já temos um canal pra vender em Santos, coisa do Pancho.

— Não é barra-pesada, não, Noronha?

— Não se preocupe, será a última vez.

Antes de ir ao Clube Paulistano, Noronha resolve passar em casa, um apartamento espaçoso no sexto andar de um prédio de luxo da avenida Angélica. A família ocupa um andar inteiro. Os pais moram no apartamento 61. Ele e o irmão mais velho, Zezinho Noronha, dividem o 62, que fica em frente. Os dois estão amigos nesses dias. Passaram juntos o último feriado de Páscoa, com suas garotas, numa praia de Santa Catarina. A viagem tinha sido maravilhosa.

— Dá pra você me emprestar uma grana? Mixaria, quero comer qualquer coisa. Devolvo amanhã, seguro.

— Não está dando, mano. Tenta com a mamãe.

Noronha acha que não é o caso, já tinha recebido a mesada reforçada para viagem à praia. Resolve sair assim mesmo. Passa rápido no 61, e avisa.

— Tchau, mãe!

— Não demora, Chiquinho, quero conversar com você ainda hoje.

— Não vou demorar, mãe.

A chegada de Noronha sempre agita a turma do Paulistano. São quarenta, cinquenta jovens que se reúnem diariamente no lado de fora da entrada do clube, um dos mais elegantes da zona sul da cidade de São Paulo. Nos fins de semana, à tardinha e à noite, o número é bem maior. Maioria rapazes saindo da adolescência. Eles frequentam a turma antes ou depois de namorar. Há duas condições mínimas para alguém ter acesso ao grupo: ser refinado ou metido a refinado. E agressivo, como Noronha, do tipo que não leva desaforo para casa.

Nesta noite planejam um ataque aos arqui-inimigos do Clube Pinheiros, uma turma dominada por esportistas de polo aquático. Gomalina, um dos líderes do Paulistano, é contra o plano. Com a chegada do melhor amigo, Noronha, seus argumentos são reforçados.

— Ô xará, querem atacar o Pinheiros. Não estou achando legal...

— Você está certo, Goma. O pessoal do polo nada 5 mil metros só pra aquecer. Eu não estou a fim de esforço esta noite, que está tão legal...

CACO BARCELLOS

— Ainda se fosse contra os bundões do Harmonia, não é, xará?

— Você está sabendo da última?

— Os comunistas do Vietnã estão vencendo a guerra...

— Não brinca, xará!

— Os americanos já estão fugindo hoje de Saigon...

— *Stop, Rolling Stones. Stop, Beatles sound. Rá-tá-tá-tá!*

— 22 de abril de 1975. É uma data histórica, xará!

— Acabou o rá-tá-tá-tá, pessoal. Vamos festejar a paz no Hamburguinho.

Apenas três rapazes gostam da ideia. Pancho, Noronha e Gomalina pedem a especialidade da lanchonete: choco-lamour, um sorvete de chocolate, com pó de avelã e paçoca, bem caprichado. Noronha pede também um cheese-tártaro. Pancho, o mais baixo e gordo dos três, quer um cheese-salada, com muita maionese. Gomalina fica só no sorvete, já que tem pouco dinheiro.

— Ô, xará! Tentei arranjar mais grana, mas... Vou ficar te devendo essa — diz Noronha ao amigo Gomalina.

— Não tem nada, não. Essa dureza vai acabar. Papai vai ganhar uma causa contra o Fisco Federal. É uma nota preta.

O pai de Gomalina tem a concessão de uma linha de montagem de carros importados. A causa na Justiça é devida à apreensão de 58 automóveis Chrysler, que entraram no país ilegalmente. Ninguém sabe se o julgamento será favorável ou não ao pai de Gomalina. Mas o filho, que se define como hippie, embora use o cabelo à la Elvis Presley, topete à base de um creme brilhante, a *gomalina*, já sonha alto com os dois amigos.

— Fechado! Vou comprar uma fazenda, perto de um rio. E montar ali a maior comunidade hippie do mundo...

— E à noite a gente faz uma mesa enorme, todo mundo vestido de branco, de smoking branco. Todas as pessoas que a gente gosta vão morar na fazenda — diz Noronha.

— Nunca mais vocês deixarão de poder pagar um sanduíche ao amigo... nunca — Gomalina fala triunfante.

— Você me dá uma moto 750? Se você não der, nunca mais falo com você. Se não quiser dar, pelo menos me empresta o dinheiro? — pergunta Pancho.

— E o que mais a gente pode fazer com esse dinheiro? — questiona Noronha.

— Bancar o Robin Hood, fazer instituição de caridade, casa pra velhinho — responde Pancho.

Noronha vibra com a ideia e bate com a colher do sorvete no balcão, ao ritmo de Raul Seixas:

— *Viva! Viva! Viva a sociedade alternativa!*

A volta ao Paulistano tem um objetivo definido pela vontade de Pancho. Ele quer cobrar uma dívida de um rapaz da turma, Roberto Carvalho Veras, que sumiu desde a semana anterior quando perdeu várias apostas no jogo de crepe. Era um bom dinheiro, perto de 100 dólares. Pancho acha que levou um calote. Está revoltado, disposto a se vingar.

— Seguinte, de hoje não passa. Temos que aprontar uma contra esse cara.

Noronha gosta da ideia.

— Sei onde ele mora, que tal?

Gomalina é cinco anos mais velho e suas opiniões são respeitadas pelo amigo, que já o admirou quase como a um ídolo. Desta vez, porém, a tentativa de convencer Noronha a desistir do plano não está dando certo. A adesão de João Augusto Junqueira, superamigo de Pancho, tornam as coisas ainda mais difíceis. Mas Gomalina insiste.

— Deixa isso pra lá. Eu vou passar em casa, arranjar um dinheiro e a gente vai comer qualquer coisa no Piolim...

— Fica na tua, xará. Esta parada é nossa. O My God pode te dar uma carona.

— Tudo bem. Mas eu acho que o Pancho tem que tirar esse sombreiro. Chama a atenção demais.

O carro já está com o motor funcionando e Pancho, sentado ao lado de Noronha, nem ouve o conselho de Gomalina. No banco de trás, Augusto Junqueira brinca, como se estivesse se preparando para o início de uma corrida automobilística:

— Sinal vermelho. Acelera. Acelera. Noronha na pole position! Amarelo. Atenção, vai dar a partida...

O relógio luminoso no alto de um prédio da avenida Paulista marca 02:34, quando Noronha faz o Fusca cantar os pneus, numa arrancada brusca, em direção à aventura.

Cinco minutos depois eles já estão em frente ao número 46 da rua José Clemente, a casa de Roberto Carvalho Veras. O alvo deles é um Puma que ocupa quase todo o pequeno quintal do sobrado sem garagem. Os três pulam o muro de 1 metro de altura, sem fazer barulho, e tentam abrir o carro. Um deles consegue. Entra com a cabeça e o peito pela janela do Puma e começa a forçar o painel para retirar o toca-fitas.

A rua está escura neste trecho. O céu nublado esconde a lua cheia. As lâmpadas de vapor de mercúrio, presas aos postes de concreto, estão encobertas pelas folhas das árvores. Na escuridão, a Veraneio cinzenta é quase invisível. Lanternas e faróis apagados, motor na marcha lenta, a Rota 13 se aproxima devagar, silenciosa. Quando os três rapazes percebem, já é tarde demais.

CAPÍTULO 2 | Doutor Barriga

Chegou a minha hora de correr desta maldita Radiopatrulha. Sou um menino tímido, bem-comportado, nada fiz de errado, mas sei que devo fugir. Até hoje me limitava a assistir à fuga dos amigos maiores. Mas já completei 12 anos, tenho que começar a me prevenir. Estamos fugindo desde o momento em que a Bate-lata apontou, na descida de nossa rua.

Fomos pegos de surpresa. Normalmente ela vem pelo lado oposto, sobe dois quarteirões para chegar até nós. Depois que anoitece, eu costumo ficar atento a qualquer movimento lá embaixo. Não que seja tão necessário. Nossa rua é uma aliada que sempre anuncia o perigo. Sem iluminação pública, cheia de buracos na pista de chão batido, provoca a maior barulheira na lataria da velha RP. Pode ser seguro, mas eu tenho medo, não consigo ficar desatento. Geralmente sou o primeiro a avisar o pessoal.

— Lá vem a Bate-lata!

Desta vez gritei em cima da hora. Éramos mais de dez a conversar sentados sobre o muro do armazém da esquina. Já não dava tempo para se esconder. Nos dividimos a correr em várias direções. O susto me levou a acompanhar a turma que foi para o lado do morro, justamente de onde veio a polícia.

Metade deu meia-volta e correu em direção contrária. Eu, Zé Ganso e Manoel Luís fomos em frente.

Corro descalço pela calçada de terra, rente às cercas de madeira. Sorte que estou habituado a correr assim: jogo no mínimo cinco horas de futebol por dia, sem tênis, em campo de puro areião. Sou franzino, ainda não estou ofegante. Dá até para passar dos amigos que fogem à minha frente. Porém é estratégico seguir atrás. Eles são mais experientes. Não é a primeira vez que os mais velhos são perseguidos por essa maldita Radiopatrulha.

Ou eles nos alcançam nos próximos 200 metros, ou nós chegaremos ao acesso do campo dos padres, bom ponto de fuga. Nosso bairro não tem esgoto canalizado. Nos obriga a correr como cangurus. Vamos saltando, de 10 em 10 metros, sobre as valetas de detritos a céu aberto, que saem das casas e deságuam na grande vala à margem da rua. Sem problemas. Temos prática, dá para pular até de olhos fechados sem jamais sujar os pés.

— Na cerca, Caco, na cerca.

Em segundos estávamos cruzando por baixo do arame farpado, para fugir pelo terreno dos padres. Mas não fomos muito longe. Um policial nos viu e gritou com o motorista da RP, que continuava a descer a rua.

— Para essa merda!

O estilo não deixava dúvidas: era o Doutor Barriga, o delegado extremamente grosseiro e violento, conhecido em todo o bairro. Muitas vezes eu havia assistido a suas perseguições aos ladrões da minha rua. Os vizinhos trabalhadores também são obrigados a se esconder ou fugir. O delegado considera todo mundo suspeito. Ao prender alguém, sempre aplica o inverso da lei. Em vez de provar a culpa do suspeito, costuma exigir que o detido prove sua inocência. O meu maior medo é do batismo do Doutor Barriga. Quem é preso pela primeira vez é punido, no mínimo, com uma noite de castigo no xadrez da viatura. Com a polícia tão perto de mim, já me imagino na escuridão, amontoado com mais dez pessoas dentro de uma única RP. Tenho que evitar esse horror. Tenho que escapar. Estamos escondidos a 200 metros da rua, num matagal alagado, com as pernas cobertas de água até os joelhos. Corpos curvados, em silêncio absoluto. Ouvimos o ruído da RP em marcha à ré. Vemos o delegado e dois investigadores com as lanternas iluminando a cerca de arame farpado. Em seguida um dos policiais salta com facilidade a vala do esgoto e cruza a cerca, no mesmo ponto por onde havíamos passado. Nosso desespero aumenta quando a gente vê o delegado, com arma em punho, se preparando para invadir o terreno dos padres. Na última vez que perseguiu meus amigos, ele jurou que na próxima atiraria no primeiro que visse fugindo. Não podemos perdê-lo de vista um segundo sequer.

O delegado ilumina a vala que tem quase 2 metros de largura. Escolhe o ponto mais estreito onde pular. Recua alguns passos. Faz pose de atleta. Se agacha, apoia as duas mãos sobre as coxas. Em seguida avança correndo. Ganha impulso e salta com seus mais de 100 quilos. Quase consegue. Para nossa sorte o delegado é um barrigudão. Os pés passaram para o outro lado, mas caíram perto da borda. Assustadíssimos, vemos Doutor Barriga agitar os braços, desequilibrado, e, aos berros, desabar de costas, dentro da vala cheia de esgoto.

— Agora eu mato. Eu mato!

Minha casa fica bem perto, no outro lado da rua. O ruído da queda do delegado desperta a ira do meu cachorro, Chá. Ele late sem parar em volta da RP enquanto os investigadores socorrem o chefe. Como bom cachorro de pobre, sabe que esses homens da polícia nos veem como inimigos. Chá é um vira-lata preguiçoso, passa o dia deitado, se coçando ou dormindo. Mas quando vê a Bate-lata se transforma. Fica furioso, inquieto, como está agora. De repente ouvimos um tiro. Chá para de latir.

— Meu Deus, mataram meu cachorro! — eu falo, apavorado, quase chorando.

— Ih, olha lá, Caco! Estão prendendo o Jorge Caolho e o Negro Guerra — Ganso quase murmura, seus olhos penetrando na escuridão. — Que covardia!

Ganso tem razão. Jorge Caolho é um ingênuo, tem mais de 18 anos mas é meio retardado mental. Por curiosidade se aproximou do carro da polícia. Irritado com a sujeira da roupa, o delegado deu um tiro para o alto, em seguida a voz de prisão. Negro Guerra teve azar. Não é da nossa turma. Mora no Morro da Cruz, estava subindo nossa rua por acaso. Os dois entraram no compartimento de presos da RP sem nada falar. Conhecem bem o estilo do Doutor Barriga. Na hora de efetuar a prisão, ele não admite conversa. Qualquer argumento é considerado um desacato à autoridade, motivo para dar pontapés, socos na cara.

A Radiopatrulha desce a rua levando nossos amigos. Meu cachorro reaparece enfurecido. Corre atrás, late, tenta morder os pneus da viatura. Aos poucos os outros garotos vão saindo de seus esconderijos. Nos reunimos de novo na esquina. Cada um conta o sufoco que passou. Discutimos o que fazer para tirar Jorge Caolho e Negro Guerra da cadeia.

Temos que agir rápido, muito rápido. Quanto mais demorar, maior pode ser o espancamento na delegacia. O ideal será levar um monte de parentes para fazer um escândalo se houver gritaria no xadrez. Mas não podemos avisar o pai do Negro Guerra. Ele é um alcoólatra, pode complicar ainda mais as coisas. A mãe do Caolho também não pode saber, anda doente, frágil demais. O jeito é agir por nossa conta, botar em prática o velho plano.

Éramos cinco quando chegamos ao posto policial da vila São José, no bairro do Pártenon, periferia de Porto Alegre. Metade ficou na esquina para não atrapalhar o plano. Três ficaram do lado de fora guardando nossas coisas. Eu e Manoel Luís entramos com medo de ficarmos presos também. Mas fingimos segurança. Ao chegar à sala de plantão encontramos Negro Guerra, sentado no banco de madeira, já com os olhos vermelhos de tanta porrada. Ao lado dele, Jorge Caolho está sendo pressionado pelo delegado.

— Tu és ladrão safado. Confirma?

— Não sou!

— Então prova, safado. Prova que não é ladrão. Vira essa cara, me olhe de frente, tu não és homem?   .

— Sou.

— Quero a prova. Vira essa cara pra levar um murro, vira!

Assistimos quietos por muito tempo a covardia habitual do delegado. Estamos de pé, encostados na parede. Quando ele começou a puxar os cabelos do amigo preso, criamos coragem e resolvemos interferir. Já havíamos combinado, em um cochicho, que Manoel falaria primeiro.

— Chamo ele de doutor ou de delegado?

— Doutor! Ele gosta. Mas Barriga, não; ele nos mata!

— Doutor o quê, Caco? Não sei o nome dele...

— Doutor Delegado. Vai firme.

Manoel pede licença, educadamente, para falar do problema de visão do amigo, um defeito que qualquer criança pode perceber. Para os olhos dele focarem em linha reta, isto é, para o Jorge encarar o delegado, é obrigado a virar a cabeça à direita, ou à esquerda. Ou incliná-la na posição oblíqua. O Doutor Barriga parece enlouquecer quando Manoel Luís tenta explicar isso de maneira bem simples.

— O senhor não está vendo que ele é caolho, doutor?

— Isso é jeito de falar com autoridade, guri! Tu também é da quadrilha, te manjo.

Resolvo interferir. Manoel Luís não suporta sofrer injustiça. Sei que já está a ponto de responder aquilo que o delegado merece ouvir. Conheço seu temperamento. Além de grandes amigos, somos sócios na venda de osso e vidro quebrado. Fazemos a coleta em carrinho de mão pelas ruas da vila. Depois vendemos ao caminhão do ferro-velho. Hoje estávamos eufóricos porque faturamos bem. As águas da chuva forte de ontem trouxeram muita coisa lá do morro. Deu para encher fácil três carrinhos. Nesta hora certamente estaríamos felizes se o Doutor Barriga não estivesse à nossa frente.

— Podemos provar que ninguém aqui é ladrão — eu digo ao delegado.

— Cala a tua boca, moleque desgraçado!

Fico em silêncio.

— Se não provar direitinho eu te arrebento, guri. Vamos lá, começa...

Outra vez silêncio.

— Perdeu a língua, desgraçado?

Explico que as provas estão na rua, perto da entrada. O delegado concorda em ver. Nos pega pelo braço e, de palavrão em palavrão, vai nos empurrando pelo corredor em direção à saída. Os três amigos que ficaram protegendo as provas estão sentados, mas, ao nos ver chegando, se levantam. O delegado demonstra curiosidade pelas nossas coisas.

São dois carrinhos de mão, com rodas de madeira. Um saco de linho cru cheio de mercadoria. Três balaios de palha.

— Que merda tem aqui dentro? — pergunta o Doutor Barriga abrindo o saco de linho.

— Amendoim torrado. Sou vendedor — retruca um dos amigos.

Tomamos a iniciativa de mostrar nossos instrumentos de trabalho. Começamos pelos carrinhos de coleta de osso e vidro. Depois revelamos o conteúdo dos três balaios: um pouco de cocada em dois deles. O outro balaio, do Negro Guerra, está cheio de rapaduras e amendoim, motivo de mais uma implicância do delegado.

— O negrão não vende merda nenhuma, está vendo? É vagabundo, vou enquadrá-lo por vadiagem.

O delegado apreendeu o dinheiro, as rapaduras, o amendoim. Tivemos que voltar para casa — chorando de ódio — e sem os amigos, que passaram a noite no xadrez. As injustiças da polícia se repetiriam muitas vezes. Só um ano depois iríamos festejar a transferência do Doutor Barriga.

Desde 1967, os homens da Polícia Civil desapareceram das ruas do nosso bairro. Tiveram suas ações limitadas a investigações de crimes e formação de inquéritos. A tarefa do patrulhamento se tornou exclusiva dos policiais militares. Na prática, o novo esquema só começou a funcionar no começo dos anos 70.

Os suspeitos, antes perseguidos de forma injusta, agora muitas vezes eram mortos sem chance ou direito de defesa. Não só no meu bairro pobre mas também na periferia de todas as grandes cidades do país. Porém, depois de 73, eu já não sofria como antes. Tornei-me testemunha dos sofrimentos dos outros.

Já era repórter.

CAPÍTULO 3 | Reservada aos heróis

Estou a mil quilômetros dos Jardins ao receber a notícia, por telex, da perseguição aos rapazes do Fusca azul. Minha primeira reação é de estranheza. Tenho três anos de experiência em reportagens sobre violência. Por força do trabalho e pelas histórias da minha vida pessoal, já conheço bem os métodos de ação das polícias militares, criadas poucos anos antes pela ditadura em vários estados do país. O chefe da editoria de polícia da *Folha da Manhã*, meu amigo Licínio de Azevedo, também está surpreso.

— Os garotos são da fina flor da sociedade, famílias tradicionais. O bairro deles é o mais rico... Como explicar isso, Caco?

— É estranho. A Rota foi criada para combater guerrilheiro. Faz tempo que a guerrilha acabou...

— Talvez sejam de alguma nova organização...

— Mas o motorista do Fusca tem 17 anos. Guerrilheiro com essa idade, Licínio?

— Não podemos esquecer que ultimamente os PMs andam caçando criminosos comuns...

— Mas só criminoso pobre. Rico, jamais!

Nossa dúvida é justificável. Mesmo na hipótese de os três rapazes serem criminosos, eles não têm o perfil do inimigo que a Rota costuma perseguir. Muito simples: eles são ricos. Os PMs do patrulhamento das cidades brasileiras são orientados pelo comando de militares do Exército Nacional, que tem uma visão deformada do conceito de segurança pública. Obrigam seus comandados a praticar, com prioridade, a defesa da propriedade dos mais ricos. O resultado é o que se vê diariamente nas ruas. Uma perseguição violenta e sistemática exclusivamente contra o que eles chamam de marginal: o cidadão proveniente da maioria pobre que causa prejuízo à minoria rica da sociedade.

Sou novato na profissão, mas já constato que na cobertura de assuntos policiais a imprensa também dá um tratamento diferenciado às pessoas pelo critério da sua condição social. Neste ano de 75, dezenas de jovens da periferia de São Paulo já foram perseguidos por policiais militares de forma idêntica, inclusive com desfechos semelhantes. Entretanto, a cobertura da imprensa foi quase nula.

A perseguição aos três rapazes ricos do Fusca azul é motivo de cobertura especial em quase todos os jornais do país. A maioria das reportagens tem um tom coerente de denúncia. Narra minuciosamente toda a trajetória da perseguição, desde o momento em que os rapazes foram vistos pela primeira vez pelos homens da Rota 13.

— É a polícia! Mãos na cabeça!

Os três rapazes ainda estavam em volta do Puma de Roberto Veras quando perceberam a Veraneio cinza se aproximando na escuridão, devagar, motor em marcha lenta. Os policiais passam em frente ao número 46, em seguida param e iniciam a marcha à ré. Noronha, Pancho e Augusto saltam o muro, correm de volta ao Fusca e não ouvem, ou não dão importância, à voz de prisão. O comandante da Rota 13 está com a porta dianteira direita entreaberta, com a arma na mão, pronto para saltar. Na hora em que a Veraneio para ao lado do Fusca, simultaneamente Francisco Noronha gira a chave de ignição, já com o câmbio posicionado na primeira marcha. Braços esticados, duas mãos no volante esportivo.

O ponteiro do conta-giros do motor se inclina ao máximo para a direita. O cantar dos pneus do Fusca se arrasta por segundos. Depois de um instante de indecisão, o motorista da Veraneio estica ao máximo a primeira marcha enquanto aciona o farol alto, o holofote, o farol de milhas, as três luzes vermelhas sobre o rack, a sirene. Nos primeiros instantes da perseguição, 200 metros separam os dois carros. O soldado responsável pela comunicação via rádio, atento a um detalhe do Fusca, faz o primeiro contato com a Central de Operações.

— Rota 13, Copom, câmbio.

— Prossiga, Rota 13...

— Fusca azul. Chapa: Eva. Ivo. Quinze. Meia. Cinco. QSL? Repito: Eva. Ivo. Quinze. Meia. Cinco. Suspeitos em fuga.

O operador da Central de Operações consulta, no computador, a relação dos carros roubados nesta noite. Encontra um Fusca azul com características semelhantes às do perseguido pela Rota 13. Ignora o detalhe do número da placa e dá o alerta na rede, num código que significa furto.

— Fusca azul é caráter geral, Rota 13, QSL? Informe localização.

— Avenida Brasil, Copom. São três elementos. Dificuldades na perseguição.

— Atenção todos os carros. Prioridade Fusca caráter geral Jardim América. Fusca azul caráter geral Jardim América. Meliantes em fuga.

Nos três minutos seguintes, o soldado da Rota 13 interrompe a sua narração por perder o Fusca de vista. Cada viatura passa a receber mensagens sucessivas do operador, que transmite as ordens num tom gravíssimo, como se a segurança da população de São Paulo estivesse sendo ameaçada pelos três rapazes. A perseguição só volta a ser narrada pelo rádio da polícia no momento em que eles são surpreendidos na Nove de Julho pela Rota 66, parada no meio da rua. Os novos perseguidores estão informados que o motorista do Fusca azul é hábil e veloz ao volante. Mas ainda desconhecem a principal característica dele: a coragem.

Quando Francisco Noronha vê a Rota 66 atravessada em sua frente, reduz a marcha e acelera forte, apontando o Fusca em direção à porta do motorista da Veraneio. O soldado Cláudio Cândido, que faz o bloqueio, com o motor em funcionamento, arranca para evitar a colisão. No mesmo instante, Noronha gira rápido o volante à direita, completa o drible com as duas rodas sobre a calçada, e escapa. Mas um outro Fusca, vermelho e preto, com luz vermelha piscando no teto, faz o mesmo desvio do carro de Noronha, com alguns segundos de diferença, e segue em sua cola. Agora é uma Radiopatrulha a mais nova perseguidora. Logo atrás vem a Rota 66.

As ruas neste trecho do Jardim América são asfaltadas, têm 10 metros de largura, geralmente com mão única, margeadas por casas e prédios de classe média alta, nos quarteirões de 300 a 400 metros de extensão. Noronha tira proveito da geografia, que conhece na intimidade, para despistar a polícia. Por duas vezes seguidas ele ameaça entrar com o Fusca à esquerda, mas entra à direita. Na terceira vez em que repete a manobra, o motorista da RP perde o controle momentâneo da direção e bate de raspão em um poste. É ultrapassado pela Rota 66. Ao entrar à direita pela quarta vez, a trajetória de fuga, se observada no mapa da Central de Operações, completa o desenho de um quadrado.

— Ele está girando o quadro — fala ao rádio o soldado Antônio Sória.

Noronha continua a entrar sempre à direita pela quinta, sexta, sétima vez, sempre com a Rota 66 afastada não mais do que 200 metros. A esta distância os PMs conseguem ver que o rapaz ao lado de Noronha usa um chapéu enorme na cabeça. No momento em que o soldado vai informar o comando, Noronha abandona a trajetória de fuga em quadro. De repente, inverte a manobra: ameaça entrar à direita e entra à esquerda. Os PMs da Rota 66 percebem o truque. Mas o motorista da Radiopatrulha perde de novo o controle. Provoca um acidente: colide a dianteira contra o para-lama da Rota 17, que acompanhava lado a lado a perseguição. Ele ainda tenta ser útil, via rádio.

— Segundo quadrado incompleto, informando RP, informando RP.

— Sai da linha, imbecil — grita um colega, porque o soldado da RP interrompeu a narrativa da Rota 66 sobre uma característica importante do homem que está na janela direita do Fusca. Em seguida, todos os carros voltam a receber as informações da 66, que segue bem de perto o Fusca azul.

— Chapéu preto enorme, QSL?

— Meliante em fuga com chapelão. Positivo, tigrão, positivo!

O espanhol Carlos Ignacio Rodríguez de Medeiros, o Pancho, gosta de chamar atenção. É capaz de perder horas do dia criando artifícios, como usar o enorme chapéu de toureiro, para conseguir se destacar na turma do Paulistano. Filho de mãe viúva, 19 anos, passou a infância e parte da juventude na Venezuela, onde era campeão juvenil de motociclismo. Desde que chegou a São Paulo, há cinco anos, tem praticado o esporte pelas ruas da cidade, uma paixão que o levou a fundir o motor de três motocicletas.

Cabelos curtos bem pretos, em contraste com a pele superbranca, um branquelo que não vai à praia por vergonha de mostrar o corpo. Com 1,65 metro de altura, 80 quilos, atarracado, um tipo pouco atraente. Mas Pancho sabe, como poucos, conquistar as mulheres pela amizade: é simpático, engraçado, festivo, indispensável sobretudo para animar grandes encontros. Ninguém exagera ao afirmar que a festa pode ser muita boa, mesmo com Pancho ausente. Mas com ele certamente será muito melhor. Pancho literalmente não mede esforços para agradar e divertir os amigos. Uma de suas brincadeiras preferidas, a do levantamento de peso, vem fazendo sucesso desde o começo do ano nas festas de final de semana.

A brincadeira envolve a participação de toda a turma. Primeiro requisito: ruído em frente ao local da festa para atrair o pessoal à rua. Dois ou três carros estacionados com as portas abertas, equipados com toca-fitas, garantem o som do rock'n'roll em alta potência. Pancho dança tirando a camiseta. A musculatura um pouco flácida torna a cena mais engraçada, porque dá a impressão do desafio ser impossível. Pancho ergue o braço, aponta os dedos em sinal de paz e amor, enquanto o pessoal faz coro em volta dele.

— Dois no Fusca! Dois no Fusca!

Começou levantando a dianteira de um Fusca. Depois o desafio era repetir a façanha com um motorista dentro. Nos últimos tempos, Pancho tem levantado uma das rodas com um casal sentado no capô. Geralmente a cena termina com o herói erguido nos braços da torcida. Mas, se a festa é na casa de uma turma inimiga, o final da exibição com frequência se transforma no início de uma grande pancadaria.

Há três meses Pancho já não tem a mesma energia. Ele sofreu um acidente gravíssimo no Opala de um amigo, que morreu na hora. Passou vários dias internado com fratura exposta na perna esquerda. Ainda depende da muleta e de uma vareta de ferro, presa entre a bacia e o fêmur, para poder andar.

Mesmo manco, Pancho tenta manter a fama de forte e brigão, condições de liderança na turma do Paulistano. Mas ele não é exatamente bom de briga. Nesta noite de terça-feira, deu provas disso ao lutar com o magrelo Gomalina. A briga, provocada por ele, começou com uma discussão banal.

— Quando você vai colocar uma carne nesse esqueleto, Gomalina?

— Quando você tirar a merda dessa cabeça, Pancho.

A briga foi na calçada do clube e acabou sem vencedores. Os dois trocaram porradas durante uns cinco minutos. Depois, no corpo a corpo, Pancho perdeu o equilíbrio, por causa da perna manca, e caiu sobre um canteiro coberto de plantas com espinhos. Foi socorrido por Augusto Junqueira, o amigo que está sentado no banco traseiro do Fusca azul.

Pancho esqueceu fácil o desentendimento com Gomalina Mas, para irritação de Augusto, ainda não esqueceu a raiva contra outro inimigo eventual, Roberto Veras. Há dois dias Pancho ganhou 150 dólares de Veras no jogo de crepe. Não recebeu o pagamento até hoje. Acha que nunca vai receber. Começo de madrugada, Pancho só pensa nisso: quer vingança já, apesar da reprovação do amigo que está achando a história besta e arriscada.

De toda a turma, Augusto é quem melhor conhece Pancho na intimidade. Costuma criticar o lado brutamontes do amigo, na opinião dele, uma tentativa de esconder a insegurança de um jovem carente de afeto na família. Depois de ajudar a tirar 28 espinhos do corpo de Pancho, Augusto conseguiu convencê-lo de que a rivalidade com Gomalina estava gerando, com frequência, atitudes inconsequentes. Propôs uma trégua, que foi aceita. E consolidada por volta da meia-noite, quando decidiram lanchar no Hamburguinho, junto com Francisco Noronha.

— Não estou gostando desta noite, minha querida. Sabe onde eu queria estar agora? A 320 quilômetros daqui, ao teu lado.

O telefonema à namorada Xaxá, que mora no interior de São Paulo, é revelador da insatisfação de Augusto com a vida da capital. Ele está há três anos na cidade, vivendo de uma forma provisória, se preparando para o vestibular de Agronomia, no meio do ano. A conversa com a namorada, às 8 horas da noite, foi sobre o sonho de viver no interior, numa fazenda administrada por ele mesmo, onde possa aplicar todos os conhecimentos herdados do seu ídolo, o avô João Augusto Andrade, o dr. Andrade.

O avô acompanhou de perto a formação de Augusto, um jovem discreto, apegado à família, muito generoso com os amigos e até mesmo com estranhos. A generosidade certamente é uma influência do dr. Andrade, um médico bem-sucedido, que ama a profissão e a pratica com igual eficiência tanto para o fazendeiro rico como para o colono pobre. No passado, o neto era sempre levado por ele a acompanhar casos urgentes pelos lugarejos do interior de Orlândia. Cenas inesquecíveis vividas com o avô foram lembradas no telefonema desta noite. A namorada já ouviu a mesma história talvez dez, doze vezes, mas Augusto sempre a repete com entusiasmo.

— Barraco pobre, caindo aos pedaços, frio, maior escuridão... Fez o parto à luz de vela... Dez horas de trabalho direto... Conseguiu salvar a mulher e a criança... Sabe qual foi o pagamento? Um frango e dois litros de leite... Missão cumprida, disse meu avô!

Augusto e a namorada conversavam através do telefone da casa do amigo Eduardo Guazelli. A família de Augusto mudou-se recentemente para um apartamento novo, ainda está sem telefone.

Às nove horas da noite, os dois planejavam o que fazer neste final de terça-feira. Augusto propunha viajar de carro até o interior, ficar algumas horas com os amigos de lá. Em seguida, ainda na mesma madrugada, voltar para São Paulo: uma aventura de 600 quilômetros, mais de quatro horas de estrada. Os dois já fizeram isso muitas vezes, apenas pelo prazer de andar de carro em alta velocidade. Mas hoje Guazelli estava cansado.

— Estou mais a fim do Paulistano... Vamos embora?

— Está bem, nós combinamos com o Sílvio. Ele ficou de passar lá em casa. Se ele passar a gente vai... Mas antes eu quero dar uma *bolta*.

Dar uma *bolta*, na linguagem da turma do Paulistano, significa dar uma volta de carro dando uma bola, isto é, passear fumando maconha. É um dos divertimentos preferidos de Augusto, Pancho e Noronha, assim como da maioria dos outros rapazes. Quase todos transam drogas leves. Poucos são viciados, pouquíssimos gostam de bebidas alcoólicas. As moças são mais discretas. Fumam na casa de Iara Jamra, a mais divertida da turma. Os pais da namorada de Noronha não incentivam o hábito da filha, mas não se incomodam. Preferem vê-la fumar em casa a se arriscar pelas ruas. A família liberal ainda permite que a casa seja o ponto dos amigos da filha.

O quarto de Iara é o lugar ideal para conversar e ouvir música, como fizeram hoje à tarde Augusto, Noronha, Guazelli, Zezinho e mais cinco amigas. O acesso ao quarto é independente da casa, uma garantia de liberdade e isolamento. É um cômodo com parede de tijolos à vista. Há pôsteres com imagens de praia. Desenhos de lua, estrelas, palhaços, arco-íris, feitos pela própria Iara direto na parede. Uma estante com discos, livros, revistas de surfe e astrologia.

Nenhum deles trabalha. Estudam pela manhã, depois passam tardes inteiras sentados sobre as almofadas e o tapete de sisal. O cigarro passando de mão em mão. Todos sabem que fumar maconha é um ato ilegal, mas não se sentem culpados. Pensam sobre o assunto de forma parecida. Acham a proibição absurda, estimulada pelo preconceito e a desinformação. A ilegalidade das drogas é sempre motivo de um longo papo entre eles, como aconteceu hoje à tarde.

Augusto:

— Ninguém vai se tornar melhor ou pior pessoa pelo fato de aspirar uma fumaça azul, morô.

Noronha:

— Álcool é muito pior, acaba com a saúde e ninguém proíbe nada. Isso é sacanagem com a gente.

Iara:

— Em Nova York, por exemplo, não é proibido. Até guarda de trânsito fuma baseado em serviço.

Noronha:

— Aqui no Brasil só é proibido porque nenhum empresário está faturando em cima, xará.

Augusto:

— Depois que uma Souza Cruz da vida botar etiqueta no baseado nunca mais vão falar que a erva é maldita.

Noronha:

— Só pra protestar vou acender mais um.

Iara:

— Que nada, gente. Bom é assim, proibido.

Nenhum deles repetiria essa conversa na frente de um policial. Têm medo de serem flagrados com maconha. Todos já viveram situações de risco.

Augusto:

— Eu vinha subindo a Sumaré e de repente fui atacado por um comando de caça a subversivos. Uma pontona do baseado estava no quebra-sol, não deu tempo de jogar fora. Os caras olharam tudo, ficaram uns dez minutos vasculhando fora e dentro do carro. Para minha sorte, não acharam nada.

Zezinho:

— Eu vinha fumando legal, distraído, quando percebi os policiais que me obrigaram a parar. Um investigador percebeu os meus olhos vermelhos. Rapidinho encontrou a ponta no cinzeiro. Cheirou. Não teve dúvida. Ele disse: esse é do bom, hein? Em seguida, me liberou, deixou barato.

Noronha:

— Você deu algum dinheiro?

Zezinho:

— Não, nada. Só boa-noite.

Noronha:

— Que legaaal! Esse tira era loucão, xará, só pode!

Os quase flagrantes serviram de lição para terem mais cautela. Todos temem ser presos um dia. Medo de conviver com criminosos em xadrez superlotado. Mas sobretudo medo de apanhar de policiais, que chamam de ratos. Eles não sabem direito como funciona a repressão na cidade. Mas ouvem falar barbaridades. Noronha conhece e odeia os métodos dos policiais civis. Não é muito ligado na ação da Polícia Militar nem na dos agentes da repressão política. Mas tem uma forte lembrança de uma operação gigantesca que aconteceu no quarteirão da alameda Jaú, quando morou lá. Tinha 14 anos e nunca tinha visto tantos policiais juntos. Eram PMs, investigadores, delegados, agentes do Dops, paisanos da Oban, secretas do Exército. O tiroteio foi bem em frente a sua casa: era o fuzilamento de um líder guerrilheiro, Carlos Marighela.

Um dia prenderam e torturaram uma freira por subversão em Orlândia. É o caso mais grave que Augusto conhece da história da repressão política. Também nunca se preocupou em analisar como é feito o policiamento da cidade. Acha que a polícia existe para ser chamada contra o ladrão. Ou para ser contornada, se o criminoso for rico, pelo caminho ilegal da propina.

Ultimamente, com relação à maconha, os dois andam se cuidando para evitar problemas nas ruas. Augusto, por exemplo, nunca sai de casa com mais de um cigarro no bolso. Hoje à noite, ao decidir dar uma *bolta* de carro com Guazelli, por sugestão dele, os dois começaram a fumar logo na saída da garagem do prédio. Dez minutos depois, passeando em direção ao Paulistano, policial nenhum poderia provar nada contra os dois. O baseado já havia virado fumaça.

Mesmo sem conhecer direito os métodos da polícia, Augusto e Noronha querem sempre ver os policiais o mais longe possível deles. Por dois motivos: maconha e rachas de automóveis em pontos proibidos. No caso de Noronha há um agravante. É menor, dirige sem habilitação. Os dois estão entre os melhores motoristas da turma que praticam o racha nas ruas dos Jardins e Pacaembu. Augusto tem um carro preparado para ganhar estabilidade nas curvas em alta velocidade. É um Fusca com dois anos de uso, igual ao Fusca azul de Noronha.

Suspensão rebaixada, roda de tala larga, aro dianteiro menor que o traseiro, dispositivos que ajudam a vencer a curva com firmeza e manter-se à frente da Veraneio cinza. Neste momento em que estão fugindo em alta velocidade, Augusto, Pancho e Noronha ainda não sabem da existência em São Paulo das Rondas Ostensivas Tobias de Aguiar, a Rota. Eles começam a conhecer a característica de seus homens na esquina da Uruguai com Venezuela.

O comandante da Rota 66, sargento José Felício Soares, enfia a cabeça pela janela, em seguida o peito, até se erguer com meio corpo para fora do carro. No lado oposto, o cabo Roberto Lopes Martínez faz o mesmo movimento pela janela, que fica atrás do motorista. A missão dos outros dois soldados é segurá-los pela cintura para evitar uma queda nas curvas. Felício e Martínez não podem cuidar da segurança deles. As duas mãos estão ocupadas em segurar um objeto metálico, marrom, 30 centímetros, 6 quilos, potência de fogo impressionante.

A visão que os três rapazes têm pelo retrovisor do Fusca azul é assustadora. Dois homens fardados, sentados na janela, um de cada lado da Veraneio, apontando duas armas de alta potência: submetralhadoras Beretta, capazes de disparar rajadas ou tiros intermitentes.

Noronha se desespera. Faz um cavalo de pau para vencer a curva, sair da mira. Neste momento as metralhadoras estão engatilhadas. Simultaneamente José Felício Soares e Roberto Lopes Martínez acionam o gatilho. As armas começam a vomitar dezenas de tiros por minuto na direção dos rapazes que fogem no Fusca azul.

CAPÍTULO 4 | O futebol

Revolução Sandinista, Nicarágua.

O francoatirador dispara a metralhadora em movimento circular. Nos jogamos no chão. Somos salvos nos arrastando em direção ao abrigo frágil de um carro, enquanto as balas tiram lascas do muro...

Terremoto da Guatemala.

A cada novo tremor de terra, que se repete de hora em hora, nossas vidas correm perigo. A cidade já está destruída, mas pedaços dos prédios em ruína ainda desabam perto de nós...

Acidente nuclear, Three Mile Island, EUA.

Faz dezoito horas que a tragédia começou. Estamos a 300 metros da usina, que continua emitindo radiação de forma incontrolável. É o maior acidente nuclear americano e ainda ninguém sabe o que pode acontecer. A radioatividade é um perigo invisível: um monstro que não se vê, não se ouve, não se sente...

Contrabandistas de Hernandaria, Paraguai.

Fomos condenados à morte num julgamento sumário, no meio da mata. São cinquenta contrabandistas que apontam as armas contra nós e nos obrigam a ficar de joelhos ao lado do carro de reportagem...

Montanhas de Bucaramanga, Colômbia.

À frente, o rapaz mascarado leva uma M-16. Atrás, a proteção é uma garrucha enferrujada. Meu medo, entre tantos guerrilheiros, é cruzar uma barreira militar. O objetivo é chegar ao topo da montanha, cercada por 2 mil homens da Guarda Nacional.

Fuzilamento de pobres, Brasil.

Rebelião, tiroteios, terremoto, guerra. Por força do trabalho, a busca da oportunidade de ser testemunha de uma história, que julgo importante, me leva algumas vezes a situações de risco. Temo pela vida em todos esses momentos. Mas nada se compara ao medo que eu sinto quando vou fazer a cobertura do velório de uma pessoa morta pela Polícia Militar.

A peixeira está a 50 centímetros dos olhos, duas outras facas espetam minhas costas. À frente, o irmão do menor fuzilado, armado de porrete, ameaça me bater. Estou cercado por mais de cinquenta homens, mulheres, crianças, moradores da favela do Buraco Quente. Estão revoltados pela morte do menino Rubens Martins, de 12 anos, assassinado pela Rota. Dizem que eu também sou culpado. Na verdade, a revolta é contra a imprensa, considerada inimiga. Reconheço que eles em parte têm razão. Sou o primeiro jornalista a chegar à favela, já com quinze horas de atraso. Mesmo sem nenhum levantamento no local, a notícia já foi divulgada, de uma forma parcial. Sobretudo os programas policiais de rádio só destacaram a versão oficial, neste caso, a mentira dos policiais.

— Bandido! Estuprador! Menos um! Menos um! Formiga na boca dele!

O programa policial de Afanázio Jazadji é líder de audiência na década de 80, ouvido diariamente por mais de 2 milhões de pessoas. Ele havia passado parte da manhã transmitindo ofensas ao garoto e elogios à ação dos matadores da Polícia Militar. O modelo de jornalismo polêmico, adotado por radialistas como Afanázio, tem ajudado a criar, na minha opinião, uma imagem negativa do repórter na periferia da cidade. Frequentemente nosso trabalho é confundido com o de policiais. Pior: somos vistos como inimigos, agentes de um poder que incentiva a polícia a matar pobres suspeitos de serem criminosos. Por isso, no velório das vítimas da PM, é comum sermos alvos de represálias. No caso do menino Rubens Martins, tive que argumentar durante horas para evitar a agressão. Passei por situações semelhantes em muitos outros velórios.

Confundir os papéis da imprensa e do poder não é exclusividade dos parentes das vítimas da PM. Essa confusão também é incorporada pelos policiais, habituados a lidar com jornalistas que limitam seu trabalho a reproduzir a versão oficial como verdade absoluta. Constatei essa realidade já nas primeiras vezes em que saí às ruas de Porto Alegre a apurar histórias de violência policial para o jornal *Folha da Manhã*. Por coincidência, era um caso que envolvia policiais militares.

O campo de futebol é pequeno, mal iluminado. Os jogadores se aquecem. As duas equipes estão prontas para iniciar a partida. De um lado o time de uniforme marrom: coturnos, cassetete, cinturão e capacete branco, com distintivo da Brigada Militar. À frente deles, se posicionam os policiais sem fardamento, os secretas da BM. A bola está na linha imaginária que divide o xadrez ao meio. O primeiro chute atinge o estômago. O jovem Ilton Santos, de 20 anos, se encolhe. Em seguida, pontapés simultâneos agridem a virilha, as costas, o sexo. O corpo encolhido rola no xadrez como uma bola humana.

Ouvimos os gritos da tortura a 100 metros do posto policial da Vila Rio Branco, em Niterói, Grande Porto Alegre. Estou chegando com a mãe de Ilton, dona Erotildes, que traz a carteira de trabalho, provando que o filho é empregado da indústria de soja Incobrasa. Combinamos que eu não me identificaria como repórter, tentaria passar por parente ou amigo da família.

É grande o movimento de soldados na entrada, vigiando uma fila de rapazes que aguardam a vez de serem espancados. Alguns já foram obrigados a se despir, estão apenas de cuecas. Passamos pela entrada principal. Já estamos em condições de ver dois meninos agachados, costas marcadas de porrada, limpando com um pano molhado o próprio sangue do chão. Para meu azar, logo fui reconhecido pelo juiz do futebol: um sargento que orienta o movimento do posto com um apito na boca. Tivemos uma discussão hoje à tarde. Logo que me vê, ele soa duas vezes o apito. Sem falar uma palavra, faz o sinal negativo sacudindo a cabeça e aponta para a rua. Eu saio. Ele bate a porta. Dona Erotildes fica lá dentro. Os gritos cessam.

Enquanto espero dona Erotildes voltar, tento ler o nome de guerra na farda dos soldados, que trazem novas pessoas detidas. É noite de sexta-feira, quinto dia de muita violência em Niterói. A operação policial começou no domingo, quando o major Antônio Pompílio Fonseca foi morto durante um assalto a uma farmácia em um bairro vizinho. Na caça aos assaltantes, os policiais vasculham casa por casa prendendo e interrogando suspeitos 24 horas por dia. São mais de cem PMs auxiliados por agentes da Polícia Federal, uma parceria de métodos iguais aos dos tempos recentes da repressão política. Durante a semana fui testemunha de cenas de injustiça, abuso de poder, covardia. Minha reação me trouxe problemas de todos os lados. Um deles foi com o próprio fotógrafo, um profissional experiente em cobertura policial.

— Os soldados estão invadindo o barraco aos pontapés e tu não estás fotografando. Por que não?

— Porque não é importante. Cuide do seu trabalho que eu cuido do meu, tá legal?

— Como não. Deixastes de registrar uma invasão a domicílio. Isto é crime.

— Crime foi o assassinato do major.

— Se um dia fizerem isso na tua casa, vais gostar também?

— Casa não é barraco. Isso aqui é esconderijo de bandido, vale tudo.

Fiquei ainda mais irritado quando o fotógrafo deixou de documentar a cena seguinte: mulheres e crianças chorando enquanto os soldados saíam do quintal do barraco puxando três homens pelos cabelos. Os suspeitos são levados ao compartimento de presos da viatura. O fotógrafo só resolve fotografá-los quando eles já estão por trás da porta gradeada. O chefe dos PMs também é fotografado. O sargento — que à noite vira juiz do futebol do xadrez — faz pose para a máquina. Adora ser fotografado, odeia entrevistas.

— O senhor não poderia evitar tanta violência, sargento?

— Eles são os violentos. Eles mataram o nosso colega...

— Mas vocês já invadiram todos os barracos dessa rua. Impossível todo mundo ser culpado...

— Problema deles. Nada a declarar sobre o tema.

— O senhor tem mandado judicial pra invadir residência?

— Nada a declarar. Mais alguma pergunta?

— Se o bairro fosse rico, também invadiriam casas?

— Nada a declarar no momento, positivo?

Bobagem insistir com mais perguntas. Nestes tempos de ditadura, entre cada dez policiais e militares que admitem conversar conosco geralmente dez só nos dizem *nada a declarar.* Mesmo assim passei na sede do Comando da Brigada Militar no final do dia. Peço a entrevista no setor de relações públicas. Espero mais de uma hora para ouvir, como sempre, a resposta original do comandante, transmitida com cautela pelo tenente oficial do dia.

— Algum gravador escondido, repórter?

— Não, senhor.

— Caneta a postos?

— Na mão...

— Sobre os fatos. Vírgula. O comandante disse. Dois-pontos. Abre aspas. Hoje. Vírgula. Sem declarações. Ponto. Fecha aspas.

— Ele falou tudo isso mesmo, tenente?

— Sem deformar os fatos, repórter. Estamos de olho no seu jornal.

No dia seguinte, a *Folha da Manhã* circulou com uma cobertura de duas páginas sobre os fatos de Niterói, num trabalho que julgamos equilibrado. Contamos em detalhes a história do assalto que resultou na morte do major e o drama de sua família. Reportamos também a perseguição dos policiais aos moradores do bairro e a tortura contra os suspeitos. No começo da tarde, o mesmo tenente do setor de relações públicas me convocou a dar explicações ao Comando da Polícia Militar.

O soldado que me acompanha do portão ao gabinete me avisa que desta vez não vou esperar muito.

— O homem já está esperando feito uma fera, se prepare.

O gabinete do tenente tem uma mesa de reuniões retangular coberta com os jornais da cidade. Observo que todos estão abertos em suas páginas policiais. Ao fundo da sala, entre dois pares de bandeira, fica a escrivaninha de madeira preta. O tenente está ao lado, em posição de sentido, de costas para mim. É como se estivesse ouvindo o Hino Nacional, perfilado, cabeça erguida, olhar fixo em direção à fotografia do comandante da Brigada Militar no quadro da parede.

— O comandante manda perguntar se tu já leste os jornais hoje, repórter.

— O senhor viu que a declaração do comandante saiu na íntegra, sem cortes?

— Tu leste alguma notícia de tortura nos outros jornais, repórter?

— De fato, não. E o comandante leu sobre a tortura? Ele vai tomar alguma providência?

Ele vira-se de frente, dedo em riste para o teto, ameaçador.

— Esta notícia denigre a imagem da Brigada Militar. Tu és o culpado, repórter.

— Eu não torturo ninguém, tenente. Seus comandados é que torturam.

— Tu vais pagar por isso. O comandante está envergonhado...

— Se tortura é motivo de vergonha, tenente, a solução é muito simples: basta não torturar.

— Estás demitido. Por favor, nunca mais apareça neste quartel.

— Até amanhã, tenente!

— Até nunca!

Achei estranho o tenente falar em demissão. Mas, ao voltar à redação, descobri que ele estava bem informado. Eu não estava exatamente demitido, porém, algo pior havia acontecido. Pressionado pelo governo estadual, o dono do jornal havia decidido demitir o editor da reportagem, meu amigo Licínio de Azevedo. O secretário de redação se sentiu corresponsável e pediu demissão no ato. Em solidariedade, vinte colegas tomaram a mesma atitude.

No dia seguinte, três anos depois de virar repórter, eu estava de volta à antiga profissão.

Sou novamente motorista de táxi.

Ou melhor:

Repórter provisoriamente na praça.

CAPÍTULO 5 | Quero ser primavera

A primeira rajada atinge o para-lama traseiro direito do Fusca, que completa a manobra cavalo de pau. Para se proteger, Noronha encolhe o corpo, baixa o máximo que pode a cabeça, até o ponto em que garanta um mínimo de visibilidade à sua frente. Continua usando o extremo da aceleragem. Passa pela rua Antilhas. No final da rua Uruguai, o Fusca é atingido por nova rajada de balas e vai perdendo velocidade ao entrar na Venezuela. O ruído da metralhadora supera o dos motores, acorda os moradores do Jardim América.

Ao ouvir os tiros, dona Eliani Aparecida de Castro salta da cama, assustada. Entra no quarto ao lado, onde dorme a enfermeira, que já está acordada, tentando ver pela janela o que está acontecendo.

— Meu Deus do céu, que é isso, Lili?

— Não se preocupe, patroa. Devem ser fogos do Clube Harmonia.

— Não, senhora, isso é tiro, tiro de guerra.

Inconformada, dona Eliani resolve telefonar ao vigilante que cuida da casa do sogro, na mesma rua, perto de onde vem o ruído da perseguição. O guarda Francisco Olímpio de Sá é pago para proteger a mansão 711 da rua Argentina. Mas, ao ouvir o barulho das rajadas de metralhadora, reage como qualquer mortal. Corre e se joga no chão, atrás da parede de alvenaria do salão de festas. O telefone começa a tocar dentro da casa. Depois do terceiro toque, Olímpio vai gatinhando até lá e atende, com a voz trêmula. No outro lado da linha está a nora do patrão, dona Eliani.

— Você está ouvindo o que eu estou ouvindo, Olímpio?

— Tudo sob controle, dona Eliani. Deixa comigo...

— Mas o que você está ouvindo, Olímpio, o que é isso?

— Muita sirene, muito tiro, vários carros... Parece que estão ali na Brasil.

— Estou com medo por você. Parece tão perto, Olímpio. E se invadirem a casa aí?

— Sob controle, dona Eliani. Aqui eu imponho respeito.

Os policiais militares foram treinados pelo Exército a usar metralhadoras, em 1969, com o objetivo de combater guerrilheiros. Mas, quatro anos depois, vencida a guerrilha, continuam usando armamento pesado durante o patrulhamento regular da cidade. Contra outro tipo de inimigo. Agora o alvo das metralhadoras são geralmente jovens da periferia, muitas vezes desarmados. De 73 até 75, os soldados foram autorizados pelos seus comandantes a metralhar pelo menos 109 vezes contra pessoas da zona pobre da cidade, suspeitas de serem criminosas. O exame de cada caso revela que eles acionam o gatilho de duas formas: disparando tiros intermitentes, igual ao revólver, ou na posição de rajada. Em ambas as posições, a metralhadora só é acionada quando a prioridade é considerada máxima, como no caso dos três rapazes do Fusca azul.

A perseguição da Rota 66 mostra que, na concepção de policiais mal orientados, prioridade máxima pode ser estabelecida através de uma simples desconfiança. Ao disparar a metralhadora contra o Fusca azul, eles nada sabem a respeito da vida dos três rapazes. Estão dando prosseguimento ao trabalho dos PMs da Rota 13, os primeiros a desconfiar deles na escuridão da rua José Clemente. Mesmo se os rapazes estivessem, de fato, tentando furtar o toca-fitas do amigo Veras, seria impossível ter certeza disso naquelas circunstâncias. Os soldados não tiveram tempo de constatar nada. Tudo o que podiam deduzir, no momento em que estavam metralhando em direção ao Fusca, era que os rapazes tinham algum motivo para correr da polícia.

O motivo da fuga de Francisco Noronha, o motorista, pode ser o fato de ele ser menor sem habilitação para dirigir o próprio carro. O estudante Augusto Junqueira talvez esteja fugindo pela insegurança natural de quem acaba de fumar maconha e, de repente, se vê na iminência de uma abordagem policial. Já a razão de Pancho, que sugeriu a aventura na casa de Veras, possivelmente seja o excesso de confiança em si mesmo e nos amigos. Não é raro ele se envolver em uma história de risco pelo simples prazer de se exibir, poder falar de suas proezas aos amigos.

Neste exato momento, outros guardas-noturnos do Jardim América estão agachados atrás de algum abrigo enquanto os carros envolvidos na perseguição cruzam a rua Nicarágua, em seguida a Venezuela. Por um buraco da guarita de segurança, o guarda Joaquim Quirino percebe que o motorista do Fusca dirige aceleradíssimo na segunda marcha. Parece que o motor vai explodir. Com a Veraneio cinza a menos de 50 metros, Noronha não muda mais o câmbio, nem demonstra a habilidade de antes nas manobras do desespero. Contramão na rua Bolívia. Contramão na praça América.

Algumas viaturas circulam em alta velocidade pelas ruas do Jardim América na tentativa de localizar a dianteira da perseguição. Perdidos, os PMs se esforçam para evitar novos acidentes de percurso. O soldado Lurian Ferreira, da Radiopatrulha que bateu na Rota 17, continua tentando ser útil. Faz alguns minutos que o Fusca azul passou na esquina da Equador, mas, quando vê um vigilante espiando sobre um muro da rua, resolve preveni-lo do perigo que já passou.

— Se você vir alguém correndo por aqui, é ladrão. Cuidado, muito cuidado.

O desespero de Noronha ao volante possibilita a aproximação da Veraneio, que já pode até mesmo interceptar o Fusca e prendê-los.

Agora mais de cem policiais militares, pelas ruas e no comando, estão envolvidos na repressão ao suposto furto de um toca-fitas. Antes da primeira rajada de metralhadora, o gasto público desta operação era no mínimo de 10 mil dólares, somando apenas o custo da gasolina, o valor do trabalho de cada policial e os danos nas colisões de trânsito. Agora, a cada novo disparo de metralhadora, o gasto equivale ao prejuízo do furto de noventa toca-fitas. Parece inacreditável, mas é isto mesmo: para salvar um toca-fitas, os homens da Rota estão gastando, por minuto, o equivalente ao preço de mais de noventa toca-fitas.

O cabo Roberto Lopes Martínez e o sargento José Felício Soares são considerados policiais exemplares, dignos do lema da corporação: a Rota é reservada aos heróis. Felício se alistou na Polícia Militar de São Paulo em agosto de 70, no auge das ações guerrilheiras de assalto a bancos. Está na guerra há cinco anos, portanto, sem nunca sofrer uma única punição por indisciplina militar. É definido pelos colegas como *vibrador*, uma virtude, na concepção do comando, do policial que se destaca em ações de alto risco no combate ao crime. O cabo

Martínez é outro expoente dos times dos *vibradores*. Em sete anos de experiência em operações de rua, Martínez já recebeu de seus superiores dezenas de elogios que estão registrados na sua ficha disciplinar.

...Em acirradas perseguições a assaltantes demonstra alto senso de responsabilidade, desprendimento, arrojo, tirocínio policial...

Os dois PMs estão com meio corpo para fora da Veraneio, um pela janela da porta dianteira, outro pela traseira esquerda. Mantêm uma distância estratégica do Fusca azul, que segue logo à frente com seu motorista já desorientado. Ao cruzar direto as seis pistas da avenida Brasil, numa manobra tipo roleta-paulista, Noronha consegue chegar à Argentina, uma típica rua do Jardim América, arborizada em toda a sua extensão, com mansões em ambos os lados. As transversais e paralelas, que igualmente possuem nomes de países da América Latina, formam com a Argentina uma área exclusivamente residencial, de maior valor imobiliário da cidade. Durante o dia, visto do espigão da Paulista, o Jardim América parece um grande tapete verde circundado pelos paredões de concreto dos prédios dos bairros vizinhos. À noite, porque as árvores centenárias encobrem a lâmpada dos postes, as ruas são bastante escuras, e desertas. Por isso, às 3h30 da madrugada, do dia 23 de abril, o único movimento no Jardim América era o dos guardas das mansões.

Às 3h30 da madrugada, a empresária Maria Junqueira parece adivinhar o sofrimento pelo qual seu filho está passando. Augusto havia combinado com a irmã Helena que voltaria do Paulistano a tempo de assistir com ela ao filme da sessão Coruja Colorida na TV. A mãe está acordada, esperando, especialmente porque pretende conversar com Augusto sobre a discussão que tiveram ontem à noite. Já preocupada com a demora, Maria Junqueira entra no quarto do filho e começa a mexer em seus escritos para passar o tempo. Augusto adora escrever. A mãe se emociona ao ler o último texto no caderno de capa preta.

Sinto saudades do tempo que não existiu para nós.
Saudades dos teus olhos que não me viram passar.
Saudades do carinho que não veio de você.
Do encontro que tivemos e não nos encontramos.
Sinto saudades até das saudades que não sentimos.
Da vida que não vivemos.
Quero ser primavera.
Depois morrer.
Só o silêncio é sincero.

O Fusca azul avança aos trancos pela rua Argentina, parece que sem nenhum controle. O motorista Francisco Noronha dirige sob o pavor de uma coisa terrível que está acontecendo às suas costas.

Os policiais da Rota metralham o motor, o vidro traseiro, que se estilhaça. Atingem em cheio a cabeça de Augusto Junqueira. O impacto da rajada lança o corpo do amigo para a frente. Num mesmo movimento, ele bate contra o banco de Noronha, depois vai se inclinando à esquerda até o rosto encostar no vidro lateral, que fica manchado de muito sangue.

CAPÍTULO 6 | **"Não atirem!"**

Mãos firmes na metralhadora. Corpos cada vez mais erguidos para fora da Veraneio. O cabo Roberto Lopes Martínez está praticamente de pé, como cobra se preparando para o bote. No outro lado, o sargento José Felício Soares segue sentado na janela, protegido pelo comunicador da Rota 66, Antônio Sória, que não desgruda a mão direita do cinturão do chefe. Holofote, farol alto, farolete de milha manual iluminam o Fusca desgovernado, que avança. O comunicador da Rota 66 revela no rádio a euforia.

— Eles estão perdidos! Estamos colando neles.

Os dois carros entram na rua Alasca separados por menos de 50 metros, à baixa velocidade, com a cabeça dos três rapazes sob a mira das metralhadoras. O estudante e poeta Augusto Junqueira, de 19 anos, segue com o rosto grudado no vidro lateral esquerdo manchado de sangue. À sua frente, à direita, ao lado do motorista, o estudante espanhol Carlos Ignacio Rodríguez de Medeiros, de 21 anos, tenta se escudar com a frágil proteção do encosto do banco. Francisco Noronha, 17 anos, dirige desde os 14, mas está com dificuldades em controlar o carro.

É um motorista impetuoso, que prefere usar o acelerador ao breque. Nunca freia antes de entrar numa curva. Prefere reduzir a marcha, entrar firme acelerando para os pneus ficarem presos ao asfalto. A técnica de piloto de competição já o salvou de situações difíceis, como a da última vez em que perdeu o controle da direção numa aventura, em alta velocidade, no túnel da avenida Paulista. O carro escorregou no asfalto molhado, rodou duas vezes, depois deslizou na contramão até bater com a traseira na parede do túnel. Só não capotou porque Noronha havia reduzido a marcha em vez de usar o breque.

— Rua Argentina, QSL, Copom? Reduzindo velocidade. Reduzindo velocidade. Entrando à direita...

As lanternas do freio permanecem apagadas como sempre estiveram. Mas na esquina da Argentina com rua Alasca, de repente, as luzes vermelhas se acendem na traseira do Fusca, ao mesmo tempo que se ouve o ruído de pneus no asfalto. Algo de grave deve estar acontecendo com Francisco Noronha. Provavelmente ferido, ele não consegue vencer a curva de 90 graus. O carro aponta em um ângulo de 45 e para no momento em que o para-lama dianteiro esquerdo colide contra o poste em frente ao número 66 da Alasca. Pancho abre a porta e sai rápido, gritando em desespero. No lado oposto, Noronha abandona o volante, deixa o motor funcionando. Ao sair do Fusca, ergue os braços, põe as mãos sobre a cabeça. Augusto continua no carro, rosto grudado no vidro, sangrando.

— Não atirem!

O grito desesperado de apelo é ouvido pela empregada doméstica da mansão da esquina, 685 da rua Argentina. Lygia de Almeida Queiroz, de 51 anos, foi acordada pelo barulho da perseguição, mas continua na cama. Pensa em levantar para sair à rua, mas tem medo. Deitada no quarto escuro, imagina através dos ruídos o que pode estar acontecendo lá fora. A Veraneio breca bem no meio da esquina, a 9 metros do Fusca. As quatro portas são abertas ao mesmo tempo. Viram escudo dos três PMs armados de revólver. Francisco de Paula, o motorista Cláudio Cândido e o comunicador Antônio Sória apoiam os braços esticados no encosto das janelas. O sargento Felício e o cabo Martínez, metralhadora à altura da cintura, se afastam para os lados do carro. Apontam na mesma direção do fecho de luz, que provoca cegueira e pavor nos rapazes. Eles usam as mãos para proteger os olhos da iluminação, tentar enxergar alguma coisa. O máximo que eles podem ver, na posição que estão agora, são os cinco pontos de fogo das armas que começam a disparar contra eles.

Os PMs estão lado a lado formando uma linha horizontal com as portas abertas da Veraneio. Todos usam uma boina preta, inclinada. Calça cáqui escura, coturnos até metade da canela, jaqueta de lã azul-marinho, braçadeira de couro no braço esquerdo com a inscrição ROTA em metal dourado. Na hora do disparo, avançam alguns passos ao estilo de um pelotão de fuzilamento. Os rapazes começam a cair.

Carlos Ignacio Rodríguez de Medeiros, o Pancho, mesmo baleado e manco da perna, consegue se erguer. Embora com o corpo curvado, tenta andar para longe dos homens fardados que avançam atrás dele. O brigão, o forte da turma do Paulistano, agora faz um esforço desesperado pela vida.

Um tiro atravessa o braço direito erguido para proteção do rosto. Outro tiro fratura a perna esquerda. Dois disparos atingem o peito, ferimentos fatais no lado do coração. Pancho cai de bruços. Agora está sendo metralhado pelas costas. Um tiro penetra na sola do pé. O corpo ainda se mexe. Pontaria na nuca, em seguida mais um disparo fatal: Pancho, o forte, não se movimenta mais.

O cabo Roberto Lopes Martínez faz pose de cinema. Joga a metralhadora no banco traseiro, puxa a arma do coldre e avança atirando em zigue-zague. Vários projéteis quebram os vidros da sala de jantar da mansão 706 da rua Argentina. Atingem também o gradil, os pilares, as pilastras, e tiram lascas da parede de alvenaria. Revólver na mão, o sergipano Julião Fonseca do Nascimento, vigilante da casa, se protege deitado sobre a marquise da garagem. Nada vê, ou melhor, faz questão de não ver nada para não se comprometer.

Francisco Noronha, caído no chão, apenas respira, enquanto os PMs avançam em sua direção, atirando contra o seu corpo. A perna esquerda é atingida por quatro tiros de metralhadora. Os braços e o tronco também são perfurados.

Foram cinco ferimentos na parte superior do corpo. Um deles na mamila, provavelmente provocado por um disparo dos policiais no momento em que Noronha gritava não atire, com as mãos sobre a cabeça.

Mesmo baleado nove vezes, Francisco Noronha ainda respira. Um dos PMs chega bem perto. Dispara dois tiros. Um ao lado da boca. O outro, disparado a 1 metro de distância, atinge o peito, em cima do coração.

Os reforços estão chegando. Rota 17. Rota 13. Rota-Comando. Uma. Duas. Três. Quatro Veraneios da Tático Móvel. São sete viaturas de uma só vez que se aproximam por todos os lados, em alta velocidade, com seus homens enfiados janela afora, exibindo revólveres, metralhadoras. A barulheira se multiplica: sirenes, reduzidas de motor, pneus brecando no asfalto, batidas de portas, gritos, muita gritaria. Todos correm, vibram, na esperança de ajudar no tiroteio. Mas já não há muito o que fazer. O cabo Martínez e o soldado Cândido estão arrastando os corpos dos rapazes no asfalto para jogá-los dentro do lugar reservado aos presos, na Rota 17.

Há uma certa dificuldade em retirar o corpo de Augusto Junqueira de dentro do Fusca. São necessários três soldados para puxá-lo pelas pernas. Augusto, 1,75 metro de altura, é o maior dos três rapazes. Também é o mais vaidoso. Gosta de vestir-se de acordo com a última moda. A calça Gledson de brim azul está toda manchada de vermelho. O sangue escorre pela maior parte dos dez furos de balas na camisa xadrez. As marcas dos tiros também estão na camiseta básica de algodão, com vinte perfurações de projéteis.

Neste momento, os soldados dos fusquinhas da Radiopatrulha continuam envolvidos na caçada aos três rapazes. Lurian Ferreira, da RP 1528, e mais três motoristas de RPs continuam se esforçando em uma corrida pelas ruas próximas, na esperança de chegar na frente ao local do tiroteio. A vantagem é de Lurian, que usa a esperteza ao entrar na Alasca pela contramão. Chega à esquina da Argentina alguns segundos antes das outras RPs. Revólver engatilhado, ele se joga no gramado da calçada e se posiciona para o ataque. O motorista da Rota 17 manobra de ré, para levar os rapazes ao hospital. Quase o atropela. O soldado Lurian ainda se arrasta ao ouvir o comentário de alguém que está examinando as grandes manchas de sangue no asfalto.

— Três mortes numa noite. Isso vai dar prêmio! O comando vai adorar.

O soldado Lurian se entusiasma. Presta continência a um PM que está empunhando uma metralhadora:

— Soldado Lurian, 25º BPM, às suas ordens. Honro informar que sou a primeira Radiopatrulha a chegar ao local dos fatos, comandante.

CACO BARCELLOS

— Relaxa aí, meu chapa, sou soldado como você. O chefe está mais à frente, corre lá...

O tenente Eli Nepomuceno, da Veraneio Rota-Comando, coordena todas as equipes envolvidas na perseguição. Ele chega à esquina da Argentina com a Alasca minutos depois do crime. Agora está providenciando, às pressas, o socorro dos rapazes feridos ao Hospital das Clínicas. Eles já foram arrastados pelos próprios PMs da Rota 66 e jogados no compartimento de presos da Rota 17, que parte em alta velocidade em direção ao pronto-socorro.

Uma mensagem transmitida pelo Copom às viaturas, neste momento, cria uma grande tensão entre os policiais envolvidos no crime:

— Nenhuma justificação de que esse carro seja roubado. Não há nenhum registro de queixa nos computadores.

A mensagem também é ouvida pelo vigilante da mansão 711 da rua Argentina, Francisco Olímpio de Sá, a única pessoa a se aproximar da esquina da Alasca logo após os momentos de confusão. Ele está ao lado da Rota 66, que continua com todas as portas abertas, e não é percebido pelos policiais que discutem nervosamente entre si. Olha assustado as enormes manchas de sangue ao lado do Fusca. Ao perceber a chegada de algumas autoridades, Olímpio resolve voltar rapidamente ao seu local de trabalho.

Os plantonistas do pronto-socorro do Hospital das Clínicas são avisados da chegada de três jovens gravemente feridos. Os médicos correm à entrada. Os corpos ainda estão na viatura quando eles constatam que nada há o que fazer. Sugerem que sejam levados direto ao Instituto Médico Legal. Mas a equipe da Rota 17 se nega a fazer isso.

66

— Lugar de ferido é no hospital — diz o soldado Everaldo Borges de Souza, que ameaça deixar os corpos no pátio do pronto-socorro para transferir responsabilidades aos médicos.

Depois de uma rápida discussão, os médicos admitem a entrada dos corpos à enfermaria, mas observam, em cada uma das fichas, que os três já eram cadáveres ao dar entrada no hospital. Os funcionários da secretaria começam a formalizar a entrada dos rapazes, com algumas perguntas aos PMs da Rota 17.

— Local onde se deu o acidente?

— Rua Alasca perto da Brasil.

— Causa do socorro?

— Tiroteio.

— Nome do paciente?

— Desconhecido. Os três são desconhecidos.

— Como?

— Foram presos sem documentos, são bandidos...

Nesta mesma hora, no apartamento dos Noronha, a mãe Lia e o filho mais velho, Zezinho, estão preocupados com a ausência de Francisco. Como ele disse, ao sair, que voltaria cedo, o irmão já andou de carro pela madrugada à sua procura. Zezinho fez o roteiro habitual: Paulistano, Hamburguinho, casa da namorada Iara Jamra. Não encontrou nenhum movimento nesses lugares, nem cruzou um amigo sequer que pudesse dar informação. Às 4h35, o telefone toca e Lia corre a atender.

— É da casa de José Noronha Filho?

— É.

— Ele é o proprietário de um Volks chapa EI 1565?

— Quem está falando?

— Aqui é da polícia... O carro é da família?

— É, sim.

— A senhora sabe se o carro está na garagem?

— Posso verificar.

— Por favor, eu ligo de volta pra confirmar, OK?

Dez minutos depois o telefone toca novamente. Era a mesma voz, a do major Teodoro Hoffmann.

— A senhora verificou se o carro está na garagem?

— Não está. Meu filho saiu com ele pra levar a namorada em casa e ainda não voltou. Mas o que aconteceu?

— Houve um assalto, mas está tudo bem. Isso é só uma averiguação. Seu filho está na delegacia prestando depoimento.

— Levaram o carro dele?

— Não. Mas não se preocupe. Não saia de casa. Uma viatura vai buscar a senhora pra levá-la até seu filho.

Lia acorda o marido. Em seguida os três vão para a sacada do apartamento, que fica de frente para a avenida Angélica, aguardar a chegada da viatura. Ansiosa e já irritada com a espera de mais de uma hora, Lia telefona à Central de Operações da Polícia Militar para saber o nome da delegacia que deve procurar. Novamente é enganada pelo tenente que atende o telefonema.

— Não fique preocupada. A viatura está demorando mas vai chegar já, já.

— Mas por que essa demora toda? Me informe pelo menos o número da delegacia. Temos carro aqui, podemos ir sozinhos.

— Recomendamos que a senhora e o seu marido não saiam de casa. Não se preocupem, a viatura vai chegar...

Lia falou três vezes com o mesmo tenente, que continuou mentindo. Pouco antes das 6 horas da manhã, o repórter da TV Globo de São Paulo, João Leite Neto, telefona aos Noronha. Dá uma informação lacônica ao pai.

— Se o senhor quer saber onde está Francisco Noronha, procure o portão 23 do Hospital das Clínicas.

O pai e o irmão de Francisco estão manobrando para sair da garagem quando são abordados por dois policiais em trajes civis. Um deles se identifica, de forma educada. Se revela constrangido ao fazer perguntas.

— O senhor tem certeza mesmo que seu carro não foi roubado?

— Tenho. Meu filho saiu com o carro...

— O senhor confirma que seu filho é moreno, cabelos grandões, barba um pouco crescida?

— Isso mesmo, Francisco Noronha. Mas você pode me explicar direito o que está acontecendo?

Os dois policiais andam em silêncio até o carro preto e branco estacionado na frente do prédio. São seguidos pelo pai. Só ao ligar o motor, um deles responde.

— Infelizmente eu só posso responder agora, meu senhor, que isso vai dar uma grande merda.

O comentário dos policiais torna ainda mais tensa a ida dos Noronha ao Hospital das Clínicas.

Às seis horas da manhã a mãe de Pancho ainda dorme. Na casa de Augusto, a mãe do rapaz está muito mais ansiosa. Resolve acordar a filha e o marido, que não dão muita importância a sua preocupação. Afinal, não é a primeira vez que o filho deixa de voltar à noite para casa. Mas, quando o dia começa a clarear, Maria Junqueira decide sair para ligar do telefone público aos amigos de Augusto. Liga primeiro à casa dos Noronha. Ninguém atende, discou o número errado. Em seguida telefona a Eduardo Guazzelli, que atende meio sonolento.

— Você sabe do Augusto, Guazzelli?

— Ficamos juntos até pouco depois da meia-noite...

— E depois?

— Depois ele ficou com o Noronha.

— Como eles estavam?

— Não se preocupe, não. Os dois estavam ótimos, devem estar juntos agora...

Embora ainda bastante preocupada, Maria Junqueira segue obedecendo sua rotina de executiva. Ela é a responsável pela área não alimentícia do Grupo Pão de Açúcar, onde chefia um grupo de catorze funcionários especialistas em comércio internacional. A agenda prevê um dia cheio de compromissos com gerentes e diretores de empresas exportadoras. O marido, Mário Alberto Cinalli Junqueira, também tem um dia atarefado pela frente. Ele é dono de uma distribuidora de títulos e valores, a Faroval. Quer chegar cedo ao escritório para fazer contatos com a gerência da filial de Ribeirão Preto, antes de se informar sobre as previsões de negócios nas bolsas de valores do mundo inteiro.

Ao sair de casa às 7h30 da manhã, as primeiras notícias sobre a morte dos três rapazes estão sendo transmitidas pelas principais emissoras de rádio de São Paulo. Mas Mário Alberto, como faz todos os dias, prefere ouvir música clássica a caminho do trabalho.

Neste exato momento, o amigo Eduardo Guazzelli se desespera ao ouvir a notícia no rádio.

...Três perigosos delinquentes foram mortos esta madrugada em tiroteio com a Polícia Militar, durante perseguição no Jardim América. Os bandidos estavam num Volks sedan de cor azul, placa El Quinze Meia Cinco. Não portavam documentos...

Dez minutos depois, Guazzelli é o primeiro a tentar identificar os corpos no Instituto Médico Legal. Ao avançar pelos corredores gelados está nervoso e abatido, mas ainda tem esperança dos mortos não serem seus amigos. Na grande sala das geladeiras, a primeira imagem que ele vê é o corpo de uma senhora de cerca de 70 anos. Ao lado, mesmo não querendo ver, seus olhos descobrem o cadáver de uma criança vítima de atropelamento. Guazzelli começa a chorar antes mesmo de o funcionário se aproximar trazendo duas macas em sua direção. Há uma etiqueta de papelão amarrada ao pulso do primeiro corpo submetido ao reconhecimento.

— Desconhecido 2349 Barra 75. Você conhece esse presunto, garotão? — pergunta o funcionário.

Guazzelli permanece em silêncio, cabeça baixa, a observar os ferimentos no corpo de Francisco Noronha. Evita olhar o longo corte vertical costurado pelo médico que fez o exame da necropsia. Se detém na marca de tiro no rosto. Observa que Noronha ainda conserva a mesma aparência de rapaz tranquilo, que vivia em paz com todo mundo.

Na maca ao lado, o desconhecido 2350 é João Augusto Diniz Junqueira. Guazzelli controla o choro. Sente o corpo todo tremer. Ele nunca tinha visto uma pessoa morta. Agora é obrigado a examinar o cadáver de seu melhor amigo. O funcionário o orienta a encontrar os pontos de entrada dos tiros.

— Dois no peito, um aqui nesse braço. Tem tiro na nuca, veja só... E um lá embaixo, na sola do pé. E tem mais! Rota é Rota, garotão. Se a gente procurar bem sempre encontra mais um tiro. Procura aí...

Guazzelli passa a examinar a roupa do amigo, à procura dos documentos que Augusto jamais esquecia de usar. Os bolsos da calça jeans estão vazios. Sumiram com quase tudo. Só esqueceram de jogar fora um pedaço de papel amarrotado no bolso da camisa xadrez. Guazzelli desamassa com cuidado para não rasgar. Lê uma, duas vezes o texto do amigo.

Pensou em subir na vida
Notou que os degraus eram os seus semelhantes
Que a escada era feita de homens curvados
De crianças maltrapilhas
De velhos com fome
Pediu perdão
Se afastou de cabeça baixa

O funcionário já está ao fundo do salão a gritar com Guazzelli para saber se ele reconhece também o 2348, moreno, cabelo curto escorrido, parrudo, cara de latino...

Ao sair arrasado da sala de reconhecimento, Guazzelli encontra a irmã de Augusto, Helena Junqueira, chegando aos prantos no Instituto Médico Legal. Trocam um longo abraço emocionado. Em seguida ele conta que acabou de identificar os três amigos. Sugere que ela não entre na sala da geladeira, para evitar o sofrimento de ver a imagem horrível do irmão.

Neste momento é grande a movimentação de policiais militares no IML. Um oficial se aproxima de Helena para fazer a entrega de um remédio, encontrado no banco traseiro do Fusca. É um vidro de Rinosoro, usado por Augusto, que tinha um desvio de septo nasal. Helena se revolta, se nega a receber o remédio.

— Enfia no cu, seu filho da puta.

No balcão de atendimento ao público, o pai de Noronha, José Noronha Filho, está sendo informado da tragédia pelo funcionário responsável do Instituto Médico Legal de uma forma objetiva.

— Lamento informar, seu José Noronha, que seu filho foi brutalmente assassinado.

No escritório da Faroval, depois de fazer vários telefonemas, Mário Alberto Junqueira vai recolher as mensagens na sala do telex. Ao ler um texto recém-transmitido, começa a perceber que algo de muito grave deve estar acontecendo. Aciona a tecla de avanço e destaca o papel para ler a mensagem bem de perto.

ESTARRECIDOS BRUTAL OCORRÊNCIA PT NOSSO ABRA-ÇO PT SOLIDARIEDADE FAMÍLIA CINTRA

Enquanto Mário Alberto relê pela terceira vez a mensagem, com assustada atenção, de repente a máquina do telex começa a funcionar, a emitir uma nova mensagem.

SEM PALAVRAS FRENTE TAMANHA CRUELDADE PT ABRA-ÇAMOS QUERIDOS AMIGOS PT CERTEZA NOSSAS ORAÇÕES PT AMIGA BRANCA OSÓRIO

Meia hora depois de saírem de casa, o pai e o irmão de Noronha estão de volta. Da sacada do apartamento, Lia percebe a tragédia pela fisionomia deles. Os dois entram em casa sem falar uma palavra. A mãe cai desmaiada.

CAPÍTULO 7 | **A armação**

Instantes depois do assassinato, ao chegar à esquina da Argentina com a Alasca, o oficial da Rota-Comando, tenente Eli Nepomuceno, de 21 anos, se revela um profissional totalmente despreparado para a função. Os corpos dos rapazes estão sendo arrastados do Fusca para o compartimento de presos da Rota 17, numa violação do local do crime que deveria ser totalmente preservado. Os PMs da Rota 66 encenam um gesto humanitário, uma tentativa de salvar a vida dos rapazes providenciando transporte ao hospital mais próximo. O tenente não só deixa de impedir a irregularidade como participa da encenação.

Basta contar os tiros que atingiram o carro para se concluir que a intenção dos PMs não era a de evitar a morte dos rapazes. Os dois para-brisas estão estilhaçados, os vidros da janela do motorista e o lateral traseiro também. São 21 marcas de bala, a maioria na parte superior do Fusca, o que indica a vontade de matar.

Os ferimentos nos corpos são ainda mais reveladores. O sangue escorre por 23 perfurações de balas, a maior parte em regiões vitais, como o coração e a cabeça. A pressa em socorrer só ocorre, de fato, na retirada dos corpos do local do crime. A caminho do hospital, ao contrário, a velocidade dos policiais militares é de lesma.

O Hospital das Clínicas fica a menos de 5 quilômetros do Jardim América, trajeto que pode ser percorrido, na madrugada, em menos de dez minutos, mesmo a baixa velocidade. Passados cinquenta minutos do crime a Rota 17 ainda continua a caminho do hospital. Só às 4h30 da madrugada eles chegam à portaria do pronto-socorro, já com os corpos acusando rigidez cadavérica.

Enquanto os PMs da Rota 17 discutem com os médicos que se negam a receber cadáveres no hospital, o tenente Nepomuceno e seus comandados da Rota 66 começam a alterar o local do crime. Mais tarde eles têm o apoio de uma autoridade da PM, o coronel Mero Mendes Ferreira, diretor de Informações e Operações Policiais, e do delegado de plantão do Jardim América, Sílvio de Almeida, que acabam de chegar.

Desde o final do século XIX, quando surgiu a criminalística na França, qualquer policial do mundo sabe que o local do crime deve ser rigorosamente preservado para o levantamento da perícia técnica. Os responsáveis pela segurança pública do maior estado do país parecem ter esquecido esse procedimento ou não gostam de respeitá-lo. Eles já deveriam ter providenciado o isolamento da área e chamado com urgência os especialistas da Polícia Científica. O trabalho deles — estabelecer relações dos objetos com o crime no local dos acontecimentos — pode ser fundamental às futuras investigações. Mas, preocupados em encontrar alguma coisa que possa incriminar os rapazes, o tenente Nepomuceno e a equipe da 66 começam a examinar o Fusca, sob as vistas do delegado Sílvio de Almeida, como se eles fossem os peritos dos Instituto de Criminalística.

— Achei, está tudo aqui no assoalho.

Um soldado começa a jogar vários objetos para fora do carro, que não revelam grande coisa: uma camisa azul, uma camiseta branca, uma chave de fenda, dois chaveiros, um estojo de óculos vazio, uma escova de cabelo, uma caixa de cotonetes em uso e um chapéu preto com listras vermelhas, o sombreiro de Pancho.

Outro soldado descobre no porta-malas uma sacola com várias roupas íntimas de mulher, além de um tamanco, apare-lho de barbear, vidros de cosméticos, bijuterias. No porta-luvas encontra três caixas de fósforos e um folha de papel de enrolar pão, motivo de um comentário nada científico do pesquisador PM.

— Coisa de maconheiro, chefia. Estamos achando... Estamos achando.

Retirados os corpos das vítimas, remexidos todos os objetos, só falta movimentar os carros envolvidos na ação. É isso que os policiais militares estão fazendo agora. Há dezenas de viaturas estacionadas, mas os PMs da Rota 66 estão retirando a Veraneio cinza do cenário do crime para usá-la como transporte à delegacia onde vão prestar depoimento. Um detalhe chama a atenção. Estão se dirigindo à 4ª Delegacia, que está fora da jurisdição. O correto é ir à 15ª na rua Groenlândia, no próprio Jardim América. Querem ganhar tempo. O motivo é a conversa que se seguiu ao telefonema do major Teodoro Hoffmann à casa dos Noronha, revelador de um grande erro. Assustado, o major repete aos superiores hierárquicos os principais trechos do diálogo com a mãe de uma das vítimas, Lia Noronha:

— É da casa do senhor José Noronha Filho?

— Sim.

— Ele é o dono do Volks EI 1565? Por acaso ele deu queixa do furto desse carro?

— Meu filho está usando o carro. Ele saiu pra levar a namorada em casa. O nome dele é Francisco Noronha, 17 anos.

— Não é possível. Seu filho saiu com o carro... A senhora tem certeza? A senhora pode verificar na garagem?

Desde o momento em que o major Teodoro Hoffmann, do Copom, ligou para casa dos Noronha, os homens da Rota estão vivendo uma grande tensão. Eles estão habituados a atingir pessoas de famílias humildes, gente simples, indefesa, que não teve condições de contratar advogados para denunciar a injustiça ou defender seus direitos. Nem foram procuradas pela imprensa. Mas agora, ao saber que as vítimas fazem parte da elite econômica, os policiais militares já deduzem que tudo vai ser diferente.

Eles já imaginam que as famílias vão exigir explicações coerentes, investigação policial séria, providências da Justiça. Sabem também que logo estarão cercados por um batalhão de jornalistas envolvidos em coberturas especiais. Por isso estão demorando tanto a chegar à delegacia da Polícia Civil. Em respeito à lei, eles deveriam se apresentar imediatamente após o assassinato ao delegado de plantão no Jardim América, que deveria registrar a ocorrência e ouvir seus depoimentos.

O dia está clareando às 6 da manhã — três horas depois da morte dos estudantes — quando os matadores se apresentam ao delegado do Jardim América.

— Grasnavam como patos. Voavam como patos. Fomos ver, eram perus.

O secretário da Segurança Pública de São Paulo é o coronel do Exército Erasmo Dias, um militar linha-dura que gosta de usar frases de efeito para ilustrar suas ideias conservadoras. Avisado da gravidade do caso, o coronel está desde a madrugada na companhia dos policiais militares, examinando cada detalhe da ação. Com ele estão dezenas de subalternos da Polícia Civil, vários oficiais e o comandante da Polícia Militar, general Francisco Torres de Mello. As primeiras declarações revelam que as autoridades vão apoiar os policiais que metralharam os rapazes, provavelmente por engano, como o próprio secretário admite, com a metáfora:

— Grasnavam como patos. Voavam como patos. Fomos ver, eram perus.

A primeira frase escrita no Boletim de Ocorrência define a natureza do inquérito: resistência à prisão seguida de morte. A segunda informação já revela de que lado está o responsável pela investigação. No espaço destinado à vítima, o delegado titular da 15ª Delegacia, Hugo Ribeiro de Melo, escreve o nome do sargento José Felício Soares. Na sequência relaciona os outros quatro PMs da Rota 66. Sim. Desde agora os papéis estarão oficialmente invertidos. Os cinco matadores são registrados como vítimas dos estudantes mortos. E os três rapazes serão os indiciados, os responsáveis pela morte deles mesmos. Em seguida, o delegado começa a narrar o histórico dos fatos, baseado no testemunho dos matadores-vítimas.

...Integrantes da Rota 13 surpreenderam três elementos que tentavam furtar toca-fitas e fitas gravadas do interior de um carro Puma (...) Os três elementos fugiram em um Volks azul de chapa EI 1565 (...) Enquanto isso a Rota 66 ouviu, pelo rádio, aviso de que o Volks fugia em direção à zona sul. Na avenida Nove de Julho os patrulheiros iniciaram a perseguição. O Volks não obedecia aos sinais de sirene e luzes da viatura policial, que chegou a ficar atravessada na avenida, sem, contudo, obstar a passagem do automóvel...

CACO BARCELLOS

...Na rua Argentina, por volta de 3h40, os ocupantes do Volks começaram a fazer disparos contra a viatura, tendo os policiais reagido. Na rua Argentina, esquina com Alasca, o Volks bateu em um poste (..) Os ocupantes desceram do carro disparando. Todos os policiais usaram as armas diante da séria resistência oferecida pelos perseguidos. Os três elementos saíram feridos. Em seguida, chegava a Rota 17, que transportou os feridos para o Hospital das Clínicas, onde faleceram...

...No Volks foram encontradas três porções de maconha. Na rua foram recolhidas três armas usadas pelos ocupantes do automóvel: um revólver calibre 32, sem marca e números aparentes, com quatro cápsulas deflagradas e duas intactas. Um revólver Rossi, calibre 22, número 23.175, com sete cápsulas deflagradas, e um revólver Rossi, calibre 22, número 594.324, com três cápsulas deflagradas e três intactas...

Preservar o local do crime para os matadores significa não alterar somente aquilo que possa ajudá-los no inquérito. A maconha e os três revólveres que os PMs afirmam pertencer aos estudantes estão expostos sobre uma mesa à disposição dos fotógrafos da imprensa que começam a chegar à delegacia. A droga teria sido encontrada dentro do Fusca quando o soldado Cláudio Cândido fazia o papel de perito. Há uma estranha dúvida sobre a embalagem da maconha. O sargento José Felício Soares afirma ter feito a entrega do achado ao tenente Nepomuceno em três pequenas porções. O tenente diz que toda a droga estava dentro de um saco plástico. O delegado não liga para a incoerência. Pergunta sobre as armas. Segundo a versão dos matadores, estavam ao lado dos corpos dos rapazes, no asfalto.

Se a história que os PMs estão contando na delegacia é verdadeira, nada justifica a retirada irregular das armas da esquina do crime, antes da chegada da perícia. A não ser a intenção de dificultar o início de uma possível investigação científica.

A outra hipótese é a de que estejam mentindo: armas e maconha fazem parte de uma farsa, uma armação para incriminar os mortos. É difícil saber neste momento qual a verdade. Nenhuma testemunha até agora teve coragem de ir à delegacia para contar como foi o tiroteio e as cenas que o sucederam. Todo o trabalho que o delegado está fazendo se baseia no relato dos policiais envolvidos.

Às 7 horas da manhã os PMs continuam praticando irregularidades. O delegado pede que sejam apresentadas as armas usadas para matar os rapazes. A Rota 66 é composta de cinco homens, que possuem duas mãos cada um, como todos os mortais. Mas, por ordem do tenente Nepomuceno, são colocados sobre a mesa dez revólveres e quatro metralhadoras. A exposição do armamento revela duas possibilidades, das quais só uma é verdadeira. Os matadores da PM são mágicos que conseguem com dez mãos segurar simultaneamente quatro metralhadoras, que pesam 8 quilos cada uma, e ainda mais dez armas leves. A outra hipótese revela, mais uma vez, a intenção de colocar obstáculos às investigações. Minutos depois, o próprio tenente Nepomuceno se justifica ao delegado. Houve uma mistura do armamento da Rota 66 com o da equipe da Rota 17, que não disparou um único tiro.

— E agora, como posso saber qual pertence a quem? — pergunta o delegado.

— É, agora complicou — responde o tenente.

A confusão é resolvida de forma irresponsável. O próprio tenente providencia, aleatoriamente, o recolhimento de duas metralhadoras e cinco revólveres. As armas restantes são encaminhadas ao exame de balística como se fossem as armas do crime.

Às 9h30 da manhã, a chegada de uma testemunha provoca grande movimentação na delegacia, já cheia de policiais, advogados e jornalistas. É o estudante quartanista de Direito, Roberto Barros Pimentel, de 24 anos, que está se apresentando de forma espontânea e disposto a falar muita coisa.

— Vocês são policiais? Pois vim trazer os meus cumprimentos à polícia de São Paulo... Meus parabéns, porque isso não pode continuar. Esses furtos, roubos, assaltos...

— Parabéns por quê?

— Porque vi tudo, a perseguição, o tiroteio...

— Então você é a nossa primeira testemunha.

O estudante Barros Pimentel imediatamente é levado à presença do escrivão e começa a depor. O seu depoimento é igual ao relato dos cinco PMs da Rota 66.

— Eu moro na rua Equador número 46 e da janela da minha casa eu vi tudo. Eu estava dormindo, acordei com o barulho do tiroteio.

— Que horas eram?

— Exatamente 3h35 da madrugada.

— O que você viu?

— Um Fusca azul passando pela esquina da Argentina, seguido por uma Veraneio cinza da polícia. Vi que os elementos do Volks faziam disparos contra os policiais, que revidavam. Vi que o rapaz que estava no banco da frente usava um chapéu tipo mexicano...

— É este chapéu preto recolhido aqui na delegacia?

— Reconheço. É o próprio. O rapaz do chapéu botava a cabeça para fora da janela, virava pra trás e atirava. Arma leve. Os policiais revidavam com tiros de grosso calibre.

— Como você sabe a diferença?

— Entendo de armas, pratico tiro ao alvo.

— Você viu mais alguma coisa?

— Em seguida eu ouvi um estrondo, um barulho muito forte de acidente de carro. Depois ouvi o ruído de mais tiroteio.

O corpo do rapaz está sendo identificado pelo irmão no Instituto Médico Legal. A mãe de Pancho, dona Maria de Consuelo Medeiros, aguarda junto ao balcão de atendimento ao público. Está cercada pelos amigos que tentam consolá-la. Repete a todo instante a mesma pergunta:

— Como pode ter saído do carro correndo e atirando, se ainda mancava, mal conseguia parar de pé?

Ao voltar do reconhecimento, o irmão de Pancho, Ângelo Medeiros, está revoltado.

— Ele está irreconhecível, mãe. Afundaram a testa dele. Cheio de tiros nas costas. Se não fosse o meu irmão eu não teria reconhecido. Que covardia, mãe!

Ângelo não é o único revoltado nesta hora. A moradora da mansão 779 da rua Argentina, dona Eliani Aparecida de Castro e Souza Faus, também não consegue tirar da cabeça a cena dos PMs metralhando os rapazes. Ela assistiu a tudo da janela do quarto, ao lado da empregada. Ao ouvir pelo rádio a notícia da identificação dos três rapazes, dona Eliani resolve procurar o nome dos pais na lista telefônica. As mãos tremem quando ela começa a discar o número do telefone dos Noronha. Tem muito medo de se expor. Só está ligando porque quer fazer um desabafo e, ao mesmo tempo, dar um pouco de consolo à mãe. Há ainda um terceiro motivo que faz dona Eliani criar coragem e falar com a família.

Quem atende o telefone é a tia-avó de Francisco Noronha, Hedy de Mello.

— Alô? É da casa da família Noronha?

— Sim, quem está falando?

— Eu sou uma pessoa que assistiu a um massacre aqui em frente de casa e queria falar com a mãe do rapaz. Estão falando muita mentira. Por isso, quero contar o que vi.

— A mãe está muito abalada, sem condições de sair da cama por causa dos sedativos. Mas a senhora pode me contar. Depois ela telefona pra senhora.

— Eu acordei com o barulho dos tiros na rua, barulho que foi se tornando cada vez mais próximo. Até que um dos carros bateu num poste bem em frente aqui de casa. Quando olhei pela janela, o motorista do Volks estava fora do carro com as mãos sobre a cabeça, gritando: pare! pare!

— E os PMs, o que fizeram?

— O que estava mais próximo do rapaz era um policial magro, alto. Ele chegou bem perto e disparou várias vezes a arma. O rapaz caiu. No chão ainda gritava ai! ai! ai! e o PM continuou atirando até o momento em que os gritos pararam.

— E os outros dois rapazes?

— Foram atacados quando ainda estavam dentro do carro. Vários disparos. Depois foram arrastados pelo chão como se fossem animais. Botaram os três numa viatura. E sumiram.

— Por que a senhora está telefonando, posso saber seu nome?

— Meu nome é Eliani. Estou telefonando em solidariedade às mães. Imagino o sofrimento delas. Tiveram os filhos assassinados e agora ainda estão sendo desmoralizados em público.

Dona Eliani deixa o telefone de casa para a família No-ronha. No mesmo dia a mãe de Francisco Noronha liga de volta, mas não a encontra. A empregada informa que a patroa foi ameaçada de morte depois de dar entrevista a um repórter. Decidiu viajar para a sua fazenda em Amparo. A mãe insistiu várias vezes por dias, meses, anos seguidos. Passados dezessete anos, Lia Noronha ainda tinha esperança de um dia conseguir conversar com a única pessoa que viu seu filho sendo fuzilado.

CAPÍTULO 8 | ## O pior do passado

O caso Rota 66 é o primeiro em que uma equipe das Rondas Ostensivas Tobias de Aguiar mata pessoas pertencentes à minoria rica do país.

Esta é uma das conclusões do Banco de Dados, que estou criando, nos meus primeiros dias de trabalho em São Paulo. Meu objetivo, ao iniciar a pesquisa, é conhecer o perfil das vítimas e as circunstâncias em que elas são mortas pela Polícia Militar. Poderia ser uma tarefa relativamente simples, se os dados não fossem considerados sigilosos pelas autoridades do Comando da PM. Bastava fundamentalmente eu ter acesso às notas oficiais sobre os tiroteios do passado, divulgados à imprensa pelo Serviço de Relações Públicas. Simples, se não estivéssemos na metade da década de 70.

Nesta época os policiais cultivam o hábito de guardar em sigilo as informações públicas, dificultando ao máximo sua divulgação quando, é claro, não é do interesse deles. Como meus pedidos de pesquisa nos arquivos da PM são sempre negados, sou obrigado a tomar o caminho da investigação. Opto pela ideia que julgo mais racional: a criação de um Banco de Dados sobre os indivíduos mortos durante o patrulhamento da cidade.

Minha pretensão é a de examinar todos os casos registrados como tiroteio desde o dia 9 de abril de 1970, quando houve a fusão da Polícia Civil e da Força Pública, para a criação da Polícia Militar de São Paulo. Fixado o início, decido que o final do período de abrangência do Banco de Dados será ilimitado: só acaba no dia em que os PMs deixarem de matar.

As primeiras informações da pesquisa são observações colhidas por acaso na Consolação, o bairro que eu escolhi para morar ao chegar a São Paulo, no final de 75. Aluguei um apartamento na rua Capote Valente, sem saber que ficava a três quarteirões do Instituto Médico Legal. Impressionado com o número de pessoas que procuram no IML o parente ou amigo morto pela polícia, faço anotações diárias num caderno de capa vermelha e preta.

Observações e entrevistas feitas no pátio do necrotério formam, desde já, uma das fontes da pesquisa. No começo ela é, portanto, uma extensão do trabalho anotado no caderno vermelho e preto. A outra fonte do meu Banco de Dados Não Oficiais é o arquivo do jornal com grande quantidade de fatos policiais, o *Notícias Populares,* o *NP.* A maior parte dos casos de pessoas mortas pela Polícia Militar é escrito no *NP* a partir das informações do Boletim de Ocorrência, ou da Nota Oficial divulgada pelo Serviço de Relações Públicas da PM. Desta maneira, ao ler as notícias de tiroteio envolvendo policiais, consigo reproduzir a versão oficial, com fidelidade, de todos os casos de mortes divulgadas.

O Boletim de Ocorrência é um documento público onde os policiais civis são obrigados a registrar os dados principais dos crimes ocorridos em sua jurisdição, baseados nos relatos das testemunhas. Tem o nome popular de BO. É o primeiro passo para a abertura dos inquéritos. As primeiras semanas de leitura nos arquivos do *NP* já revelam que a versão oficial sobre o envolvimento de policiais em crimes de morte geralmente parece um documento de defesa dos matadores.

O caso da Rota 66 é a notícia número 255 da fonte *NP* da minha pesquisa. Leio com extrema atenção. Para mim, tem uma grande importância. Anotar os dados da morte dos três rapazes do Fusca azul significa, por coincidência, que estou completando a leitura sobre tiroteios ocorridos em cinco anos de história da Polícia Militar de São Paulo. É hora de fazer o primeiro balanço do Banco de Dados.

A leitura das primeiras 1.725 edições do *NP* resultaram na descoberta de 274 pessoas mortas em supostos tiroteios pela cidade de 70 a 75. É um número impressionante, mesmo se comparado com a matança de grupos de extermínio. Significa mais do que o dobro das vítimas do temível Esquadrão da Morte de São Paulo, por exemplo, formado por policiais civis, atuante no começo dessa mesma década de 70.

Supera também o número de baixas de um período negro da repressão política no país, nas décadas de 60 e 70. Os agentes do Exército e da Polícia Civil, envolvidos no combate a ativistas políticos, são acusados pela execução de 269 pessoas — 144 oficialmente mortos, 125 desaparecidos. O saldo da matança da PM, somente até 1975, já é maior, portanto, que o número de mortos e desaparecidos políticos durante todo o período de 21 anos de ditadura militar.

Um outro fato revelador do Banco de Dados é o perfil dos homens que matam com maior frequência durante o policiamento. Os redatores do *NP* costumam escrever os nomes da equipe da PM envolvida no tiroteio, muitas vezes com o intuito de elogiar a atuação dos policiais. Isso tem enriquecido a pesquisa com a identificação de muitos matadores da PM. Revelada a identidade, constato que alguns deles já prestaram serviço aos órgãos de segurança da ditadura.

Antes de falar dos matadores da PM devo observar o seguinte: a maioria dos 50 mil homens que formam a Polícia Militar de São Paulo em 1975, felizmente, não costuma matar durante o policiamento. São homens que respeitam a lei. Mesmo muitas vezes envolvidos em situações de risco da própria vida, por necessidade de repressão ao crime, costumam cumprir a sua obrigação: atirar só em último caso. A prioridade da imensa maioria é a prisão do suspeito, levá-lo a julgamento da Justiça. Matar em supostos tiroteios, como vamos ver, é coisa de uma minoria.

Os nomes dos matadores, assim como da unidade a que pertencem, se repetem com grande frequência no Banco de Dados. Não há duvida. Eles fazem parte de uma minoria concentrada no 1.º Batalhão da Polícia Militar de São Paulo, mais especificamente de uma unidade considerada a elite da corporação — as Rondas Ostensivas Tobias de Aguiar, Rota. Alguns são homens experientes, que estão na PM desde a criação da Rota, outubro de 70, para reprimir as ações guerrilheiras de assalto a bancos. Os primeiros nomes registrados no Banco de Dados, como matadores, são de PMs envolvidos na guerra contra a guerrilha: os sargentos Absalom Moreira da Luz e Manoel Alves do Nascimento.

Na noite de 13 de abril de 70, cinco dias depois da criação da Polícia Militar, os sargentos Absalom e Nascimento, recrutados à Operação Bandeirantes, a Oban, fazem parte da equipe de buscas C-4, encarregados da prisão de um homem suspeito de ser guerrilheiro. A ordem de serviço do SI, Setor de Informações, indica que o esconderijo é uma pensão para rapazes no bairro do Aeroporto. O homem não está em casa. Os dois sargentos obrigam o dono a abrir um apartamento, no outro lado do pátio da pensão, de onde podem ver o quarto dele. Às 9 horas da noite, mais de quarenta tiras à paisana fazem uma campana na rua Itatins, de carro e a pé, simulando um movimento normal de pedestres.

Os policiais militares e colaboradores da Oban formam a força auxiliar de repressão política, em apoio aos tiras civis do Dops e agentes do Exército. São homens da chamada linha de frente. Usam trajes civis, metralhadoras, bombas, walkie-talkies, Veraneios com chapa fria. Às vezes se infiltram nas organizações de esquerda para investigar. Mesmo nas operações tidas como regulares, como agora na rua Itatins, costumam agir de forma sigilosa, sem respeitar os mínimos direitos de seus inimigos.

O suspeito é desconhecido dos policiais. Por isso passa normalmente entre eles na rua. Entra no pátio da pensão. Agora começa a ser observado pelos dois sargentos, através de frestas da janela. Abre a porta do quarto 13. Ao acender a luz, simultaneamente os policiais avançam para atacar. Os sargentos vão na frente. É Absalom quem bate à porta.

Ninguém atende.

— Sabemos que você está em casa, Brianezi. Precisamos conversar com você. Pode abrir a porta?

— Um instante.

CACO BARCELLOS

Dois minutos depois, Brianezi entreabre a porta com uma arma escondida no bolso. Rodeado pelos tiras, os PMs gritam.

— Polícia!

O tiroteio é rápido, dura menos de um minuto. Os sargentos Absalom e Nascimento estão feridos e o suspeito morto, com seis ferimentos no corpo. Todos os objetos pessoais da vítima são apreendidos pelos policiais, que vão anexá-los ao inquérito como se fossem provas materiais do crime de subversão ao regime. Cabem em uma pequena mala. São oito camisas, quatro calças, dois óculos ray-ban, um blusão de brim, um par de luvas, um abridor de latas, um par de botas, um rolo de fio de náilon, uma boina vermelha, uma planta da cidade de São Paulo e o livro *Guerra na Surdina*, de Boris Schnaiderman. Os documentos identificam o suspeito: paranaense, natural de Londrina, 24 anos, comerciário. É o guerrilheiro José Idézio Brianezi, o primeiro a ser registrado no nosso arquivo informatizado.

Outro matador da PM que começou a carreira perseguindo guerrilheiros é o cabo Nilton Filó. Meses depois de se alistar como soldado, ele foi promovido por ato de bravura ao participar da caça ao líder guerrilheiro Carlos Lamarca, no Vale do Ribeira, em maio de 70. Sob o comando do tenente Alberto Mendes Júnior, Filó fazia parte de uma patrulha, emboscada pelos guerrilheiros. Durante o tiroteio, com várias baixas em suas fileiras, os PMs optaram pela rendição para socorrer os feridos e evitar o massacre. Esse gesto, considerado heroico pelo comando da Polícia Militar, iria resultar em uma promoção ao soldado Nilton Filó, que se tornaria cabo após a missão. No final do combate, os guerrilheiros concordaram em libertar os presos em troca da rendição do tenente Alberto Mendes Júnior, que acabou sendo morto.

O chefe militar para as operações no Vale do Ribeira foi um coronel do Exército, que já vimos em evidência neste ano de 1975: Erasmo Dias, na época comandante da II Região Militar. Depois de um cerco de quarenta dias, os guerrilheiros conseguiram escapar. O fracasso é atribuído pelo próprio coronel à inexperiência e ao medo que os policiais militares tinham de enfrentar Lamarca e seus homens.

Nos anos seguintes, já mais tarimbados, o cabo Filó, recrutado pela Rota, juntamente com vários colegas da Operação Bandeirantes, continuaram envolvidos na guerra contra a guerrilha. Muitos PMs são contemporâneos, portanto, aos agentes da repressão política, que costumavam forjar histórias, através de notas oficiais distribuídas à imprensa, para esconder a verdadeira circunstância em que matavam seus inimigos. No caso do jornalista Luiz Eduardo da Rocha Merlino, por exemplo, várias pessoas testemunharam sua morte sob tortura nas dependências da Oban. Mas o histórico oficial registra "segundo consta, vítima de atropelamento". Há dezenas de exemplos semelhantes.

Outro guerrilheiro morto sob tortura na Oban é Joaquim Alencar Seixas.

Histórico: faleceu em virtude de ferimentos recebidos após travar violento tiroteio com os órgãos da Secretaria de Segurança do Estado de São Paulo, às treze horas de dezesseis de abril de mil novecentos e setenta e um, na Av. do Cursino, Ipiranga, Capital.

Uma observação mais detalhada do Banco de Dados mostra que os matadores da PM herdaram os métodos do passado. Vencida a guerra contra a guerrilha, passaram a usar os mesmos métodos contra os suspeitos da prática de crimes comuns. O nome do mesmo cabo Nilton Filó, que combatia guerrilheiros, aparece três vezes no Banco envolvido em tiroteios que resultaram na morte de cinco pessoas. As explicações que ele dá para os crimes parecem um plágio dos tempos da ditadura.

O registro 172 do Banco de Dados se refere ao caso em que Nilton Filó metralhou o jovem Rodolfo Ferreira, acusado de tráfico de entorpecentes. No depoimento, Nilton Filó alega ter escorregado na lama ao efetuar a prisão do suspeito, momento em que a metralhadora teria disparado de forma acidental.

Explicação ainda mais inverossímil para a morte de um jovem e dois menores é o caso de um único tiroteio envolvendo Filó e mais quatro PMs dias antes do caso Rota 66. Começa com o assalto a um ônibus estacionado no ponto final da viação Santa Clara, na periferia da cidade.

Um homem domina o motorista encostando-lhe o punhal no peito enquanto outro assaltante aponta uma pistola velha ao cobrador, Edgar Alves Pains. Exige o dinheiro do movimento do dia. Nervosamente, o cobrador entrega tudo o que está no caixa, mais o seu relógio e os trocados dos bolsos. O ladrão devolve parte do roubo.

— Seu dinheiro não, maninho. Você é trabalhador como a gente. Quero só o da empresa.

— Falô, isso ia me fazer falta, é o dinheiro das horas extras.

O assaltante do punhal manda o motorista afogar o motor do ônibus. Antes de sair faz uma ameaça:

— Se botar a cabeça pra fora da janela, leva bala!

Em seguida a dupla faz a limpeza em outro ônibus e foge acompanhada de mais três homens. Avisados do assalto, cinco minutos depois os PMs da Rota estão vasculhando a região do Jardim Santa Brígida. Cruzam com um grupo de cinco suspeitos. Sem fazer qualquer pergunta, os PMs deduzem que são os mesmos que roubaram os cobradores. Segundo o relato inusitado do cabo Nilton Filó e de seus colegas, a quadrilha tentou assaltar o próprio carro da PM, na escuridão de uma rua de chão batido.

— Um deles estava deitado no meio da rua pra forçar a parada da viatura. Se a gente parasse eles fariam um ataque de emboscada. Mas um deles percebeu que era polícia e gritou: sujeira! Todos correram resistindo à prisão. Dispararam suas armas estabelecendo cerrado tiroteio... Dominados e desarmados, foram imediatamente socorridos pela própria guarnição, removidos para o Hospital Santa Clara, onde vieram a falecer.

Ele também é personagem de outra história impressionante, descrita pelos PMs como cerrado tiroteio. Filó e mais de 70 policiais civis e militares armados com bombas, revólveres e metralhadoras teriam sido atacados por um único homem, Daniel José de Santana, fuzilado sob a acusação de resistir a um flagrante, no bairro do Aeroporto, em fevereiro de 75. Neste episódio, aliás, atuou também o cabo Roberto Lopes Martínez da Rota 66, um dos matadores dos rapazes do Fusca azul.

O primeiro levantamento parcial do Banco de Dados mostra também que vários PMs envolvidos na morte dos três rapazes do Fusca azul são autores de outros supostos tiroteios contra jovens e menores da periferia da cidade.

O soldado da Rota 17, Everaldo Borges de Souza, que discutiu com os médicos ao entregar os corpos dos três rapazes no hospital, é o mesmo PM envolvido na morte de um homem sem documentos em janeiro de 75. Também foi Borges quem matou, em outro suposto tiroteio de janeiro de 75, o garagista José Rodrigues Neto e os irmãos paranaenses Jurandir e Aparecido Pereira de Souza, dentro de um táxi roubado, no bairro do Ipiranga.

O Banco de Dados me forneceu uma informação no mínimo curiosa. O comandante da equipe de Everaldo Borges no caso das três mortes do Ipiranga era o tenente Eli Nepomuceno, o mesmo tenente que comandou todas as equipes da Rota na noite da morte dos rapazes do Fusca azul. Ainda neste ano de 75, Nepomuceno se envolveu em outro crime de morte durante o policiamento. Era ele quem comandava a equipe que fuzilou um menor comerciário, de 16 anos, Celso Luiz Pomelli, em São Miguel Paulista.

Os supostos tiroteios deste ano de 75, se examinados através das versões oficiais da PM, têm uma grande semelhança com os tiroteios do passado, em que as vítimas eram os guerrilheiros. A narrativa do histórico dos fatos tem geralmente a mesma sequência. O PM desconfia de alguém na escuridão. O suspeito foge disparando a arma. O policial revida e atinge o suspeito. Socorrido, o ferido morre a caminho do hospital. A condição de vítima ou de agressor geralmente é invertida, como aconteceu no caso Rota 66. *O morto sempre é o culpado pela morte dele.* Naturalmente, a cada novo tiroteio são mudados os nomes das pessoas envolvidas, a data, o local, a hora do crime.

Minha investigação mostra que os PMs são alunos que aprenderam o pior dos seus professores do passado. Além de terem copiado o método brutal da repressão — o fuzilamento —, ainda conseguem a proeza de desrespeitar a lei do direito à vida de forma mais insana. Enquanto os policiais da repressão política se baseavam em uma investigação para selecionar o inimigo a ser morto, os matadores da PM agem espontaneamente, sem nenhum critério prévio. Escolhem suas vítimas a partir de uma simples desconfiança. Consigo fazer essa afirmação com segurança depois de ter examinado exatamente 33 tiroteios ocorridos em 1975.

Mas teriam os policiais de fato praticado um crime? O resultado do levantamento mostra, por exemplo, que cinco suspeitos, que não portavam documentos ao serem mortos, foram enterrados como indigentes. Significa que foram fuzilados sem se saber se eram criminosos ou não. Do total de 33 vítimas, apenas onze eram registrados como ladrões nos arquivos da polícia. A grande maioria tinha a ficha limpa: dezessete não eram criminosos. Cinco eram operários. Foram fuzilados também um mecânico, um cozinheiro, um motorista, um sapateiro, um comerciante, um vigilante, um carpinteiro, um industriário, dois desempregados e dois estudantes. Todos esses dezessete foram mortos sem terem sido presos uma única vez na vida.

Os arquivos da Justiça e da própria polícia provavam que as versões oficiais sobre os tiroteios em muitos casos não eram verdadeiras. Visavam justificar os assassinatos como ações de legítima defesa durante o cumprimento do dever. Meu objetivo, em 75, era o de investigar para saber a circunstância da morte de um por um. De imediato percebi que a falta de testemunhas — uma característica comum à maioria dos casos — seria o primeiro grande obstáculo. Com exceção dos três estudantes moradores da região rica dos Jardins, todas as outras vítimas eram pobres, mortos em lugares ermos, geralmente durante a madrugada.

A dificuldade em provar como os PMs agem quando matam pessoas pobres, suspeitas de serem criminosas, não consistia em novidade para mim em 75. A grande surpresa, nos meus primeiros dias de trabalho em São Paulo, foi encontrar barreiras semelhantes na apuração de um crime em que as vítimas eram ricas. Foi durante o trabalho no caso Rota 66 que eu descobri: mesmo que os mortos façam parte da elite econômica, a investigação sobre os assassinatos praticados por PMs é sempre um grande desafio.

CAPÍTULO 9 | O julgamento

O ídolo de João Augusto Diniz Junqueira é a última pessoa da família a saber de sua morte. O dr. João Augusto Andrade está saindo de casa, para atender um cliente em domicílio, quando recebe o telefonema de São Paulo avisando que um acidente grave havia acontecido com o neto. A sua primeira reação foi quase profissional.

— Pode deixar que eu vou já pra aí, temos que salvar a vida dele!

A insistência de seus filhos em acompanhá-lo na viagem de carro à capital faz o avô desconfiar que algo de muito pior deve ter acontecido com o neto que ele mais ama. Pressente o fim do sonho de ver Augusto formado em Agronomia, como tantas vezes prometera em conversas com o avô. E chora.

Ao chegar na casa do neto, o médico é cercado pelos parentes que confirmam o que ele já desconfiava. Abraça demoradamente a filha, Lia Junqueira, mãe de Augusto. Aos poucos, ela conta detalhes do crime: número de policiais que mataram Augusto, quantidade de tiros no corpo dele, calúnias oficiais contra a honra do filho, apoio das autoridades aos matadores. Ele ouve o relato num silêncio que esconde a dor e a revolta.

— Onde ele está, minha filha?

— Estamos providenciando o traslado para Orlândia, pai. Vamos enterrá-lo lá na nossa terra. Essa cidade de bandido não vai ficar com o meu filho.

— Eu quero saber onde ele está agora, já!

— Está saindo do Instituto Médico Legal daqui a pouco.

— Preciso ir até lá. Me aguardem.

A filha, o genro e os parentes que acompanham o drama do avô tentam impedi-lo de sair. O avô ignora a proibição:

— Tenho 72 anos. Respeitem minha liberdade.

Mais de quarenta cadáveres estão sendo necropsiados no IML naquele dia. Mas o motivo de todo o movimento no estreito corredor de atendimento ao público é o caso Rota 66. Os repórteres entrevistam os amigos dos rapazes e alguns policiais que não participaram do crime. A chegada do avô de Augusto vira o centro das atenções. Ele vai direto ao balcão de informações sob o foco de várias máquinas fotográficas.

— Quero saber onde está o meu neto, João Augusto Diniz Junqueira.

— Estamos aguardando documentação pra liberar o corpo, senhor. A sua família já está providenciando.

— Minha pergunta foi onde está o corpo, e você não respondeu.

— Onde estão todos os corpos. No frigorífico.

— Me leve já até esse lugar. Sou médico, preciso vê-lo.

— Infelizmente, não é possível, senhor. O lugar é reservado aos médicos do IML.

Os amigos revoltados indicam a porta de acesso à sala das geladeiras. O avô abre o tampo de madeira do balcão de atendimento, única barreira para chegar à área reservada. Os funcionários correm para impedi-lo. Ele começa a protestar.

— Este lugar é público. Por que vocês querem escondê-lo de mim?

Agarrado pelos braços, mas sem violência, o avô usa de toda sua força para se soltar e seguir em frente, enquanto fala sem parar.

— Que sujeira estão preparando com o corpo de meu neto? Vocês são todos do mesmo bando de assassinos...

A interferência de um diretor do IML consegue acalmá-lo um pouco. O diretor admite a possibilidade de o corpo ser examinado pelo avô, mas na condição de familiar, não na de médico. Os parentes que acabam de chegar discordam da ideia. Seria sofrimento demais para um homem de idade avançada e tão emocionalmente envolvido. Já muito abatido, o avô se rende aos argumentos da família. Se cala, concorda em voltar para casa.

Depois desse dia, o avô nunca mais foi o mesmo homem falador, extrovertido, feliz. Passou a atender apenas os amigos mais antigos, em casos de urgência. Suas conversas se limitavam às coisas simples e superficiais do cotidiano. Só aos mais próximos explicava o que havia acontecido à sua vida:

— O assassinato de um jovem não se restringe a uma vítima. Os matadores que atiraram em meu neto também atingiram gravemente a minha vida.

Dois meses depois, o avô morreu de enfarte, atribuído pela família ao sofrimento pela morte do neto.

O sofrimento da família de Francisco Noronha se transforma em revolta já durante as cerimônias do velório. Na mesma manhã do dia 23 de abril, o pai, José Noronha Filho, telefona a um amigo do Palácio dos Bandeirantes, sede do governo do Estado.

— Sua maravilhosa polícia assassinou meu filho, Paulo Egídio.

O governador de São Paulo, Paulo Egídio Martins, recebe a informação do caso Rota 66 pelo amigo de infância, hoje diretor do Banco Itaú, José Noronha Filho. A situação é no mínimo constrangedora para o governador, que se vê diante de um dilema. Ele tem a obrigação moral de exigir da polícia uma apuração rigorosa dos fatos, coisa que normalmente ela deixa de fazer quando se trata de crimes da Polícia Militar. E além disso ele se vê impossibilitado de punir de imediato os responsáveis pelo crime, já que agiram de acordo com a orientação que recebem dos comandantes da PM e do secretário de Segurança.

A primeira atitude de Paulo Egídio Martins é prática: ordena a liberação imediata dos corpos dos três rapazes recolhidos ao IML, como desejam as famílias, para o enterro ainda na quarta-feira, 23. Uma outra decisão, mais importante, é fruto da pressão dos Noronha. O governador oficializa a abertura de uma sindicância na Justiça, para acompanhar e auxiliar as apurações do inquérito, de responsabilidade da Polícia Civil. Antes do anoitecer o juiz corregedor da Polícia Judiciária já nomeia um promotor para ficar, em tempo integral, fiscalizando de perto a apuração dos policiais. Ao mesmo tempo, o juiz seleciona uma equipe de peritos e agentes especiais do Dops, homens de sua confiança, para executar a investigação exclusiva da sindicância.

A Polícia Militar, por seu lado, também se articula. Alguns oficiais da PM, responsáveis pela abertura de Inquérito Policial-Militar, são encarregados de investigar a fundo as circunstâncias do tiroteio. Na prática, o que se observa é a intenção dos investigadores do IPM em denegrir a imagem dos três rapazes mortos. O trabalho é feito de forma reservada. Os resultados frequentemente se confrontam com as apurações da polícia e da Justiça Civil.

O Inquérito Policial-Militar (IPM) se constitui basicamente de um instrumento de defesa dos PMs da Rota 66. As testemunhas são os próprios policiais envolvidos no crime. Não se levanta dúvidas sobre a versão de cada um: os PMs são os donos da verdade. Os responsáveis pelo IPM apresentam denúncias exclusivamente contra os três rapazes mortos.

Para provar que os rapazes tentaram furtar o toca-fitas do Puma de Roberto Veras, fato que deu origem à perseguição, os investigadores do IPM se valem de um laudo técnico. Na mesma madrugada, horas depois do tiroteio, os peritos encontraram fitas cassete espalhadas no banco dianteiro do Puma, o parafuso que fixa o toca-fitas no painel quase solto. Descobriram também treze pequenas marcas digitais no vidro da porta do carro, que estava um pouco rebaixado. As marcas no vidro coincidem com as impressões digitais de um dos rapazes, João Augusto Diniz Junqueira. São detalhes apontados no IPM como indicadores de uma certeza: eles tentaram furtar o toca-fitas.

Num esforço para provar que os três rapazes já eram criminosos antes da madrugada de 23 de abril, os responsáveis pelo IPM fizeram um levantamento detalhado da vida de cada um. Nos arquivos da Polícia Civil, descobriram que um deles — Pancho — estava condenado por ter agredido um outro jovem numa briga de rua, além de responder a um inquérito por desordens públicas. Nada encontraram contra João Augusto Diniz Junqueira e Francisco Noronha. Nem por isso deixaram de acusá-los. Os investigadores do IPM localizaram três pessoas que depuseram contra Noronha por supostos crimes sem nenhuma relação com o caso Rota 66.

O estudante Domício Pacheco e Silva Júnior declara no IPM ter sido vítima de furto de um toca-fitas na garagem do prédio de sua noiva. Ele reclamou ao porteiro do prédio, ameaçou chamar a polícia. No mesmo dia o prejuízo foi ressarcido. Domício não acusa diretamente Noronha, mas afirma que o cheque estava assinado por uma pessoa que tem o mesmo sobrenome dele.

O zelador do prédio de Noronha, João Pereira da Silva, interrogado pelos responsáveis pelo IPM, confirma a história do furto do toca-fitas e faz uma outra acusação. Declara que certa noite foi agredido por Noronha, quando ele tinha menos de 15 anos.

— Impedi a entrada de um amigo dele no prédio, a pedido do pai. Ele se revoltou, me deu um pontapé na barriga.

A denúncia mais grave contra Noronha parece obra de ficção. O aposentado José Lima de Oliveira, de 51 anos, teria viajado de forma voluntária da Bahia para São Paulo exclusivamente para depor no IPM. Ele declara ter sido vítima de dois crimes praticados de forma simultânea por Noronha e sua turma, em uma noite de fim de semana em São Paulo. Uma curiosidade: José Lima nunca deu queixa do assalto à polícia e só lembra de um detalhe: da fisionomia de Noronha.

— Eu estava caminhando na calçada e de repente fui abordado pelos assaltantes, que estavam dentro de um automóvel Galaxie.

— Roubaram muito?

— Nada. Se aproximaram de mim e um deles, ainda com o carro em movimento, disparou um tiro contra mim.

— Quem disparou o tiro?

— Tenho certeza que foi o Francisco Noronha.

— Como o senhor sabe disso?

— Guardei a fisionomia. Quando vi a foto dele publicada nos jornais reconheci ser o mesmo que tentou me matar.

— Por que ele atirou antes de roubar?

— Porque era bandidão.

— Qual a placa do Galaxie?

— Não deu tempo de ver.

— Onde foi?

— No centro.

— O endereço exato.

— Não lembro.

— Por que o senhor não deu queixa antes?

— Porque só agora reconheci o assaltante.

Ao investigar o passado dos colegas envolvidos no caso Rota 66, os responsáveis pelo IPM não revelam igual eficiência. Esqueceram de verificar, nos próprios assentamentos da corporação, que a maior parte dos policiais envolvidos já havia fuzilado mais de dez pessoas não criminosas antes da madrugada do dia 23 de abril de 1975. A única referência à vida pregressa dos matadores é um elogio:

> Que os policiais, componentes da Rota 66, são pessoas responsáveis, faz prova dos seus assentamentos na Corporação.

Enquanto os responsáveis pelo IPM se esforçam na defesa dos matadores, as apurações da polícia e da Justiça Civil se desenvolvem de forma menos tendenciosa. A grande dificuldade dos investigadores é convencer as raras testemunhas a depor. As pessoas que moram perto do local do crime foram ameaçadas de morte e estão amedrontadas, não querem falar nada. Diante da fragilidade dos depoimentos, os responsáveis pelo inquérito civil se obrigam a perseguir o caminho técnico, na tentativa de esclarecer o que aconteceu na madrugada do dia 23.

A tarefa inicial dos peritos é desafiadora. Usar a ciência para provar a veracidade ou não de todas as informações contidas até agora no inquérito. As primeiras investigações revelam que o estudante de Direito Roberto de Barros Pimentel, filho de um advogado famoso em São Paulo, tem boas relações com policiais militares. É um frequentador assíduo do quartel do Barro Branco, sede de treinamento de PMs, onde costuma praticar tiro ao alvo. Seu depoimento, como única testemunha ocular, na consideração de especialistas, já levanta muitas dúvidas.

Só uma pessoa com olhar fotográfico poderia ter visto tanta coisa em fração de segundo. O estudante afirma ter assistido a uma perseguição de carros em altíssima velocidade no escuro da madrugada, em condições de identificar a marca e a cor de cada veículo, e ainda de ver um rapaz de chapéu, sentado à direita do motorista, disparar um revólver de baixo calibre contra os policiais, que revidavam com armas pesadas. Afirma também ter ouvido em seguida um estrondo como se fosse uma colisão contra um obstáculo.

Os peritos se posicionam na mesma hora e no mesmo lugar estranho — um sótão — de onde o estudante afirma ter assistido à perseguição. Recuada em relação à linha das casas vizinhas, a mansão 64 da rua Equador é uma construção de estilo colonial americano, uma das quatro que ocupam o quarteirão onde moram os Pimentel. O quintal é cercado por grades de 3 metros de altura que mal podem ser vistas entre a vegetação dos jardins e as árvores da calçada. Os peritos fazem um desenho, de precisão geométrica. Usam como referência o ângulo de visão do sótão, a 5 metros de altura do piso.

A visão é de pouco mais de 100 metros à frente, para a rua Equador, limitada nas laterais pelas paredes das mansões vizinhas. Os peritos concluem que deste lugar é impossível alguém enxergar veículos passando pelo cruzamento da rua Argentina. A visão é obstruída pelas copas das árvores, sobretudo na escuridão da madrugada. Mesmo se não houvesse a barreira verde, a distância de 250 metros que separa a mansão da esquina também torna impossível distinguir, do sótão, tantos detalhes de uma perseguição em alta velocidade. A revelação dos peritos da Justiça levou o estudante de Direito de volta à delegacia do Jardim América para fazer uma retificação no depoimento agora desmentido.

Eu afirmei anteriormente que os carros envolvidos na perseguição passavam pela rua Argentina. Quero esclarecer agora que houve um erro ao me expressar. Usei a palavra pela e o correto era ter usado para. Não era na rua Argentina, mas sim para a rua Argentina. Na verdade, eles passaram trocando tiros em frente a minha casa, na Equador para a Argentina. Por isso eu vi tudo.

As declarações do vigilante da mansão vizinha ajudam a demonstrar a falsidade do depoimento. O guarda-noturno Joaquim Quirino Pires revelou aos investigadores da sindicância da Justiça o diálogo que manteve com Pimentel ao amanhecer da quarta-feira, três horas depois do assassinato.

— Bom-dia, seu Joaquim. O senhor ouviu a barulheira nesta madrugada?

— Ouvi tudo, nunca vi coisa igual...

— Sabe o que aconteceu?

— O senhor não sabe? A polícia metralhou três rapazes ali na esquina da Argentina com Alasca.

— É mesmo?! Vou lá ver...

Os peritos do Instituto de Criminalística são responsáveis por outro golpe na versão de Pimentel. Se valem do exame do Fusca azul, único objeto relacionado com o crime que não foi retirado do local antes da chegada da perícia. Eles constataram que a colisão do carro contra o poste, de natureza leve, jamais poderia ser ouvida como um estrondo por alguém posicionado na janela da casa de Pimentel, afastada mais de 300 metros do local do acidente. Os peritos também observaram que a porta direita do Fusca estava fechada, com o vidro inteiro levantado. Fato que contradiz a hipótese de que um dos rapazes, sentado ao lado do motorista, estivesse com a cabeça para o lado de fora da janela trocando tiros com a polícia.

As provas científicas também ajudam a desmoralizar a versão de que os rapazes usaram armas durante a perseguição. Horas depois do crime, na sala das geladeiras do IML, os peritos fizeram uma coleta nas mãos dos cadáveres para saber se havia vestígios de combustão de pólvora, um indicador do uso de arma de fogo. Em seguida, no laboratório, submeteram a coleta a um procedimento químico, o teste de Griess. Mediante a mistura de dois ácidos, o teste destaca o pó de pólvora queimada na epiderme das mãos, sempre que alguém faz um disparo de revólver.

O resultado do teste para os três rapazes é negativo. Os peritos alertam que o laudo deles não é 100 por cento revelador porque os policiais militares violaram o local do crime. Os cadáveres só foram examinados no Instituto Médico Legal. É possível que as mãos dos rapazes já tivessem sido lavadas antes da coleta de material para exame.

O promotor que acompanha as investigações considera válida a prova do teste de Griess. Ele se baseia na opinião de especialistas. Sempre que alguém dispara um revólver, o pó da pólvora queimada, quase imperceptível aos olhos, penetra na epiderme em profundidades diferentes. As mais profundas tendem à superfície devido à renovação contínua da pele. Por isso, mesmo após as lavagens das mãos, os resíduos podem ser pesquisados até três a cinco dias após o disparo ter sido efetuado.

Com o aval do promotor, o resultado negativo do teste de Griess se transforma em manchete de jornal.

Laudo comprova: estudantes não dispararam armas durante perseguição da Rota 66.

Se os rapazes não estavam armados, de quem seriam as armas apreendidas pelos PMs como se tivessem sido usadas durante o tiroteio? Responder a esta pergunta é o desafio dos agentes do Dops, encarregados de investigar a origem dos três revólveres, um calibre 32 e dois 22, um deles com o número de fabricação raspado. De imediato, o levantamento nos fichários da Delegacia de Armas e Explosivos e o contato com o fabricante revelam ser impossível procurar o primeiro dono dos revólveres 22, de origem clandestina.

Nos laboratórios do Instituto de Criminalística, os peritos obtêm alguns avanços na tentativa de descobrir a numeração raspada de um dos revólveres. Depois de dezenas de banhos químicos eles conseguem recuperar, com bastante nitidez, as marcas da imagem de quatro dos sete algarismos da numeração de fábrica. Mas ainda persiste a dúvida sobre dois números. Eles podem ser 0, 3, 6, 8 ou 9, com mais possibilidade para os algarismos 8 e 9.

O caminho mais viável e seguro é o da apuração sobre a origem do revólver 594.326, adquirido em 1968 numa loja de armas do centro de São Paulo por um dos 50 mil vigilantes particulares da cidade. Depois de dois meses de procura diária, os agentes do Dops conseguem localizar o migrante pernambucano Vicente Braz Lima, o primeiro dono do revólver Rossi 22, cano niquelado. Ele confirma ter comprado o revólver novo, mas há muitos anos já não está mais na posse dele.

— Com quem está a arma hoje?

— Elizeu Soares, cabra corajoso!

— Onde ele mora?

— No melhor lugar do mundo!

O revólver 594.326 teve um significado especial a Vicente. Ele o comprou no dia em que partiu de São Paulo, de volta a sua terra natal, Garanhuns, Pernambuco. Depois de sete anos trabalhando duro, voltava com a mulher e três filhos, se sentindo menos pobre. Tinha conseguido encher dois sacos com roupas e pequenos aparelhos eletrodomésticos, além de abarrotar uma grande mala com coisas de uso pessoal. Levava nos bolsos as economias equivalentes a dez salários mínimos. Chegava à rodoviária de Garanhuns vestindo calça e camisa novas, óculos escuros, boné com propaganda de um posto de gasolina. Só os sapatos eram velhos, os mesmos do uniforme de vigilante.

O motivo de maior orgulho de Vicente, ao ser recepcionado pelos parentes, era o objeto de ferro, niquelado, que viajou os 3 mil quilômetros, de São Paulo a Garanhuns, junto a sua barriga. Ao exibir a novidade ao compadre Elizeu Soares da Silva, se sente um homem bem-sucedido na vida e poderoso.

O compadre Elizeu Soares da Silva, como todos os homens de Garanhuns, gosta de andar armado e sobretudo exibir o seu poder de fogo. Carrega uma peixeira presa ao cinto, nas costas, pelo lado de fora da camisa. Ainda na rodoviária, fascinado pelo revólver de Vicente, pede a arma emprestada e a coloca na cintura, por dentro da calça. Não resiste propor já um negócio.

— Dou um bode, de pocria, bom animal...

— Calma, compadre. Eu não usei ainda o bichinho, nem coloquei toda munição...

— Bode e o filhote da leitoa, pronto. Negócio fechado!

— Calma, calma. Depois a gente conversa...

À tardinha, os dois gastam uma caixa de projéteis a experimentar o revólver contra as árvores nos fundos do quintal de Elizeu. O barulho atrai os homens da vizinhança, que também acompanham o impasse das negociações. O sucesso aumenta o poder de barganha de Vicente, que chega a pedir o jegue de estimação em troca da arma. Elizeu não aceita. No meio das plantações, faz mais uma proposta. Desta vez, definitiva.

— A roça inteira de mandioca. Pronto! Três meses de trabalho, produção da boa...

— Colhida?

— Você já está querendo demais... Só falta querer a sua comadre no negócio, veja se pode?

— Colhida. Ponho coldre, três caixas de munição, tudo!

— Deixa eu pensar...

— Compensa, com esse bicho na cintura você nunca vai levar desaforo pra casa.

— É meu!

Durante dois meses, Elizeu viveu sem dinheiro por ter trocado a produção do trimestre pela arma. Neste tempo, exibia o revólver na barriga, por toda parte, de forma ostensiva, atitude que o ajudava a impor respeito numa cidadezinha onde a maioria dos homens se limita ao uso de peixeira. Mas, falido e a contragosto, Elizeu se obrigou a negociá-la.

Bem longe de casa, para ninguém ficar sabendo que deixou de ser dono de uma arma de fogo, Elizeu trocou o revól-

CACO BARCELLOS

ver por um saco de feijão, com os donos de um sítio na zona rural de Garanhuns. Um mês depois de iniciada a investigação, os agentes do Dops localizam o sítio Olho de Guina, dos irmãos Tavares. Um deles, Luís, expulso da lavoura pela seca e a miséria, havia recém-migrado ao sul em busca de uma vida melhor. Os policiais são recebidos pelo lavrador Pedro Tavares.

— O senhor confirma ter comprado um revólver calibre 22 de Elizeu Soares?

— Comprar? Comprei. Matar? Não matei, nem precisa perguntar.

— O senhor pode nos mostrar a arma?

— Só quando o Luís voltar. Ela está com ele.

— Ele volta logo?

— Da última vez ficou três anos dando saudades à família.

— Onde podemos encontrá-lo?

— Vocês vieram de lá pra cá. Ela foi daqui pra lá. Adivinhe onde é?

— Em São Paulo? O senhor tem o endereço?

— Não vão precisar. Basta perguntar nas obras pelo Luís Pernambuco, servente...

Quando Luís Tavares foi localizado, já havia negociado a arma com um colega pernambucano, empregado de uma construtora na cidade de São José dos Campos, interior de São Paulo. Na mesma empresa o revólver passou pelas mãos de outros dois operários que moram nos alojamentos da obra. O último a adquiri-la foi um operador de máquinas, o migrante mineiro Eurides Felizardo Pinto, o Bengala. Transferido pela construtora para trabalhar numa obra da capital, Bengala contou aos agentes do Dops ter usado o revólver 594.326 até certa noite de março, um mês antes do caso Rota 66.

— O que aconteceu naquele dia?

— Eram 8 horas da noite. Eu me dirigia ao alojamento, em companhia do meu amigo, Neguinho, quando percebi pelo retrovisor que um carro fazia sinais com o farol e lançava a luz forte de um holofote em nossa cara.

— O que você fez?

— Parei, bem assustado. Pensei que fosse um assalto. Logo percebi que era uma Veraneio cinza da polícia, que parou atrás do meu Jeep.

— O que eles fizeram?

— Mandaram eu saltar fora, mãos sobre a parede, encostar no muro, pontapé no calcanhar, joelhada no traseiro, maior geral...

— E a arma, estava com você?

— Eles acharam no porta-luvas.

— E aí?

— Aí, como eu não tinha porte de armas, um deles me levou pra longe do meu amigo e me perguntou: quer deixar a arma com a gente ou prefere ir pra delegacia?

— O que você decidiu?

— Achei uma injustiça, comprei com meu dinheiro, pô. Mas deixei barato. Eles ficaram com o meu revólver.

— Você é capaz de identificar os policiais?

— Eram fardados. O carro deles tinha um número, eu acho que era 3-214. Tinha também uma palavra na porta.

— Qual palavra?

— "Rota."

A descoberta da investigação tem grande repercussão entre os homens envolvidos na sindicância da Justiça. O último dono da arma, Eurides Felizardo, e o amigo, José Eustáquio da Silva, o Neguinho, são convocados a depor na presença do juiz corregedor e do promotor encarregado pelo

Ministério Público de acompanhar o inquérito policial e a sindicância. No final de um longo interrogatório, são colocados diante de oito revólveres sobre uma mesa. Um de cada vez, de forma isolada, eles respondem com segurança à pergunta do juiz.

— Você é capaz de reconhecer entre essas armas qual era a do seu amigo Eurides? — pergunta o juiz a Neguinho.

— Sim, senhor. É este revólver niquelado.

— Você é capaz de reconhecer entre essas armas qual era a sua? — pergunta o juiz a Eurides.

— Perfeitamente, excelência. É este 22, niquelado, que os homens da Rota tiraram de mim naquela noite.

Era o mesmo revólver 594.326 apresentado pelos policiais militares como se estivesse com os rapazes do Fusca azul.

A descoberta do verdadeiro dono da arma se constitui na principal prova levantada pelo Ministério Público contra os matadores da PM. Baseado nesse fato, três anos depois, ao relatar as conclusões do inquérito, o promotor Jairo de Souza Alves acusou os policiais militares de tentar forjar, de forma criminosa, uma situação inexistente. Colocar nas mãos das vítimas armas que não lhes pertenciam, segundo o promotor, além de ser crime contra a administração da Justiça visa justificar a ação criminosa de maus policiais que agiram de modo a impossibilitar a defesa das vítimas.

A análise do promotor relaciona uma sequência de erros dos policiais, desde o instante em que a Rota 13 fez a primeira abordagem aos rapazes do Fusca azul. Desobedecer à sirene, ao piscar dos faróis, e mesmo à voz de prisão poderia ser interpretado como um impulso natural e instintivo pela liberdade, o que não é crime. Mesmo que os policiais considerem a desobediência à prisão um crime grave, a atitude correta deles, segundo o promotor, deveria ser a tentativa de prisão em flagrante, que poderia levar a uma punição de 15 dias a 6 meses de cadeia aos três rapazes, além do pagamento de pequena multa.

Desde o início da perseguição até o seu desfecho, passaram-se mais de vinte minutos, tempo suficiente para os policiais terem descoberto que ninguém dera queixa do furto de um Fusca azul chapa EI 1565 em São Paulo. Era muito mais sensato pensar, portanto, que as pessoas que estavam dentro dele eram seus verdadeiros donos, do que o contrário. Mas, por orientação superior, os PMs da Rota pensam que estão envolvidos numa guerra suja. Preferem obedecer à teoria que considera legítimo praticar o abuso de poder, a irresponsabilidade contra pessoas suspeitas da prática de um crime, mesmo sem nenhuma gravidade, como a suposta tentativa de furto de um toca-fitas. A opinião do promotor Jairo de Souza Alves é partilhada com a de outros três colegas, que trabalharam no caso Rota 66.

As vítimas, desarmadas, indefesas, apavoradas com a perseguição policial, amedrontadas com os tiros disparados, foram mortas, segundo a interpretação do promotor João Benedito de Azevedo Marques, com requintes de crueldade, já que o número de disparos efetuados foi muito além do necessário para o homicídio. O objetivo da sucessão dos tiros, em sua opinião, era fazer sofrer, para o fuzilamento ter um sentido exemplar, fruto de uma mentalidade doentia de violência de policiais que se mostraram indignos da própria farda.

CACO BARCELLOS

Ao denunciar os cinco PMs por homicídio triplamente qualificado, mediante meio cruel, os promotores estão convencidos: eles merecem a pena máxima de 90 anos de cadeia.

...os homens começam a acreditar na violência como instrumento válido de ação, colocando-se em cheque toda a nossa concepção de vida cristã. A violência passaria a ser um instrumento válido na luta contra o crime (...) Neste ponto chega-se a um verdadeiro divisor de águas, sempre com aquela legião dos neutros. Ou se apoia ou se condena ou se omite. Não há outra posição.

(Do promotor João Benedito de Azevedo Marques)

Três anos depois do assassinato, a última decisão importante do processo é de responsabilidade do juiz Geraldo de Feo Flora, do Tribunal de Justiça de São Paulo. Ele acolhe parte da denúncia dos promotores. Decide mandar os cinco homens da Rota 66 a julgamento, em júri popular, por homicídio simples, três vezes incursos no artigo 121. A decisão da Justiça Civil do Estado causou entusiasmo entre os familiares dos rapazes mortos. Eles estavam seguros da condenação dos policiais devido à riqueza das provas técnicas levantadas contra eles. A pronúncia do juiz reforçava a convicção. Mas, na véspera do julgamento popular, os Junqueira, os Noronha e os Medeiros iriam sofrer uma grande decepção.

Em novembro de 1979, em uma decisão histórica, o Supremo Tribunal Federal anulou todo o processo da Justiça Civil. Atendendo a um recurso do advogado dos réus, os desembargadores da primeira turma do STF cancelaram o júri do caso Rota 66 por considerar o Fórum Civil incompetente para o julgamento. Também concederam um *habeas corpus* aos cinco PMs, que continuaram exercendo o trabalho regular no patrulhamento da cidade.

Anulado o processo da Justiça Civil, os desembargadores transferiram toda a responsabilidade pela apuração do crime e do julgamento ao Tribunal de Justiça Militar. Consideraram o crime de natureza militar, embora as três vítimas fossem civis. Se basearam na condição profissional dos matadores: PMs que dispararam armas privativas das Forças Armadas durante o serviço de policiamento urbano — atividade definida como militar em uma emenda constitucional criada pela ditadura.

A decisão dos desembargadores do Supremo Tribunal Federal de proibir o povo de julgar o caso foi considerada absurda e inconstitucional por juízes e promotores do Estado. Uma afronta à instituição do júri popular. Um precedente perigoso, por conceder um privilégio a uma categoria profissional responsável pela segurança da comunidade. A consequência mais grave dessa decisão do STF só seria observada no futuro. De imediato, aconteceu aquilo que as autoridades da Justiça Civil mais temiam: a transferência do julgamento à Justiça Militar representou, na opinião dos juristas, a impunidade aos matadores da Rota 66.

No dia 24 de junho de 81, seis anos depois do assassinato, já sem nenhuma esperança na Justiça, poucos amigos e parentes dos três rapazes mortos foram ver de perto o sargento, o cabo e os três soldados da Rota 66 sentarem-se no banco dos réus no prédio da Auditoria Militar de São Paulo.

Diante de um Conselho de Justiça Militar, formado por um juiz civil, dois majores e dois tenentes da PM, os matadores foram julgados inocentes. A reação da mãe de Francisco Noronha no Tribunal é de revolta:

CACO BARCELLOS

— Na rua, venceu a brutalidade dos covardes. A vitória aqui é da farsa e da hipocrisia.

Dona Maria Junqueira, mãe de Augusto, recebe o veredicto com indignação:

— É ridículo, vergonhoso. Só faltou o júri dar um troféu de honra ao mérito aos matadores do meu filho.

A viúva espanhola Maria Del Fuentes Consuelo Medeiros de Pierre, mãe de Pancho, não se conforma com a impunidade.

— Se a lei fosse cumprida nesse país, meu filho jamais seria morto. Muito menos eu teria que assistir a esse júri tão deprimente.

Na última década do século, quinze anos depois do assassinato, os amigos ainda não estão conformados. Pelo menos um deles lembra da tragédia quase todos os dias. A esquina da Argentina com Alasca é o caminho de casa para Gomalina, o grande amigo de Noronha, ex-líder da Turma do Paulistano. Quando passa de carro por este ponto do Jardim América, ele sempre buzina quatro vezes, em um ritual de protesto solitário, peculiar. Costuma esmurrar o volante para a buzina soar forte. Sempre quatro vezes. Cada murro representa uma sílaba da palavra que Gomalina gostaria de gritar bem alto aos policiais da Rota 66: A-SSA-SSI-NOS.

Segunda Parte

Os Matadores

CAPÍTULO 10 | Crime sem castigo

Empada, pedaço de pizza, café preto, coxinha de galinha, uns trocados de vez em quando. Os soldados adoram as propinas do boteco, que parece ponto de delegacia: Radiopatrulha, Tático Móvel, vários carros da polícia cheio de PMs dentro estacionam ali todos os dias. Wagner Bossato bebeu artena misturada com álcool, agora sente o efeito de uma bomba no sistema nervoso central. A sensação de quase loucura o faz esquecer que o capixaba é um protegido dos PMs. No momento em que o dono do boteco nega servir uma dose de Fogo Paulista, Bossato se ofende e o ameaça.

— Por que você não quer servir, que bobagem é essa, homem?

— Acabou a pinga...

— Porra nenhuma! Você serviu agora há pouco pro Gambé, qual é a sua?

— Era 51, você está por fora...

— 51? Tá bom, então me serve uma 51. Está aqui o dinheiro. Capricha.

— Já falei que acabou a pinga...

— Você é bem puxa-saco mesmo, hein? Um dia eu arrebento esse balcão, você vai ver.

CACO BARCELLOS

O capixaba Ataíde de Oliveira é do tipo vingativo, que na hora da briga se acovarda para depois agir às escondidas. Hora depois da desavença no boteco, o mecânico de motos desempregado Wagner Bossato, o Tatuagem, já estava sendo procurado por um cabo e dois soldados em trajes civis. De calção, sem camisa, com a sobrinha de dois anos no colo, junto ao portão de casa, ele percebe os três homens pedindo informações às crianças da rua que apontam em sua direção.

Da janela, a mãe de Bossato, dona Ilda Bossato, vê o filho passar a criança para o colo da vizinha da casa ao lado, em seguida correr assustado para dentro do quintal.

— O que houve, meu filho?

— A polícia está atrás de mim, mãe. Eles estão vindo pra cá.

— Entra, entra... Deixa que eu falo com eles.

A mulher de Bossato, Maria das Dores, se dá conta do perigo e corre para ajudá-los a fechar a pequena casa de três cômodos de alvenaria. Por sorte, a porta da sala já está fechada. Enquanto Bossato empurra a mesa para reforçar a segurança da frágil porta da cozinha, as duas mulheres correm ao quarto, onde duas das três janelas estão abertas. Uma é fechada rapidamente por Maria, que só precisou girar a tranca de madeira. A mãe percebe que os policiais já estão invadindo o quintal com armas nas mãos. Ela deixa a janela entreaberta para tentar o diálogo, saber o motivo da perseguição.

— O que está acontecendo? Por que essas armas, meu Deus?

Os três homens armados não respondem. O que está mais próximo da janela entreaberta é o cabo, o que dá as ordens aos dois soldados.

— Ele entrou pelos fundos. Vão lá, um de cada lado do corredor. Eu dou cobertura aqui na frente.

122

— Quem são vocês, Jesus Cristo? — insiste a mãe.

— É polícia, vovó, polícia!

Bossato puxa a mãe para o lado e fecha rápido a janela. O cabo observa a cena, avisa aos dois soldados e, ao ver o carro da Tático Móvel estacionar na frente da casa, corre para pedir reforço aos seus superiores. Via rádio, o cabo narra o episódio de forma fantasiosa.

— Resistência à prisão. Rua Deodato Werthermem, vinte e quatro, cinco, nove. Traficante em residência. Mulher como refém. Repetindo... Resistência...

Resistência, traficante, refém. As três palavras soam como um desafio à coragem do tenente da Veraneio M-1784, que comanda o policiamento de área a 10 quilômetros dali. Exatamente oito anos e dezenove dias depois de comandar as equipes envolvidas no caso Rota 66, o mesmo tenente Eli Nepomuceno se dirige em alta velocidade à Deodato Werthermem, em Moji das Cruzes, para ajudar a combater o inimigo do dono de um botequim. Ao chegar ao local, começa a agir como se ali estivesse em risco a segurança da sociedade. Há mais de dez PMs no cerco à casa. O tenente manda dois deles afastar os curiosos da calçada para o isolamento da área. Em seguida, invade correndo o quintal. Corre em volta da casa, grita, bate na madeira das portas e janelas.

— Sai fora, Tatuagem, você está cercado!

Dentro da casa, os três estão desesperados.

— Você aprontou alguma coisa por aí, Wagner?

— Nada, mulher. Isso é caguetagem do Capixaba, dei a maior bronca nele hoje.

— É o que dá se meter com puxa-saco de polícia. E agora?...

— Na minha casa eles não vão entrar de jeito nenhum. Me ajuda, mulher, me ajuda.

Desde que foi preso e torturado, numa delegacia, há mais de dois anos, Bossato sofre crises de paranoia da polícia. A doença se agrava sempre que ele injeta cocaína nas veias, ou se droga com a mistura artena-álcool. Às vezes, fica nervoso, outras vezes, irritado e violento com quem o contraria. Nos instantes de euforia provocada pelas drogas, frequentemente imagina que está sendo perseguido e se prende até um dia inteiro dentro do quarto. A mulher e a mãe — companheiras de suas horas de sofrimento — agora estão envolvidas pelo pânico de uma perseguição real.

Pela fresta da janela do quarto, Bossato observa a movimentação no quintal e comenta nervosamente com as mulheres:

— É a Rota... Eles vão me matar.

— Calma, meu filho, eles só querem prender você.

— Rota não prende, mãe. Rota só mata. Eles vieram me matar, vocês vão ver.

Bossato corre para a cozinha e com a ajuda de Maria põe o armário das louças sobre a mesa para dificultar ainda mais a invasão pela porta. Em seguida, enquanto a mãe encosta o sofá na entrada da sala, ele começa a desmontar as duas camas do quarto para usar a madeira no reforço às janelas. Os gritos lá de fora aumentam cada vez mais o desespero dos três.

— Sai fora, vagabundo. Você está cercado!

A mãe tenta intervir, conversar com o tenente Nepomuceno.

— Por que vocês estão aqui?

— Ele tem que sair fora já, sem conversa mole.

— Meu filho já vai sair, ele está procurando a roupa dele, só um minuto mais.

— Não vou sair coisa nenhuma — diz Bossato. — Estou na minha casa. Não estou fazendo nada de errado.

Minutos depois, um repórter, da Rádio Metropolitana de Moji, consegue se aproximar da casa e fazer aos gritos uma entrevista com Bossato.

— Por que você não se entrega?

— Por que eles são da Rota. São justiceiros.

— Eles querem te levar pra delegacia.

— Querem não. O Capixaba pagou pra eles matarem.

A entrevista é interrompida pela explosão de uma bomba de gás lacrimogêneo lançada, para dentro da casa, pelo vitrô do banheiro. O tenente consegue quebrar um pedaço de janela e lança uma segunda bomba no quarto, enquanto os outros PMs forçam a entrada pela porta da cozinha. Outra bomba é lançada pelo vitrô do banheiro. As mulheres sufocadas pela fumaça gritam de dor nos olhos, tossem, mas ainda tentam fechar a basculante enferrujada que não se move. Bossato também usa toda sua força contra a mesa encostada à porta da cozinha, que vai se abrindo aos invasores.

— Eles estão conseguindo... Ajudem aqui.

As mulheres se arrastam pela sala, quase às cegas. Ao chegar engatinhando à cozinha, a mãe percebe, pelos gritos, que um policial já está com meio corpo dentro da casa. Se agarra ao filho e o convence a recuar em direção ao quarto.

— Fique sempre atrás de mim, não desgrude...

— Não faça isso, mãe.

— Quero morrer junto de você, meu filho.

À frente de seus comandados, sem nenhuma ordem judicial para invadir residência, o tenente Nepomuceno avança pela cozinha dos Bossato, com arma em punho, atrás de Bossato, que está na sala próximo à porta de acesso ao quarto,

125

com as duas mãos levantadas, ao lado da mae e da mulher, que ainda tenta protestar.

— Pra que tudo isso? Não estamos em guerra...

O tenente Nepomuceno dispara o primeiro tiro a 2 metros de Bossato, que continua de pé, sem esboçar qualquer reação. O segundo disparo à queima-roupa explode no rosto do filho de dona Ilda, que ainda tenta abraçá-lo. Desequilibrado pelo tiro certeiro na boca, Bossato cai de costas. A mãe se agarra na porta, mas não consegue se manter de pé. Sente as pernas amolecerem. De joelhos, se agarra às pernas da nora, enquanto o tenente Nepomuceno continua a atirar contra o filho estendido no chão.

O tenente dispara, à queima-roupa, sobre o coração de Bossato. Não ouve o apelo da mãe.

— Basta. Pelo amor de Deus...

Mais um tiro contra o peito. E outro no estômago.

— Chega! Não vê que ele já está morto?

Nepomuceno só para de atirar quando a mãe põe as mãos sobre o rosto do filho. Guarda a arma no coldre. Em seguida, começa a agir como se fosse um homem imbuído de nobreza humanitária.

— O cidadão está ferido. Vamos socorrê-lo rápido — ordena aos PMs que vão entrando na casa.

O gesto "humanitário" de Nepomuceno é uma repetição do que ele fez naquela noite que comandou o caso da Rota 66. Sua primeira atitude, após o fuzilamento, é o de violar a cena do local da morte. Ele manda os soldados usarem as cortinas da casa para enrolar o corpo de Bossato e levá-lo às pressas ao hospital. Em seguida, ele próprio e mais dois PMs tiram da casa as duas mulheres em estado de choque. São levadas à força. Em meio aos soluços não param de chamá-los de assassinos.

Retiradas as testemunhas, Nepomuceno e os PMs voltam até a casa para fazer o que seria a tarefa clássica dos peritos da ciência criminalística: o exame dos objetos relacionados ao crime. Na calçada, mais de vinte pessoas se alinham junto à cerca de madeira. Dali todos ouvem novos disparos de arma de fogo dentro da casa, como se os PMs estivessem trocando tiros entre eles. Minutos depois, o tenente Nepomuceno exibe um revólver às pessoas que estão na calçada.

— Essa é a arma do vagabundo. É um trezoitão, vocês estão vendo?

A mãe assiste à encenação e se revolta em silêncio. O filho não estava armado; aliás, Bossato sempre odiou armas. Dona Ilda já não fala mais nada, só lhe restam energias para chorar e chorar.

Por mais de uma hora, o tenente Nepomuceno impede dona Ilda e a nora de voltarem aos seus aposentos. Neste tempo, convoca um homem e três mulheres para testemunhar o que diz ter encontrado dentro da casa. Os quatro são levados até o banheiro, onde o tenente mostra um pacote com cocaína sobre o balcão da pia e um pouco de erva de maconha boiando na água do vaso sanitário.

— Além de tentar nos matar, o vagabundo é traficante, vocês são testemunhas, certo?

Ao se dirigir à delegacia da Polícia Civil para registrar a ocorrência com quatro horas de atraso, o tenente Nepomuceno já havia repetido várias irregularidades semelhantes às praticadas no caso Rota 66. Levou o cadáver para um hospital, recolheu as armas e mexeu nos objetos do cenário do crime, além de induzir pessoas a testemunhar fatos que não presenciaram.

CACO BARCELLOS

Já na delegacia, com a conivência do delegado de plantão, ele consegue registrar o fuzilamento como um crime de resistência à prisão seguida de morte. O delegado se baseia exclusivamente no relato do tenente para preencher o BO. No espaço destinado às vítimas, escreve o nome dos PMs matadores. Como culpado pela morte, isto é, o indiciado, registra o nome de Wagner Bossato, o Tatuagem.

As semelhanças com o caso Rota 66 acabam aí. Ao contrário dos rapazes do Fusca azul, agora a vítima é extremamente pobre. Bossato trabalhava desde os 10 anos de idade, sempre ganhando menos de 100 dólares mensais. Era um rapaz de baixa instrução, que abandonara, a escola na oitava série do primeiro grau. Desempregado há quatro meses, morava com a mulher, com quem se casou há um ano, na casa da mãe, dona Ilda, uma viúva que depende de uma pensão de 60 dólares deixada pelo marido.

O fuzilamento de Bossato despertou pouco interesse da imprensa. Enquanto no caso Rota 66 os principais jornais do Rio de Janeiro e de São Paulo publicaram mais de duzentas reportagens num período de trinta dias, a história de Bossato foi divulgada apenas no pequeno jornal local, o *Diário de Mogi*, 3 mil exemplares de circulação.

A apuração policial, se comparada com a da Rota 66, também é muito pobre. O responsável pela investigação sobre a morte de Bossato, o capitão Justino Cardoso de Siqueira Neto, transformou o IPM em uma peça judiciária cheia de irregularidades. Ele descreve as cenas do crime baseado exclusivamente no relato dos PMs. O tenente Nepomuceno afirma no IPM, por exemplo, ter agido com cautela, mesmo depois de ter sido atacado a tiros por Bossato. Apesar dos indícios de uma açao com excesso de violência, o capitão Justino nada questiona de seus colegas.

Preocupado em reunir acusações contra a vítima, o capitão ouviu o depoimento de várias pessoas na condição de testemunhas, embora não tenham visto o crime. Pessoas que se limitaram a depor sobre os vícios de Bossato e os envolvimentos dele em brigas no bairro.

Mesmo ao ouvir a mulher e a mãe da vítima, o capitão encarregado do IPM se preocupa em destacar a parte do depoimento em que elas dizem que Bossato tinha sido preso no passado. A intenção do capitão Justino parece ser a de provar que a vítima era um criminoso, como se isso fosse dar legitimidade à execução. Ele simplesmente ignora a denúncia da mulher e da mãe de Bossato. Elas relatam em detalhes no IPM toda a cena do fuzilamento à queima-roupa. Ao relatar as conclusões de sua apuração, o capitão Justino dá a sua opinião favorável à ação violenta dos PMs. E ainda comete uma grave irregularidade técnica, ao negar que um homem morto a tiros não tenha sido vítima de um homicídio. Sobre a ação dos policiais, o capitão conclui:

Não há no entendimento deste oficial indícios de crime ou de transgressão disciplinar.

Em agosto de 1991, os oficiais do Conselho Especial de Justiça, na Auditoria Militar de São Paulo, absolveram o tenente Nepomuceno com base no IPM irregular do capitão Justino, apesar dos oito anos de demora para o julgamento. O juiz Ênio Luiz Rossete parece não ter tido tempo de ler com atenção o pequeno inquérito. Ao justificar as razões da absolvição, o juiz afirma que as duas testemunhas que estavam dentro da casa na hora do fuzilamento de Bossato — sua mulher e a mãe — nada viram de importante para o esclarecimento do crime.

Não é a primeira vez que o tenente Eli Nepomuceno é julgado inocente na Auditoria Militar. Desde a época do caso Rota 66, ele foi acusado de outros seis assassinatos, além de mais duas denúncias graves: homicídio com extorsão e tortura. Uma característica comum nos crimes de Nepomuceno é a perseguição a jovens acusados de fumar maconha, geralmente a pedido de comerciantes e empresários do lugar onde ele mora, o município de Moji das Cruzes.

O tenente é acusado de espancar três rapazes e de levá-los arbitrária e injustamente à prisão, a mando do industrial Mário de Moraes Cedro, dono da empresa Embu de engenharia. Desconfiado de um ex-motorista da sua empresa, que estaria fornecendo maconha ao filho, o industrial pediu providências ao tenente Nepomuceno, que investigou o caso como se fosse um policial civil. Além da investigação não ser tarefa de policiais militares, o tenente ainda usou a viatura, combustível, armamento e colegas da corporação para atender o interesse particular do amigo rico.

O motorista suspeito, Marcos Bispo de Alcântara, de 33 anos, estava a serviço dirigindo uma Kombi, em companhia de outros dois colegas trabalhadores, quando o seu carro foi interceptado por uma Radiopatrulha vermelha e preta, comandada por um homem em trajes civis que dava ordens a dois PMs. Enquanto um dos policiais sumia com a Kombi, os três trabalhadores foram levados à força ao quartel do 17º Batalhão, onde eram aguardados para o interrogatório do tenente Nepomuceno. Eram 8 horas da noite de uma sexta-feira.

As primeiras perguntas foram no pátio do quartel. Como os trabalhadores se negaram a confessar a venda de drogas ao filho do industrial, o tenente resolveu continuar o interrogatório longe do batalhão. No meio de um matagal, os trabalhadores foram despidos e sofreram choques elétricos com uma máquina ligada à bateria do carro da polícia. Foram espancados a porrete e pontapés durante mais de uma hora por um grupo de oito PMs, comandados por Nepomuceno. Depois da sessão de tortura, como ainda negavam ser traficantes, foram levados algemados à presença do industrial, que reconheceu Marcos Alcântara como fornecedor de drogas ao seu filho.

— É esse mesmo. Belo trabalho, hein, tenente?

Às 2h30 da madrugada, mais de seis horas depois da prisão, os três trabalhadores foram levados à delegacia de Moji das Cruzes sob a acusação de porte de entorpecentes.

— Encontramos esse pacote de maconha embaixo do banco do carro deles — disse o tenente Nepomuceno ao delegado.

A versão de Nepomuceno convenceu o delegado a decretar uma prisão em flagrante mesmo sem testemunha da apreensão da droga no carro. Era mais uma parceria de arbitrariedades do tenente com o delegado Sílvio de Almeida, aquele mesmo delegado responsável pela redação do ridículo Boletim de Ocorrência do caso Rota 66. Desta vez as vítimas da dupla Nepomuceno/Almeida, que nunca haviam praticado nenhum tipo de crime, foram para a cadeia sem nenhum direito de defesa legal.

Só depois de três dias, com a exigência do advogado contratado pela família, eles foram submetidos ao exame de corpo de delito. Os laudos dos peritos comprovaram — mesmo passadas 72 horas do espancamento — que os três trabalhadores apresentavam múltiplos sinais de tortura no corpo. Apesar da gravidade da denúncia, o tenente não se preocupou muito com a sua defesa. Bastaram poucas palavras para garantir a impunidade. Três anos depois, os homens da Justiça Militar de São Paulo arquivaram o inquérito, sem julgamento, baseados numa explicação de Nepomuceno sobre a acusação de tortura.

— Ninguém bateu. Eles se machucaram entre eles mesmos.

Seguro da impunidade, o tenente Nepomuceno continuou a praticar crimes cada vez mais graves contra pessoas envolvidas com drogas. O hábito de perseguir pessoas indefesas nem sempre consegue ser escondido. Num caso raro em que uma família pobre denuncia uma injustiça da polícia, a família Accarini acusa o tenente Nepomuceno de não ser o inimigo radical de traficantes, como ele apregoa no quartel da Polícia Militar. A inusitada coragem dessa família é alimentada pelos fatos revoltantes da perseguição aos irmãos Accarini.

Há mais de um ano desempregados, os ex-metalúrgicos José e Rafael Accarini costumavam vender maconha para sustentar o vício e a família. O ponto de venda de José era a sua própria casa, um cômodo de alvenaria nos fundos de um cortiço de Poá. O sócio, o irmão Rafael, morava com a mulher e os filhos na casa da mãe, em outro bairro. Para manter o comércio ilegal costumavam honrar o pagamento do mais comum dos impostos clandestinos: a propina aos policiais, ou, numa outra palavra, o *acerto*.

Uma das visitas mais frequentes aos Accarini, no dia do acerto, era a de um policial militar, sempre vestido à paisana, que se apresentava pelo nome de Júlio. Além de assíduo, era tipo linha-dura: cobrava os impostos mais altos, exigia pontualidade no pagamento e era bem informado. No mês em que os irmãos Accarini ganharam um bom dinheiro da herança pela morte da avó, ele subiu o valor do acerto que era de 500 para 2 mil dólares. Recebido o pagamento, passou a exigir ainda mais: 4 mil dólares a serem pagos dois dias depois, 28 de dezembro de 1979. A mulher de Rafael, Ivone Emília da Costa, foi testemunha do acerto. Impressionada com a insistência da cobrança, Ivone chegou a discutir com o policial numa tentativa de fazê-lo mudar de ideia.

— Você não acha que está cobrando alto demais, não?

— É o preço, inflação também não sobe?

— Mas não dobra desse jeito...

— Coisas do ramo...

— Se você é policial mesmo, o melhor é prender o meu marido. Desse jeito ele vai ter que traficar cada vez mais...

— Você acha que ele pensa a mesma coisa? Pergunta a ele, pergunta?

A discussão acabou em um clima amigável, a ponto de o policial se oferecer a prestar algum tipo de ajuda à família no futuro e ainda revelar a sua verdadeira identidade. Na hora de partir, ele escreveu em um pedaço de folha de caderno o endereço profissional do 17º Batalhão e o seu nome completo: Eli Nepomuceno.

A perseguição aos irmãos Accarini, segundo a denúncia da família, começou quando eles deixaram de honrar o acerto marcado para o dia 28 de dezembro. No dia seguinte, bastante irritado, o tenente Nepomuceno voltou à casa de Rafael para cobrar os 4 mil dólares. Ele tinha sumido por medo de represálias. Conversou com Ivone. Desta vez não deu importância ao apelo da mulher.

— Por favor, tenente, prende o meu marido. Ele precisa sair desta vida.

— Quando eu pegá-lo você logo ficará sabendo...

Horas depois, o tenente usava o rádio da Veraneio de uma Tático Móvel para pedir ajuda com urgência aos colegas da

Rota. Quem ouvisse a transmissão estaria certo de se tratar de uma ocorrência de grande interesse público: em poucos minutos quinze PMs, em três Veraneios, se dirigiam em alta velocidade para o local indicado por Nepomuceno, o cortiço onde mora José Accarini.

Perto da meia-noite de 29 de dezembro, mesmo sem nenhum mandado judicial, o tenente Nepomuceno e um soldado da Rota bateram à porta do quarto avisando ao traficante que ele estava cercado.

— Abre que é a polícia!

Ninguém responde. O tenente insiste.

— Sai fora, Zé, você está cercado.

Não há testemunha do que aconteceu a seguir. A história contada por Nepomuceno, horas depois na delegacia, é uma repetição daquilo que os policiais militares costumam declarar em boletins de tiroteios, a velha desculpa da resistência seguida de morte. O tenente e o soldado da Rota teriam sido atacados pelo traficante, que saiu da casa atirando contra eles. Os dois se jogaram no chão. A reação de Nepomuceno, se a versão dele for verdadeira, foi digna de uma cena de filme policial americano. Rolando na terra para não ser atingido pelas balas, o tenente teria revidado, disparando um tiro certeiro na cabeça do traficante.

Instantes depois do crime, Nepomuceno repetiu as irregularidades de sempre: retirou o cadáver do local da morte, recolheu os objetos da casa que pudessem incriminar a vítima, e, anulando qualquer possibilidade de uma perícia eficaz, apreendeu tudo e levou para a delegacia da Polícia Civil. Um oficial procurou a mãe para avisar que o filho José tinha sido assassinado, porém não contou a verdade. Disse que ele foi assassinado por um amigo. A mãe não estava em casa. Quem o atendeu foi a cunhada Ivone, mulher de Rafael Accarini.

— Onde está o corpo dele?

— No necrotério. Você tem que passar na delegacia pra providenciar a documentação.

Na delegacia, os policiais mandaram Ivone procurar o corpo no necrotério do município de Suzano, a 15 quilômetros de Poá, ou trinta minutos de ônibus. Em Suzano teve que esperar mais de duas horas até ouvir dos funcionários do necrotério a informação de que o corpo não estava ali.

— O corpo está no necrotério de Poá.

— Como? Eu vim de lá agora. Eles me disseram que o corpo está aqui.

De volta à delegacia, finalmente ela descobriu o destino verdadeiro: o carro do cadáver estava pronto para levar o corpo à casa da mãe. Ivone ainda perambulou muito pelas repartições públicas para providenciar a documentação para o enterro do cunhado. Pelo caminho parava nos telefones públicos para avisar da morte de José aos parentes e amigos. Ao voltar para casa, encontrou a sala cheia de gente esperando a chegada do corpo.

A abertura do caixão surpreendeu todo mundo no velório. O cadáver não era o de José, que escapou por sorte. Dois dias antes, ele fora preso por policiais civis quando vendia entorpecentes. Na hora em que o tenente Nepomuceno invadiu sua casa, José estava recolhido à Delegacia Central de São Paulo. No dia seguinte, ao ouvir no rádio de pilha do xadrez a notícia da própria morte, pensou que estivesse sonhando acordado.

Para a família, a descoberta no velório de que o morto não era José não representou nenhum alívio, mas sim um grande susto, sobretudo para a cunhada Ivone. No momento da abertura do caixão, ela foi a primeira a se aproximar com as flores. O rosto deformado pelo tiro era íntimo demais para ela se enganar. Ao sofrer a emoção da terrível surpresa, Ivone logo se deu conta do que havia acontecido: era a vingança pelos 4 mil dólares. O corpo no caixão era de Rafael Accarini, seu marido.

CAPÍTULO 11 | **O rei da pontaria**

Eles chegam no IML com os olhos arregalados de medo e a cabeça toda furada de balas.

(SIDNEY M., em abril de 85)

Conheci o meu primeiro parceiro de investigação, sobre os crimes dos policiais militares, durante a gravação de uma reportagem sobre desaparecidos para o programa *São Paulo na TV*, da Abril Vídeo. Ele estava sentado, ou melhor, espremido entre pessoas angustiadas no banco de madeira da delegacia, quase sem esperança de ser ouvido pelo delegado. O drama dele era semelhante ao de todos que aguardavam a chance de registrar o desaparecimento de algum parente. Aos 15 anos, Sidney M. já havia contado a sua história algumas dezenas de vezes aos assistentes sociais, que se limitavam a registrar o nome do pai e da mãe na lista das 20 mil pessoas que somem por ano na multidão das ruas de São Paulo.

De imediato me impressionou a persistência com que um adolescente solitário perseguia seus objetivos.

CACO BARCELLOS

— Você já deu queixa em algum outro lugar, em outra delegacia?

— Já registrei queixas na 1ª Delegacia, na 3ª, na 5ª, na 7ª, na 9ª, na 11ª...

— Já sei, todas de números ímpares.

— Nas pares também: 2ª, 4ª, 6ª, 8ª, 10ª...

— Só em São Paulo?

— São Paulo, Osasco, Guarulhos, Moji, Santos, Ribeirão Pires, Barueri, Bauru, Assis.

— Há quanto tempo você procura os seus pais?

— Desde que me conheço por gente...

Na semana seguinte já éramos amigos, aliados a enfrentar dois desafios quase impossíveis: eu o ajudava a procurar o pai e a mãe, que sumiram nos seus primeiros meses de vida. Ele trabalhava comigo na busca de testemunhas e sobreviventes da guerra entre policiais militares e supostos criminosos da cidade.

Abandonado pelos pais quando tinha três meses de idade, Sidney foi criado por parentes e pessoas estranhas, quase todas de triste lembrança para ele. Conviveu boa parte da infância com duas irmãs, Sanja e Sueli, na casa de um tio violento, no município de Barueri. A educação, baseada em surras e castigos, quase sem nenhum afeto, levou-o a fugir de casa com Sanja quando tinha 10 anos de idade.

Os dois viveram alguns meses nas ruas do centro de São Paulo até o dia em que foram recolhidos pelos funcionários da Febem, entidade que abriga os menores de rua da cidade. Sanja foi levada para a unidade das meninas. Sidney, para o pavilhão dos meninos infratores. Nos dez anos seguintes, os irmãos não puderam se encontrar.

138

Durante os dois anos de internato, sem receber uma única visita, Sidney conquistou a amizade de uma assistente social, que o ajudou a identificar o avô paterno, no interior do estado. A descoberta facilitou a desinternação da Febem. Aos 12 anos, Sidney chegou sozinho à cidade de Assis para morar com o avô Avelino, que gostou de conhecê-lo. O avô o levou ao encontro de três tios e três tias, todos irmãos da mãe desaparecida, que se chama Dora Marques dos Santos. E mostrou ao neto uma preciosidade que guardava no fundo do guarda-roupa: o álbum da família.

A maior parte das fotos do álbum era da avó Maria, que Sidney achou parecida com ele. Os três tios, irmãos de seu pai, eram parecidos entre si. Tinham em comum a primeira letra do nome: Francisco, Fernando, Felipe. A foto que mais emocionou Sidney era uma velha 5x7, amarelada pelo tempo. Mostrava o perfil de um rapaz pardo, cabelos crespos bem curtos, olhos escuros, testa pequena, vestido com a farda do Exército. Tinha escrito a lápis, no verso, a data, novembro de 58, e o nome, Benedito Marques da Silva. Era o caçula dos três irmãos, o pai de Sidney.

Morou um ano com o avô, que tinha o vício do alcoolismo. De volta à capital, Sidney estava decidido a investigar com mais profundidade a origem da própria vida. Começou a trabalhar como office-boy para pagar as pensões e quartos em casa de família. Parou de estudar por falta de tempo. Nas horas livres de fim de semana se dedicava a viajar pela periferia e municípios da Grande São Paulo, sempre à procura do pai e da mãe.

Uma foto, nome completo, filiação e data de nascimento eram todas as informações que nós tínhamos quando começamos a procurar os pais de Sidney, em 1985. Durante um ano nós tentamos saber se os nomes deles constavam nos arquivos de vários serviços públicos. Fracassamos. Só conseguimos eliminar possibilidades. Os pais de Sidney seguramente não têm telefone registrado em seus nomes em São Paulo e em nenhuma capital do país. Também não recebem gás, luz e água das empresas fornecedoras. Não são eleitores do estado, nunca foram presos na cidade nem condenados pela Justiça estadual. Pelo menos um de nossos fracassos foi animador: não há registro de óbito dos pais de Sidney no estado.

Em cinco anos de procura, Sidney viveu alguns momentos emocionantes, como o da descoberta de um irmão materno, Sérgio, no bairro de São Mateus. Sérgio mora com o pai desde o dia em que também foi abandonado pela mãe, uma empregada doméstica. Ele contou a Sidney que os três casamentos da mãe tiveram o mesmo fim. De repente, ela sumia deixando os filhos sob a guarda do marido apaixonado. No caso de Sidney, o pai transferiu a responsabilidade ao padrinho. O irmão acredita que a mãe esteja vivendo em algum lugar da cidade.

No começo da década de 90, Sidney resolveu ampliar a procura dos pais, por conta própria, também para outros estados do país. Por intuição, começou pelo sul em direção ao norte. Até os dias em que este livro estava sendo escrito, nenhuma boa pista tinha sido encontrada no Rio Grande do Sul, Santa Catarina e Paraná. Mas a procura continuava.

O envolvimento de Sidney na minha investigação sobre os crimes da Polícia Militar aconteceu em dois momentos distintos. Na primeira fase durou um ano e oito meses. Começou em 85, com plantões no pátio do Instituto Médico Legal, com uma dupla missão: procurar sobreviventes dos tiroteios em que estivessem envolvidos os PMs do caso Rota 66. E observar a chegada dos corpos de suas vítimas. A estratégia era se misturar aos familiares, que todos os dias vão ao IML, para identificar seus parentes e providenciar a documentação para o enterro. Sidney não precisou de nenhum disfarce especial. O jeito tímido, o olhar tristonho, a roupa simples, a cor parda eram disfarces naturais que o confundia com os parentes das vítimas. Parte do trabalho não deu certo. Nos primeiros três meses, Sidney conversou com centenas de pessoas, mas não conseguiu encontrar nenhum caso de tiroteio com sobrevivente, nem mesmo com testemunhas. A experiência serviu, porém, para conhecermos na intimidade a triste rotina de trabalho e as precárias instalações do IML, o que facilitou o êxito da outra parte de nossas investigações nos corredores.

Embora seja proibido o acesso público à geladeira dos mortos, descobrimos um jeito de observar os corpos sem infringir regulamentos. Por falta de uma garagem subterrânea, os funcionários dos carros que trazem os cadáveres das ruas se obrigam a estacionar em um corredor movimentado e a carregá-los em gavetões abertos às vistas de familiares. No momento de chegada de uma vítima da PM, procurávamos estar por perto. Outro ponto que descobrimos ser vulnerável à nossa observação era o local de saída para o velório. Uma grande sala, onde os familiares e os funcionários de empresas funerárias costumam vestir os corpos e ornamentar os caixões. De fácil acesso, próxima ao balcão de atendimento ao público, permitia a Sidney descobrir fatos assustadores para ele próprio.

— Não sei como ainda estou vivo, Caco. Eles só matam jovens, pobres e mulatos como eu.

— Calma. Jovem e pobre, sim. Mas eles também matam brancos.

— Só se tiver acompanhado de um negro ou pardo.

— Exagero seu.

— Você fala isso porque você é um branco.

— Precisamos investigar pra ter certeza, é o único jeito...

— Perda de tempo. Estou vendo lá: a maioria é cadáver de mulato. Quer apostar?

Jovem, pobre, negro ou pardo. Nossas primeiras observações no Instituto Médico Legal nos ajudaram a conhecer um pouco do perfil das vítimas e também a descobrir pistas sobre as circunstâncias da morte delas. Numa tarde de setembro de 84, a infiltração de Sidney entre os familiares de um rapaz de 15 anos, pardo, morto na zona oeste da cidade, nos levou a suspeitar que alguns dos quinze PMs envolvidos diretamente no caso Rota 66 costumavam deixar nas vítimas uma marca inconfundível: o tiro na cabeça.

— Eu fiquei ao lado da avó, que chorava sem parar. Era um mulatinho, estouraram a cara dele com um tiro.

— E no resto do corpo?

— Não deu pra ver. Ele estava vestido.

A partir das informações dos parentes, descobrimos a delegacia onde o crime do menor fora registrado. Paulo Antônio Ramos, de 15 anos, morto em um suposto tiroteio com quatro tiros no peito e um na cabeça, era uma das vítimas do cabo José Cláudio dos Santos. Na madrugada do caso Rota 66, José Cláudio integrava a equipe da Rota 17, que participou da perseguição aos três rapazes do Fusca azul e ajudou a levá-los já mortos para o Hospital das Clínicas. A violência contra o menor Paulo Antônio tem muitas semelhanças com a ação dos PMs naquela madrugada de abril de 75.

O cabo José Cláudio contou na delegacia ter matado em legítima defesa, no momento em que teria sido agredido a tiros pelo menor que resistia à prisão em flagrante. Nossa investigação confirma parte da história. Flagrado em uma tentativa de assalto a uma mulher no viaduto Antártica, zona oeste de São Paulo, de fato Paulo Antônio fugiu correndo ao perceber a aproximação dos PMs motorizados. Desesperado, ele saltou do viaduto. Quebrou a perna na queda de 3 metros. Embora machucado, Paulo Antônio se arrastou até a favela e se escondeu dentro de casa Não por muito tempo.

Em poucos minutos, o barraco estava cercado pelos PMs, que gritavam para os vizinhos não saírem de casa por causa do risco de tiroteio. Depois deste ponto, a versão do cabo José Cláudio se confronta com a dos moradores da favela. Ele alega que tentou convencer Paulo Antônio a se render. Depois de muita insistência, a resposta do menor teria sido vários tiros. Essa atitude é que teria provocado a reação policial e a morte do menor, dentro do barraco. No relato ao delegado da Polícia Civil, José Cláudio não admite ter tido a intenção de matar. Justificou-se com o velho argumento do gesto humanitário: o de levar o menor ferido ao hospital. O povo da favela conta uma história bem diferente.

Quem assistiu à movimentação em volta do barraco afirma que o cabo José Cláudio era o mais exaltado. Ele espiava o menino pelas frestas da casa sem dar importância ao apelo da avó Severina Inácio Silva, que tentou proteger o neto se colocando à frente dos policiais. Os PMs a empurraram. Ninguém percebeu qualquer reação do menor, que estava acuado na hora em que os policiais fizeram vários disparos com o cano da arma enfiada no buraco da parede. Sem nenhum mandado da Justiça, usaram a lei dos coturnos para invadir o barraco. O próprio cabo José Cláudio admite no seu depoimento que derrubou a porta a pontapés. Entrou na cozinha atirando contra o inimigo. Não há testemunhas da ação dentro do barraco.

Cessados os tiros, segundo o relato da avó, o menor Paulo Antônio foi encontrado encolhido embaixo da mesa. Baleado quatro vezes no peito e com um tiro na nuca, dali não se mexeu. A avó chegou a ver por alguns minutos o menino morto na cozinha. Apesar dos protestos de dona Severina, os PMs o arrastaram pelas pernas até a rua e o colocaram no xadrez da viatura.

— Deixem ele aqui. Respeitem, ele já está morto — protestou dona Severina.

— Que nada, vovó, no hospital ele ressuscita — teria respondido José Cláudio.

O plantão no pátio do IML nos revelou outras pistas que serviram de base para descobrirmos mais vítimas de José Cláudio dos Santos. Contabilizamos dezesseis pessoas mortas por ele em supostos confrontos armados. Catorze eram jovens, três tinham mais de 25 anos. Na maioria dos casos, encontramos a marca característica do matador. Posso afirmar com segurança que José Cláudio matou, pelo menos, nove pessoas com um, ou mais que um, tiro na cabeça.

No mesmo ano de 84, por exemplo, ele voltou a matar. Desta vez as vítimas foram dois jovens. O suposto tiroteio, segundo a versão de José Cláudio, aconteceu durante um assalto a uma casa de massagens, no bairro do Pacaembu. Flagrados durante o roubo, o menor Roberto Ramos Alves, de 16 anos, e um companheiro de quadrilha, Misael Lemos dos Santos, se refugiaram num quarto da casa. Dali teriam trocado tiros com os PMs. Não houve testemunhas. A versão oficial de tiroteio é no mínimo duvidosa.

A julgar pelo tipo de ferimento dos jovens, o que parece ter acontecido foi uma execução. A versão de José Cláudio só se sustentaria caso ele fosse um dos policiais de melhor pontaria do mundo, capaz de uma façanha quase impossível: fazer disparos certeiros na cabeça do inimigo em plena tensão e movimento de um tiroteio. Neste confronto com os dois jovens, José Cláudio matou o menor com quatro tiros no peito e um na testa. O amigo dele, Misael, foi baleado seis vezes: duas vezes nas mãos, duas no pescoço, uma acima do ouvido, e uma na testa.

Uma das versões mais inverossímeis de José Cláudio é a da morte do mecânico Antônio Carlos de Almeida, no município de Pirituba. Durante uma patrulha, que visava prender um assaltante, ele desconfiou do mecânico que era passageiro de um táxi. Antônio Carlos teria resistido à voz de prisão e, em seguida fugido, disparando o revólver contra os PMs.

Depois de examinar os ferimentos no corpo do mecânico, fica difícil acreditar na versão de José Cláudio. Antônio Carlos foi atingido por cinco tiros, um no braço, quatro no rosto. Quem conhecer o caso somente através das informações do inquérito policial, porém, ficará com a impressão de que o cabo José Cláudio tem realmente uma pontaria incomum. Ele conta, no depoimento, que houve uma acirrada troca de tiros. Mesmo depois de ferido, o mecânico ainda teria atirado nele várias vezes. Só não explicou no inquérito como seria possível um homem disparar uma arma de fogo depois de tantos ferimentos na cabeça. Fez questão de ressaltar, porém, o seu esforço para salvar a vida do ferido. Levou o corpo de Antônio Carlos para o hospital.

Todos os dezesseis casos em que descobrimos a participação de José Cláudio tiveram como desfecho a retirada do corpo do local do crime. Esse procedimento, que anula a possibilidade de uma perícia científica, se repetiu até em situações onde não havia como alegar a intenção de socorrer a vítima, como aconteceu durante um tiroteio em dezembro de 1985, no bairro da Pompeia. Chamado por populares para reprimir uma tentativa de assalto ao Hospital São Camilo, José Cláudio e seus colegas encontraram os dois assaltantes tentando a fuga pela porta principal do prédio.

Ao verem os policiais, os homens deram meia-volta e correram para dentro do hospital. A perseguição durou dez minutos pelos corredores, segundo a versão dos PMs, terminando com o tiroteio. O primeiro a morrer foi o assaltante João Nério, de 29 anos, com três tiros no peito. O outro, José Silvino, de 40 anos, teria trocado tiros em uma escada sem iluminação. Mesmo no escuro, José Cláudio não errou o alvo: acertou um tiro no tórax e dois no rosto da vítima. Em seguida, passou a providenciar o socorro. Como já estava dentro do hospital, o mais lógico e eficaz seria chamar um médico até o local do tiroteio. José Cláudio, no entanto, preferiu arrastar o assaltante pelo corredor à procura da enfermaria, onde o médico constatou que José Silvino já estava morto.

José Cláudio sempre alega matar em legítima defesa depois de ser agredido a tiros por criminosos violentos. Podemos contrapor à sua versão os dados que apuramos de que pelo menos seis de suas vítimas são pessoas que nunca haviam cometido nenhum tipo de crime. Eram estudantes ou trabalhadores, como os operários Cláudio Valério dos Santos, de 19 anos, e Gilberto de Souza Andrade, 36. Acusados pelos PMs de terem assaltado um supermercado, os dois teriam sido surpreendidos pelos policiais num matagal. Segundo a versão oficial, eles reagiram à prisão disparando suas armas. Foram feridos no revide. Socorridos, morreram a caminho do hospital. Testemunhas, amigos e parentes contam uma história bem diferente.

Começamos a investigação procurando as pessoas que estavam no supermercado na hora do assalto. Queríamos levar uma testemunha do roubo ao necrotério para tentar confirmar se elas reconheciam Cláudio e Gilberto como assaltantes. Falamos com dez pessoas, que se negaram por medo de represálias. O único que concordou foi o borracheiro Donizete Ferreira da Silva. No velório, ao ver os corpos, Donizete afirmou categórico:

— Tenho certeza, não são os assaltantes.

Procuramos a mulher de Gilberto de Souza Andrade, que nos mostrou a carteira profissional do marido, assinada há oito anos pela mesma empresa Pazzineli, do Bom Retiro. O patrão, Rodolfo Pazzineli, confirma que Gilberto era um empregado antigo e de boa conduta. Tentamos saber dele se Gilberto faltou ao trabalho no dia do assalto ao supermercado. Ou se na hora do roubo, 9 da manhã, teria se ausentado da firma. Ele garante que não. Pedimos a prova. Ele nos mostrou o cartão de ponto.

— Está aqui. Ele trabalhou das 7h14 da manhã até as 6h08 da tarde.

— Saiu da empresa, em algum momento?

— Absolutamente, não. Nem na hora do almoço, fez a refeição aqui mesmo.

O empresário também informa que Gilberto era um funcionário antigo em quem depositava confiança. Inclusive facilitou um empréstimo para ele ampliar a casa, que ficou pequena demais depois do nascimento da quinta filha. A reforma da casa de três cômodos estava sendo feita à noite, depois do trabalho, e nos fins de semana pelo próprio Gilberto com a ajuda de um pedreiro amigo, morador da mesma rua do Jardim Ceci. O pedreiro era Cláudio Valério, manco de uma perna desde o dia em que caiu dentro de um poço. Na noite do fuzilamento, no intervalo do trabalho na obra da casa de Gilberto, os dois foram ao botequim da esquina tomar um aperitivo e comprar linguiça. Aí cruzaram com a Rota. Cláudio estava sem documentos. Ao ver a Veraneio cinza se aproximar do botequim, ameaçou fugir por medo de ter que dar muitas explicações. A sua atitude despertou a atenção dos PMs. Várias pessoas do bairro assistiram a Cláudio e Gilberto sendo abordados pelos policiais, o que contradiz a versão de tiroteio no matagal. A própria dona do botequim, Rosalinda Sandroni, guardou no balcão uma prova da prisão de Cláudio.

— Os chinelos caíram no chão na hora em que os PMs jogaram o Cláudio dentro do chiqueirinho da viatura. Eu guardei um pé, vou devolver pra família.

— Ele reagiu?

— De que jeito, é um aleijado...

— A senhora viu pra onde eles foram levados?

— Desceram. Depois de alguns minutos eu ouvi o barulho de tiros lá pra baixo.

Descobrimos também uma acusação falsa dos PMs contra a honra dos mortos, acusados de serem assaltantes violentos. Os arquivos da Justiça de São Paulo revelam que não há nenhum registro de crimes praticados por Cláudio ou Gilberto. Os computadores da própria polícia também confirmam aquilo que toda vizinhança garante: os dois não eram criminosos. Eles não foram os únicos mortos por erro grosseiro do cabo José Cláudio. Nossa investigação permite afirmar que outras cinco pessoas fuziladas por ele em circunstâncias semelhantes nunca haviam praticado nenhum crime.

José Cláudio foi absolvido pela Justiça Militar em todos os dezesseis casos que examinamos. Alguns nem chegaram a ser julgados, foram arquivados antes. Sua ficha disciplinar revela que o conceito que ele goza na instituição é dos melhores, cheia de elogios assinados por oficiais da alta cúpula. Um ex-comandante do batalhão que sedia a Rota, coronel Salvador D'Aquino, é um dos incentivadores de seus métodos. Ao deixar o comando, o coronel registrou o seguinte elogio a José Cláudio:

> *...sempre projetou o nome da unidade. É um artífice de glória deste tradicional batalhão.*

CAPÍTULO 12 | **Hospital:**
esconderijo de cadáver

A descoberta da grande quantidade de crimes dos policiais envolvidos no caso Rota 66 me levou a ampliar o Banco de Dados criado em 1975. Até agora a pesquisa era limitada a duas fontes: os parentes das vítimas entrevistadas no pátio do IML e os arquivos do jornal *Notícias Populares*. Essas duas fontes já tinham me possibilitado a identificação de alguns matadores da PM. Meu plano agora era mais complexo e pretensioso. Precisava de alguém que continuasse a fazer o levantamento nos arquivos do *NP* em meu lugar. Sidney adorou a ideia. Resolveu acumular duas funções um tanto penosas: pela manhã, plantão no IML para observar a movimentação de cadáveres; à tarde, na biblioteca do jornal, leitura das notícias sobre pessoas mortas pela Polícia Militar.

A pesquisa nos arquivos do *Notícias Populares*, agora sob a responsabilidade de Sidney, continuou a revelar um número sempre crescente de tiroteios entre policiais militares e pessoas suspeitas de serem criminosas. Criamos uma ficha-padrão para tornar mais prática a anotação dos dados principais de cada caso. Passamos a copiar todas as informações relativas à vítima: nome, idade, cor da pele, endereço, profissão, local e motivo da morte. Copiávamos também os dados dos matadores, além dos nomes da delegacia da área do tiroteio e do delegado que escreveu o Boletim de Ocorrência. No espaço da ficha destinado às observações do pesquisador, Sidney anotava suas suspeitas e comentários sobre as notícias que mais o impressionavam. As anotações de Sidney, como as que passo a reproduzir, sempre apontavam caminhos à investigação:

> *Esta você tem que investigar! O soldado gritou: Para, que é polícia! O homem continuou correndo. Levou bala nas costas. Sabe por que não parou? Era surdo, disseram os parentes. (NR, 3 /11/77)*

> *Veja bem este caso, Caco. Bandido de 13 anos, Vanderlei dos Santos Dacel, surdo-mudo, trocou tiros com a PM. Treze anos de idade, surdo-mudo, pode? (NP, 28/7/85)*

> *Hoje faz quatro meses que estou lendo esse jornal. Você já notou que não tem notícia de tiroteio com sobreviventes? (6/3/87)*

> *Tiroteio na Penitenciária. Placar: 31 presos mortos. PM zero. Nenhum! Isso é um massacre, Caco Barcellos. Tem que ser denunciado. (29/7/87)*

> *Mais um morto no meu bairro. Sempre negro ou pardo, está percebendo? (NP, 7/7/89)*

> *Marisa, Lizete, Valquíria, Elielza. Nem as mulheres escapam. (11/2/90)*

Olha só o nome do pai da vítima: Benedito Marques da Silva, mesmo nome do meu pai. Será ele? Será que a PM matou um irmão meu? Vamos atrás dessa? Guarde a ficha com carinho.

(1/2/92)

Depois de examinarmos mais de 8 mil edições do *NP*, era necessário arquivar as informações em computador. Já tínhamos um resumo das notícias sobre mais de 3.200 tiroteios envolvendo pessoas suspeitas e policiais militares. Nesta fase da investigação o número de mortos civis era comparável ao de uma guerra. Uma estranha guerra onde é raro, muito raro, haver sobreviventes. De todos os tiroteios noticiados pelo *NP*, apenas 28 acabaram com feridos entre as vítimas. Nenhum civil sobreviveu na impressionante maioria de 3.188 tiroteios. O saldo da pesquisa até aqui, se considerarmos verdadeiras as versões oficiais da PM, já significa um recorde em comparação às guerras convencionais, talvez um recorde mundial.

Um dos maiores especialistas brasileiros em confrontos armados, o professor Hernâni Donato, autor do *Dicionário das batalhas brasileiras*, garante que nunca houve no país uma guerra tão violenta contra apenas um lado do confronto. O professor Donato pesquisou a história de 2 mil batalhas, desde os conflitos com indígenas às guerrilhas políticas urbanas e rurais. A sua experiência prova que a troca de tiros entre dois grupos armados sempre resulta em número de feridos muito superior ao de mortes. A história dos combates no Brasil consolidou uma proporção média de quatro sobreviventes para cada vítima fatal.

O saldo das baixas nos tiroteios da PM de São Paulo se constitui, portanto, em um fato histórico muito raro. Se os policiais de fato matam em legítima defesa, como alegam, eles são dignos de um prêmio pelo milagre de eficiência contra o inimigo. Superam em disparos de tiros fatais os combatentes da história de todas as batalhas nacionais. O saldo das vítimas dos tiroteios envolvendo PMs tem a proporção assustadora de 265 mortos para cada ferido.

Nesta fase da pesquisa, o balanço das duas fontes do Banco de Dados aponta caminhos opostos à investigação. Na medida em que se aprofunda o levantamento nos arquivos do jornal, cresce a imagem de aparente eficiência dos PMs na guerra contra os civis.

A mesma guerra, vista pela nossa outra fonte de pesquisa, ganha nome e dimensão diferentes: quanto mais parentes de vítimas de PMs entrevistamos, mais se fortalece a suspeita de que muitos tiroteios são forjados para esconder um verdadeiro massacre. À medida que avançávamos na pesquisa, reunimos centenas de denúncias, que apontavam os matadores da PM como integrantes de um *esquadrão da morte oficial*.

Os resultados assombrosos que o Banco de Dados apresentava agora não eram suficientes por si sós: meu próximo passo seria tentar esclarecer as circunstâncias em que os civis eram mortos pela Polícia Militar. Mas já representava um passo importante. As informações parciais da pesquisa tinham nos levado a identificar os principais matadores, ou, pelo menos, aqueles cujos nomes eram divulgados pelo jornal, como os PMs envolvidos no caso Rota 66. Assim, descobrimos que, dez anos depois, o tenente Eli Nepomuceno, o cabo José Cláudio e outros colegas que participaram do mesmo crime da 66 continuavam a matar jovens e menores, cada vez com maior frequência.

O Banco de Dados restrito a duas fontes também serviu para conhecermos a quantidade de vítimas e a confirmação de antigas suspeitas. Constatamos, por exemplo, que no mínimo 1.300 pessoas sem identificação foram mortas pela PM desde a sua criação. Isso significa que quase a metade das vítimas da Polícia Militar em duas décadas, cujas mortes foram divulgadas, estavam estranhamente sem documentos na hora do tiroteio. São os chamados mortos desconhecidos. Era a confirmação de um fato que não se constituía exatamente em novidade para mim, nem aos moradores da periferia de São Paulo.

— Eles atiram primeiro. Perguntam depois — é o que mais se ouve na periferia quando alguém pretende definir o tipo de ação dos matadores da PM. Além de confirmar a triste fama, o grande número de desconhecidos tem um significado mais grave. Mostra no mínimo uma grande contradição. É a prova de que os matadores escolhem grande parte de seus inimigos sem nada saber sobre suas vidas. O contraditório é que, depois de matá-los, afirmam nos inquéritos que os mortos eram conhecidos criminosos. Desconfiamos, a partir de denúncia de parentes, que deveria haver alguma coisa por trás da coincidência de os PMs matarem tantos desconhecidos. Essa desconfiança nos levou a abrir mais uma frente de investigação. Iríamos conseguir as provas no futuro, mas antes teríamos que nos submeter a um grande esforço de pesquisa.

Se a fonte *NP* possibilitou identificar os matadores, pouco nos ajudou a conhecer as vítimas, devido ao grande número de desconhecidos. Era necessário procurar outra fonte. Em 1987 começamos a vencer os primeiros obstáculos. Com a ajuda do diretor do Instituto Médico Legal, o médico legista Rubens Brasil Maluf, conquistei aquilo que vinha tentando havia anos: o acesso a uma sala empoeirada de uma espécie de museu abandonado do IML. A princípio, o diretor achou estranho o interesse de um repórter por aquele lugar meio macabro.

— Você já conhece bem aquela sala? — perguntou o diretor.

— Mais ou menos. Mas sei bem o que eu quero lá dentro — respondi, já entusiasmado com a perspectiva.

— Antes eu vou te mostrar como aquilo lá é interessante. Tenho certeza: você vai se arrepender — alertou o diretor quando já nos encaminhávamos ao último andar do prédio para a visita. Mal dava para abrir a porta devido à grande quantidade de objetos dentro da sala. Conseguimos entrar meio de lado. A primeira visão era de fato assustadora. Alguns armários sem porta mostravam grandes garrafas de vidro com pedaços de corpos mergulhados em formol. Mãos. Pés. Cabelos. Fetos deformados. Olhos. Muitos vidros cheios de olhos flutuantes. Álbuns e mais álbuns com fotografias de cadáveres em todos os estágios de putrefação. Livros de capa preta. Velhos instrumentos um dia usados nos exames de necropsia. Cadeiras quebradas. Pedaços de macas. Máquinas de escrever emperradas. Apontei o centro da sala, para mostrar ao diretor o motivo de meu interesse. Uma montanha de pastas e papéis velhos cobertos de pó. Ele sabia muito bem do que se tratava.

— Documentos usados no transporte de cadáveres. O que você pretende achar aí? — perguntou o diretor com curiosidade, talvez por me julgar um pesquisador excêntrico.

— Estou fazendo uma pesquisa sobre morte por causa violenta na cidade. Tenho certeza de que essa documentação vai ajudar muito — respondi torcendo, por prudência, parte da verdade ao diretor, embora ele se mostrasse gentil e com vontade de ajudar.

— Nunca pensei que um repórter pudesse se interessar por isso...

— Há loucos para tudo, diretor.

— Quantos dias você pretende ficar aqui?

— Quantos forem necessários.

— Bem, isso depende do período de abrangência da sua pesquisa. Abrange quantos dias, semanas...

— São anos, doutor. Quero examinar todos os documentos desde 1970.

— Não acredito. São mais de 60 mil documentos por ano. Você terá que contratar uma centena de auxiliares ou então se despeça da família e se mude para cá com cama e tudo — brincou o diretor.

— Quando posso começar?

— A sala é sua. Você será o primeiro e certamente o último a mexer nessa poeira toda... Convém usar máscara de papel. Insalubridade, hein! — ele advertiu.

No dia seguinte, bem cedo, eu estava de volta à sala tão animado quanto costumo estar no início de uma bela viagem de férias. Percebi que a funcionária que me abriu a porta fez uma careta de reprovação, mas sem nada comentar. Na primeira tarefa — o manuseio da documentação relativa a vários anos diferentes — já ficou claro que eu iria dispor de um conteúdo muito rico de informações sobre as pessoas mortas por causa violenta em São Paulo. De imediato também percebi que o grande desafio seria encontrar no meio da montanha de papéis quais documentos continham o registro de pessoas mortas pela Polícia Militar.

Dois meses depois, eu já tinha bastante intimidade com a documentação e estava seguro da sua importância para a identificação das vítimas da PM. Desde o primeiro dia de trabalho, munido de uma listagem da pesquisa do *Notícias Populares*, eu vinha encontrando ali a confirmação oficial das mortes noticiadas. Meu processo de procura partia da lista do *NP*. Exem-

157

plo: no dia 2 de janeiro de 1972, o jornal divulgou que PMs mataram um estudante com aparência de 20 anos em um tiroteio no bairro da Casa Verde. Partindo dessas informações eu revirava a montanha de papéis atrás da documentação referente ao registro das mortes na data do tiroteio investigado. A grande dificuldade era a desordem, que me fazia perder até uma hora para localizar os papéis de cada caso. Naquele ritmo eu teria que ficar uns cinco anos naquele lugar horrível.

Conheci Daniel Annenberg quando procurava alguém para me ajudar a garimpar a montanha de papéis, única forma de agilizar o trabalho. Estudante universitário, 21 anos, Daniel cursava duas faculdades: de Jornalismo e de Administração Pública. Ainda não sabia exatamente qual das duas carreiras iria seguir no futuro. Talvez as duas. A dúvida, na verdade, ia mais além. Talvez fosse desistir das duas faculdades para procurar uma terceira profissão: Ciências Sociais. Mas, independentemente da carreira que fosse seguir, a princípio o tipo de pesquisa o interessava. Antes de decidir se aceitava ou não minha proposta, tivemos um encontro estratégico. Já para testar sua capacidade de resistência a adversidades, escolhi a própria sala do IML como local da nossa primeira conversa.

Quando Daniel chegou, eu já o aguardava sentado no velho banco de um carro do IML, ao lado do armário que expõe órgãos humanos nos vidros de formol.

— Como você vê, o cenário é dos mais agradáveis — comentei, já tentando observar a reação de Daniel, que respondeu sério, enrugando um pouco as sobrancelhas.

— Normal!

Passamos a andar com dificuldade pela sala, pisando sobre alguns objetos devido à falta de espaço. Retiro um livro enorme de uma prateleira e passo-o a Daniel, que começa a tossir.

— Alergia à poeira? — pergunto.

— Interessante! — ele responde, já virando as páginas do livro de registros de óbitos do início do século. Não desisto de tentar impressioná-lo mal. Meu objetivo é saber o mais rápido possível se ele é ou não a pessoa certa para uma missão aparentemente tão monótona, esquisita, desconfortante. Pego o álbum de fotografias de cadáveres em putrefação e pergunto se ele já viu uma pessoa morta.

— Uma única vez, no velório de um parente — responde Daniel.

— Muitas vezes teremos que pesquisar nesse livro — alerto. Daniel examina três, quatro folhas cheias de fotos horríveis e comenta:

— Normal!

Estamos no segundo andar, um pouco afastado da geladeira que conserva os cadáveres no térreo. Aviso a Daniel que, apesar da distância, muitas vezes ele sentirá o mau cheiro durante o trabalho.

— São apenas duas geladeiras. Às vezes elas quebram — advirto-o.

Nada parecia abalar Daniel quando voltei à carga, com mais uma tentativa de fazê-lo desistir. Aponto para a montanha de papéis. Aviso que teremos que nos debruçar sobre ela talvez durante mais de um ano.

— Fascinante — diz Daniel.

Constrangido, reservei o pior para o fim. Aviso que só poderei pagar pela tarefa um valor simbólico, dois salários mínimos mensais.

— Quantas pessoas você precisa?

— Preciso de cinquenta, mas só posso contratar uma.

— Quantos candidatos disputam essa vaga comigo?

— Bem... Procuro há dois meses e até agora você foi o único louco com coragem de se candidatar...

— Bem, mas eu falo inglês. Aumenta minha chance?

— Neste caso te pagarei em dólar...

No primeiro dia de parceria, explico a Daniel que a prioridade da pesquisa tinha um objetivo pretensioso: identificar todos os chamados desconhecidos mortos pelos policiais militares. Vamos tentar fazer aquilo que o responsável pelas investigações desses crimes têm obrigação de fazer antes de começar qualquer tipo de apuração. A estratégia que adotaremos se baseia na listagem dos tiroteios noticiados no *NP*. Começaremos procurando aqueles que foram mortos pelos PMs envolvidos no caso Rota 66. Por razões práticas, porém, antes vamos organizar a montanha de papéis. Levamos duas semanas para colocar os documentos nas prateleiras de duas paredes de 3 metros de altura por 7 de largura. No final, ambas as paredes estavam abarrotadas de cima a baixo, de ponta a ponta. Aí começamos a ler tudo aquilo, folha por folha, à procura das vítimas da PM.

Temos à disposição basicamente três folhas de papel com informações para cada registro de morte. Uma folha é o telex enviado pelo delegado da Polícia Civil ao IML solicitando um carro para o recolhimento do corpo de uma vítima de violência. Ele acompanha o motorista do IML, que o usa como guia para achar o corpo. Esse documento, empoeirado, sujo de sangue, apresenta um certo risco à nossa saúde e pouco acrescenta à nossa pesquisa. Descobrimos com o passar dos dias que geralmente é um resumo das informações do Boletim de Ocorrência, que já dispomos pela fonte *NP*. Mesmo assim é importante fazer uma leitura atenta desta folha do telex. Muitas vezes, além de pedir o carro de cadáver, o delegado informa que se trata de um caso de resistência, ou seja, de uma vítima da PM. Isso facilita demais nossa procura de dados nas outras duas folhas.

O segundo documento à nossa disposição é uma folha branca tamanho ofício, com anotações feitas pelo médico-legista no momento em que a vítima dá entrada no Instituto Médico Legal. É o chamado laudo de exame de cadáver. Quando a vítima é portadora de documentos, os dados da identificação também são anotados nesta mesma folha na hora do registro de entrada do corpo. Na hipótese de a vítima ser desconhecida, ela será identificada por um número até o dia em que alguém fizer o reconhecimento, como aconteceu com os rapazes mortos no caso Rota 66. Os três corpos chegaram ao IML sem documentos e só três horas depois é que foram identificados pelos parentes.

Há ainda um terceiro documento que vai nos ser muito útil. Também é um telex que informa o resultado do exame dactiloscópico, que é obrigatório. Sempre que um corpo entra no IML, o legista tira as impressões digitais e as envia para o confronto com as fichas do Instituto de Identificação. Se a vítima for nascida em São Paulo e registrada nos arquivos da polícia será muito grande a chance de identificação. Neste caso teremos no telex o rápido perfil da vítima: nome, filiação, idade, naturalidade e, às vezes, a profissão. Caso o resultado do exame seja negativo e nenhum parente reclame o corpo, ele será enterrado como indigente. E nossas chances de identificação ficarão reduzidas a quase zero.

Paciência. Persistência. Organização. São virtudes fundamentais que Daniel Annenberg me ensinou a exercitar no esforço para identificar os desconhecidos. Alguns casos nos deram mais de um mês de trabalho. Explico. Sempre começávamos a pesquisa a partir do caso noticiado no *NP*. Conhecíamos a data do tiroteio, local e poucas informações sobre as vítimas, geralmente apenas a cor e a idade aparente. Mesmo depois de localizada a data correspondente na papelada do IML, o trabalho continuava difícil. É que mais de cinquenta pessoas morrem todos os dias em São Paulo. Para nós significava que, para cada caso que procurávamos identificar, existiam cinquenta possibilidades diferentes de confronto.

O programa de computador planejado por Daniel Annenberg ajudou muito a cruzar os dados e a eliminar possibilidades. O fato de já conhecer os métodos de ação dos matadores também contribuiu para a identificação. Por exemplo: todo jovem de uma região pobre da cidade, com mais de dois ferimentos a bala, cujo corpo foi recolhido pelo carro do IML em hospital, era considerado por nós uma vítima potencial da PM. Criamos um arquivo no computador com os dados de mais de 20 mil óbitos com essas características. Depois fazíamos o cruzamento com os dados da fonte *Notícias Populares*. Apenas por este método conseguimos descobrir a identidade de exatamente 145 desconhecidos.

A maior parte das descobertas, no entanto, veio do laudo de exame de cadáver e do telex com o resultado dos exames das impressões digitais. Foram mais de quatrocentos. Os casos mais complicados exigiam investigações fora do IML. Para isso nos valíamos de dois dados fundamentais, geralmente escritos a mão no mesmo laudo de exame de cadáver: nome e endereço do responsável pela retirada do corpo para o enterro. Desta forma conseguíamos chegar à casa de parentes, que muitas vezes confirmaram nossas suspeitas ou forneceram boas pistas, que levaram à identificação de mais de duzentas pessoas. Depois de um ano de pesquisas diárias, até em fins de semana, tínhamos conseguido identificar através dos vários métodos exatamente 833 pessoas de um total de 1.300 desconhecidos que tiveram suas mortes divulgadas pela imprensa. O relativo sucesso da parte prioritária da pesquisa nos entusiasmou. Agora, com o reforço de Sidney, que já havia concluído o levantamento sobre o passado nos arquivos do *NP*, passamos a usar os mesmos métodos para a segunda fase. A pretensão era contabilizar também as vítimas mortas com identificação, cujos corpos passaram pelo Instituto Médico Legal, desde o primeiro dia de ação da Polícia Militar. Alguns estudantes de Jornalismo, contratados eventualmente, colaboraram nessas investigações. Trabalhamos em duas etapas que somaram dois anos de levantamentos diários até chegarmos aos casos dos tiroteios da década de 90. Os resultados que serão conhecidos agora se referem, portanto, ao período de abril de 70 a junho de 92, quando estávamos escrevendo o livro.

A primeira constatação curiosa é a de que a violência da Polícia Militar não tem nenhuma relação com o aumento ou decréscimo dos índices de criminalidade. Nessas duas décadas da existência da PM o número de crimes de civis sempre cresceu em uma proporção bem menor em relação aos homicídios praticados por policiais militares durante o patrulhamento. Antes da criação da PM os índices de assassinatos envolvendo a polícia eram relativamente baixos. Entre 1960 e 1965, por exemplo, foram mortas três pessoas em tiroteios com a polícia. No ano de criação da PM, a população de São Paulo também não era das mais violentas. Em 1970, os funcionários do Instituto Médico Legal registraram 62 vítimas de latrocínio, que é o crime de morte praticado durante um assalto. O índice dos assassinatos de autoria do cidadão comum, o homicídio, era inferior a dois por dia. Já no primeiro ano de ação os policiais militares mataram 28 pessoas. Os números da década de 70 mostram que a violência policial foi muito maior em relação aos dos criminosos e cidadãos comuns. Os latrocínios pularam de 62 (em 1970) para 276 (em 1980). Os homicídios, de 666 (em 70) para 1.424 (em 80). Já os assassinatos dos policiais passaram de 28 (em 70) para 280 (em 80). A diferença se acentua ainda mais ao longo da década de 80. O cidadão comum se tornou mais violento. De 80 a 90 houve um crescimento de 300 por cento nos números de homicídios, que passaram a refletir um alto índice de desarmonia social. Os criminosos habituais, porém, se tornaram menos violentos. Os números de latrocínios se mantiveram estáveis em quase toda a década e chegaram a cair nos últimos três anos. Em 1990, por exemplo, enquanto o cidadão comum matava quinze pessoas por dia, o assaltante matava uma pessoa a cada dois dias. Já os policiais militares entraram a década matando quase duas pessoas por dia. Alcançaram um recorde em 1991: quase quatro por dia. A estatística sobre as mortes por causa não natural, termômetro da violência, mostra que a cidade se tornou 10 por cento mais perigosa no período de 81 a 91. O índice é considerado razoável se comparado com o de outras grandes metrópoles do mundo. A cidade de São Paulo se situa na mesma faixa de violência de países como Grécia, Noruega, Tailândia. E muito abaixo da Venezuela, Chile, Suíça e Estados Unidos. Nada justifica o impressionante aumento da violência da Polícia Militar verificado na década de 80. No mesmo período de 81 a 91, os assassinatos envolvendo PMs cresceram de trezentos para mais de mil, aumento superior a 300 por cento.

Nosso Banco de Dados também mostra que a violência da Polícia Militar não sofre grande influência nem pode ser explicada somente por uma circunstância de quem está no comando político do Estado. Durante os anos de regime militar, os governadores Abreu Sodré e Paulo Egídio Martins sempre apoiaram em público ações enérgicas da PM durante o policiamento. O mais notório incentivador foi o engenheiro Paulo Salim Maluf, que governou São Paulo de 79 a 82. Nesse período, os policiais militares chegaram a matar em média uma pessoa a cada trinta horas, aproximadamente trezentas por ano. Quase todos foram absolvidos nos julgamentos da Auditoria Militar.

Essa violência dos tempos de Maluf era duramente criticada pelos políticos da chamada oposição democrática. Um deles, o jurista Franco Montoro, se elegeu governador depois de ter prometido na campanha eleitoral acabar com os fuzilamentos e punir os policiais mais arbitrários. Durante o seu mandato, de 83 a 86, Montoro tomou algumas medidas que, de fato, foram coerentes com seus discursos. As viaturas da Rota, por exemplo, deixaram de ser totalmente cinzentas, uma cor que praticamente tornava-as invisíveis à noite. Todas as portas e o capô foram pintados de branco. Também por ordem de Montoro, alguns matadores da Rota foram transferidos a outras unidades da PM ou passaram a exercer atividades burocráticas.

O esforço do governador, no entanto, não deu o resultado desejado. Os tiroteios entre PMs e suspeitos continuaram, com um saldo ainda mais trágico. Os policiais militares chegaram a matar 580 pessoas no ano de 85, média de uma vítima a cada dezessete horas, quase o dobro em relação ao que se matava nos tempos de Maluf. No governo seguinte, mandato do empresário Orestes Quércia, os números de vítimas permaneceram estáveis, na mesma média alta da gestão de Montoro.

A partir de 1990 se observa um grande incentivo aos homens da Rota, que ganharam equipamento e carros novos. As viaturas voltaram ao antigo e sinistro cinza-escuro. O efetivo aumentou de 250 para 679 homens. A violência dos matadores bateu todos os recordes. Em 91, mais de mil suspeitos foram mortos, média de três vítimas por dia. Em 92, nos cinco primeiros meses, passaram a matar quase quatro por dia. Eram os dois primeiros anos de governo do promotor Luiz Antonio Fleury Filho, um ex-oficial da Polícia Militar de São Paulo.

De Abreu Sodré a Luiz Antonio Fleury Filho, todos os governadores tiveram em comum a mesma retórica: a de que os PMs só matam em legítima defesa durante tiroteio com criminosos. Nenhum deles jamais admitiu a existência de uma ordem oficial para matar. Mesmo os casos denunciados pela morte de pessoas sem envolvimento em nenhum tipo de crime sempre foram considerados casos isolados, eventuais excessos de policiais que acabaram expulsos para se preservar a imagem da corporação.

Nosso trabalho no IML abrange os tiroteios ocorridos no município. Ficam excluídas dessa fonte, portanto, todas as vítimas da Grande São Paulo e também as das cidades vizinhas de Santo André, São Bernardo do Campo, São Caetano do Sul e Diadema, onde os matadores da PM também agem com muita frequência. Outros fatores de limitação do volume de nossas descobertas foram a desorganização e o estado de abandono da documentação do IML, problemas que encontramos na primeira fase da pesquisa. Também deixamos de identificar muitos casos devido à dificuldade de localização dos parentes das vítimas na periferia da cidade, sobretudo nos casos da década de 70. A maior parte das pessoas que procurávamos tinha mudado de endereço. Também muitas ruas nas favelas

Já tinham sido tomadas pelos barracos, ou deixaram de existir, ou mudaram de nome.

É importante observar que os números oficiais de mortes divulgados pela Polícia Militar são muito maiores em relação ao volume de vítimas que conseguimos identificar. Acreditamos ter identificado 60 por cento do total de vítimas dos tiroteios que envolvem a PM. Nosso Banco de Dados reunia, em abril de 92, a identificação e um rápido perfil de 4.179 mortos. Os números das estatísticas oficiais são bem maiores. É quase impossível saber qual a quantidade exata de suspeitos mortos. A Polícia Militar se nega a divulgar os dados dos confrontos da década de 70. Através de fontes variadas é possível se estimar que os PMs mataram entre 7.500 e 8 mil pessoas até junho de 92. É um volume assustador se usarmos novamente como comparação o número de baixas em guerras e revoluções brasileiras.

O saldo de 7.500 vítimas da Polícia Militar supera o volume de mortos e feridos de centenas de levantes armados, revoluções e guerras históricas. Supera o número de soldados brasileiros mortos na Segunda Guerra Mundial (454); as vítimas da Guerra dos Farrapos (1.000); da Guerra da Independência (1.200); dos levantes da Sabinada e da Cabanagem, também conhecidas como Revoltas da Regência (1.300); das duas batalhas de Guararapes (900); dos confrontos entre brancos e escravos, inclusive todos os quilombos (cerca de 5.000 feridos e 2.000 mortos). Tentei classificar a posição da guerra da PM contra os suspeitos civis em relação às baixas das guerras mais importantes do passado. Consultei vários historiadores. Eles afirmam não dispor de dados suficientes para fazer uma classificação exata. A comparação dos dados que eles fornecem com os da guerra da

PM de São Paulo leva à dedução de que ela esteja entre as cinco que mais fizeram mortos.

O escritor Euclides da Cunha, no livro *Os sertões*, sobre a campanha de Canudos, contabilizou 19.500 baixas, isto é, o saldo de mortos e feridos. Pela regra da proporção de quatro por um, significa que o número de feridos deve ter sido de 16 mil e o de mortos perto de 4 mil, bem menos portanto dos que os policiais militares já mataram em São Paulo. Nem as invasões estrangeiras dominadoras mataram tantos brasileiros. Os PMs mataram mais que os invasores ingleses, franceses e holandeses juntos, que fizeram 23 mil baixas, cerca de 5 mil mortos, 18 mil feridos. Sem ter um inimigo declarado, os PMs já conseguiram causar uma matança de civis comparável aos sangrentos combates das guerras do Rio Grande do Sul contra o Uruguai e a Argentina. Só não é superada pelo saldo de baixas da Guerra do Paraguai, a mais violenta da história do país. Em sete anos de conflito matou 9 mil brasileiros e feriu 27 mil. Seria necessário um levantamento nos arquivos históricos com muito mais profundidade, para se obter a classificação exata da guerra da PM.

Para nós, mais importante do que contabilizar o número de mortos era levantar as informações para identificar e conhecer as pessoas que os policiais militares vêm matando há 22 anos em São Paulo. Com o registro de 4.179 casos de tiroteios no Banco de Dados, acreditamos ter conseguido, depois de dois anos de trabalho, chegar ao perfil das vítimas dos matadores.

Homem jovem, 20 anos. Negro ou pardo. Migrante baiano. Pobre. Trabalhador sem especialização. Renda inferior a 100 dólares mensais. Morador da periferia da cidade. Baixa instrução, primeiro grau incompleto. Nos chamou a atenção, ao conhecer esse perfil, a grande diferença em relação aos rapazes mortos no caso Rota 66. Nosso Banco de Dados prova que apenas os suspeitos pobres são perseguidos e mortos. E reforça a suspeita de que deve ter havido um grande engano dos PMs naquela madrugada de abril de 75. A única coisa que os três rapazes ricos tinham em comum com o perfil da vítima da PM era a juventude. Um tinha 19 anos de idade, outro 21 e o terceiro era menor, 17 anos. Nosso Banco de Dados registra 962 vítimas nesta faixa etária dos 19 aos 21 anos, mortos antes e depois do caso Rota 66.

Os menores também são vítimas preferenciais dos matadores. O número de crianças e adolescentes mortos pela PM tem a dimensão de uma grande tragédia. Identificamos exatamente 680 menores mortos, número semelhante ao das vítimas de um famoso episódio da revolta federalista, onde setecentos homens foram degolados. Descobrimos também nesta fase da pesquisa que os policiais militares já mataram muitas crianças. Entre os 680 casos de menores mortos registrados no Banco de Dados 148 tinham menos de 15 anos. Ao longo desses 22 anos, o número de crianças mortas pela PM de São Paulo supera o das execuções de opositores do antigo regime militar, contabilizadas em duas décadas de repressão. Nem todos os menores conseguimos identificar. Nosso Banco de Dados registra o transporte em viaturas da PM de 223 corpos de menores sem identificação aos hospitais. Depois de transferidos ao IML, 41 desses menores não foram procurados por parentes. Foi o próprio Estado que providenciou o enterro deles como indigentes.

Nosso Banco de Dados também contabiliza o número de vezes em que os PMs violaram o local do tiroteio. O resultado do levantamento faz aumentar ainda mais as suspeitas sobre o hábito dos PMs de tirar o corpo do local da morte para levá-lo ao hospital. Essa atitude, obsessão de alguns PMs como o cabo José Cláudio, a princípio se confunde com o gesto humanitário da prestação de socorro, como aconteceu no caso Rota 66. Nós constatamos que o carro de transportes de cadáver do IML, o rabecão, tem sempre um mesmo destino quando vai recolher um morto pela Rota: o hospital. Anotamos que os rabecões recolheram pelo menos 3.546 corpos de vítimas da PM pela rede hospitalar do município.

Violar o local do crime é um procedimento antigo, revelado já nos primeiros dias de ação da PM nas ruas, em 1970. A descoberta de milhares de tiroteios sem sobreviventes nos leva a acreditar que os PMs agem com a intenção premeditada de matar os suspeitos. Depois, ao retirar o corpo do local para dificultar uma possível investigação, encenam uma atitude de socorro, uma atitude que transforma os hospitais de São Paulo em esconderijos de cadáver. Se nossa desconfiança é injusta, então estaremos diante de um caso incrível de incompetência médica coletiva. Se os PMs falam a verdade quando dizem que socorrem os feridos, significa que centenas de médicos de São Paulo, inclusive dos prontos-socorros da periferia, não foram capazes de salvar nenhuma das 3.546 pessoas feridas em tiroteio levadas aos hospitais. Contabilizamos no Banco de Dados que os três hospitais mais procurados pelos policiais foram o Santa Marcelina, o Piratininga e o Jabaquara. Registramos 535 casos de entradas de pessoas feridas pela PM nesses hospitais. Nenhuma sobreviveu.

Conversamos com alguns médicos que se defenderam: todos foram unânimes em afirmar que, salvo raras exceções, as vítimas não chegam feridas ao hospital, mas sim mortas. Alguns corpos até já acusam rigidez cadavérica, sinal da morte ter ocorrido há mais de três horas. Questionei por que eles não se negam a internar cadáveres nos hospitais. As razões são variadas. Cada médico apresenta uma desculpa pouco convincente, que tem em comum o medo, a omissão e o desinteresse em enfrentar a polícia para defender pessoas que a sociedade marginaliza. De qualquer forma, não descobri nenhum erro médico que justificasse a grande mortalidade de feridos. Sem ter razões para desconfiar da eficiência dos médicos, optei por continuar investigando as circunstâncias em que os suspeitos são atacados pelos policiais.

A descoberta do Banco de Dados que mais nos entusiasmou foi a identificação das vítimas dos quinze PMs envolvidos diretamente no caso Rota 66, cujos nomes conhecíamos pelo levantamento no jornal *Notícias Populares*. Além das informações das fontes da pesquisa, tivemos nesta investigação uma grande ajuda de amigos e parentes das vítimas, sobretudo das viúvas e dos filhos órfãos. As informações, fornecidas pelas pessoas mais interessadas na justiça, nos levaram a criar um arquivo especial no computador para documentar exclusivamente os casos dos matadores que mais se destacam na PM.

Esse arquivo especial nos permitiu eleger uma seleção com os nomes dos vinte maiores matadores da PM. Vamos contar as histórias de alguns deles nos capítulos seguintes. Convém antes esclarecer que talvez alguns nomes tenham nos escapado da investigação. Isso pode ter acontecido porque não são todos os PMs que se identificam depois de matar civis durante o policiamento. O soldado Florisvaldo de Oliveira, conhecido como Cabo Bruno, por exemplo, usava um método particular. Muitas vezes matava nos dias de folga e costumava deixar o cadáver no local do crime ou desová-lo em outro lugar. Nunca se identificava como o autor. Depois de ter sido

CACO BARCELLOS

denunciado como matador, ele próprio confessou, em entrevista aos repórteres Hugo Sá Peixoto e Mônica Teixeira, o assassinato de mais de trinta jovens. Mesmo assim o nome do Cabo Bruno não faz parte da nossa seleção, que se restringe aos casos de mortes ocorridos durante policiamento regular da cidade.

Começamos a formar a seleção a partir dos quinze PMs do caso Rota 66 e depois ampliamos com a inclusão também dos policiais que não fazem parte das Rondas Ostensivas Tobias de Aguiar. Muitos dos quinze primeiros, como o tenente Eli Nepomuceno, foram perdendo posição e caíram fora da lista dos vinte maiores. O cabo José Cláudio dos Santos, o que mata com tiros na cabeça das vítimas, ocupava em junho de 92 a 17ª posição. Outros dois colegas envolvidos no caso Rota 66, cujos nomes vamos revelar mais à frente, estavam entre os primeiros. Nosso Banco de Dados, além de conter informações sobre as vítimas, revela um time de PMs que detém um título vergonhoso: o de maiores matadores da história da polícia brasileira.

CAPÍTULO 13 | **Matador de inocentes**

O maior fã do cantor Roberto Carlos na Vila dos Remédios, em Osasco, gosta de imitá-lo em tudo. O estilo das roupas simples é idêntico ao do ídolo. Calça de tergal boca de sino, botas brancas com salto de 5 centímetros. A camisa azul-turquesa, cheia de babados no punho, aberta no peito, mostra o medalhão de bronze preso à corrente do pescoço. Um dos três anéis enormes da mão direita tem o símbolo de uma caveira. Com um violão sobre o ombro, José Mendes de Oliveira, que há anos assumiu o nome de Roberto Mendes, se movimenta com dificuldade pelo salão lotado de jovens, em direção ao palco do Clube Portuguesinha. Imita até o andar manco do ídolo. Finalista do concurso de calouros entre sósias de Roberto Carlos, Mendes será obrigado a cantar a música que o público pedir. Ele está confiante ao subir ao palco. Afinal, sabe de cor os sucessos de todos os discos. Há um problema, no entanto, que pode prejudicá-lo no concurso. Mendes é pardo. Passou a semana tentando alisar os cabelos crespos com um creme especial e não gostou do resultado. Na hora de chamar ao palco o amigo que vai acompanhá-lo ao violão, Mendes não consegue imitar Roberto Carlos como gostaria. Inclina a cabeça, olha sobre o ombro direito, estica o braço à esquerda em direção ao parceiro, mas fracassa ao tentar fazer a cabeleira esticada cair sobre a testa, como a do ídolo. A sua voz, porém, é idêntica à do Rei do Iê-iê-iê.

— E com vocês, o meu amigo tremendão: Claudiomiro Silva!

A confusão no Baile do Portuguesinha começou quando a dupla cantava a segunda música. Depois de ter interpretado com sucesso *O calhambeque*, com todas as pessoas do salão batendo palmas e cantando junto, Mendes dedicou a apresentação seguinte, *Splish, splash*, a uma garota que tinha conquistado há poucos dias. Para sua infelicidade, ela estava no baile acompanhada do noivo, que não gostou da dedicatória, muito menos da letra da música.

> *Splish, splash fez o beijo que eu dei*
> *Nela dentro do cinema*
> *Todo mundo olhou me condenando...*
> *Só porque eu estava amando...*

O noivo invadiu o palco, tirou à força o violão das mãos de Claudiomiro Silva e avançou sobre Mendes, que se abaixou para desviar da pancada na cabeça. Em seguida, teve que usar o suporte de ferro do microfone para se defender de um novo ataque do noivo, agora apoiado por uma turma de amigos que também invadiu o palco. Cercado, Mendes movimenta o ferro em todas as direções, ameaçando bater nos que tentam se aproximar. O noivo insiste na agressão: chega a quebrar o violão contra o escudo improvisado de Mendes, que salta do palco para furar o cerco. Aberto o caminho, Mendes corre pelo meio do salão e a briga se generaliza.

Enquanto Roberto Mendes tentava se livrar da pancadaria, na mesma hora, a 2 quilômetros do Clube Portuguesinha, o soldado Rony Jorge da Silveira Paulo, motorista da Rota 17, iniciava a perseguição a um carro roubado, ocupado por três homens. Avisados pelo rádio, outros PMs, em mais duas viaturas, também se dirigiam em alta velocidade à Vila dos Remédios, em Osasco, na Grande São Paulo. No momento em que Mendes chegou à porta de saída do salão, ainda caçado pela turma do noivo enfurecido, a perseguição da Rota ao carro roubado estava bem próxima ao clube. Nos instantes seguintes, Mendes fugiu correndo pela escuridão da ruazinha de chão batido e de repente foi iluminado pelos faróis da Veraneio cinza, que veio de uma transversal e surgiu em alta velocidade à sua frente. A fuga de Mendes acabou ali com uma rajada de metralhadora. Quem estava na frente do clube, a 400 metros, chegou a ouvir o ruído dos disparos. Mas ninguém viu como ele foi morto. Só no dia seguinte ficaram sabendo do crime pela imprensa.

Perigoso assaltante morre depois de violento tiroteio com os policiais da Rota. Elemento desconhecido, pardo, aparentando 20 anos...

O sósia de Roberto Carlos é uma das treze vítimas do soldado Rony Jorge, que identificamos pelo nosso Banco de Dados. Investiguei seus crimes porque Rony é um dos quinze PMs envolvidos no caso Rota 66. Naquela madrugada de 23 de abril, Rony Jorge era o motorista da equipe da Rota 17, que durante a perseguição bateu numa Radiopatrulha e, após o desfecho, transportou os corpos dos rapazes ao hospital. Ao examinar cada crime de Rony registrado em nossa pesquisa, minha primeira constatação é a de que ele já era um matador antes do caso Rota 66. Contabilizei o seu envolvimento em quatro assassinatos de jovens antes de abril de 75. Constatei também que após essa data ele continuou matando ainda com maior frequência: identificamos mais nove pessoas mortas por Rony após o caso Rota 66.

O rapaz que sonhava ser cantor da Jovem Guarda, José Mendes de Oliveira, foi um dos quatro jovens assassinados por Rony Jorge antes de abril de 75. Analisados somente pela versão oficial, os quatro casos são idênticos ao da Rota 66. Um dos muitos pontos em comum é a falta de identidade das vítimas. Mendes era empregado de uma indústria e sempre portava documentos, que sumiram misteriosamente depois de ele ser morto. Os PMs que levaram seu cadáver para o Pronto-Socorro da Lapa disseram aos funcionários que Mendes era um bandido desconhecido e ele foi aceito, como outras 130 vítimas que a PM já havia levado ao mesmo hospital.

Mesmo depois da identificação de Mendes pelo exame dactiloscópico do IML, a verdade sobre sua morte continuou encoberta por obra dos matadores e dos responsáveis pelo Inquérito Policial-Militar. Únicas testemunhas do crime, os matadores afirmaram que Mendes era um dos homens que fugiam no carro roubado. Localizados pela Rota, os três assaltantes foram perseguidos até a rua do Clube Portuguesinha. A perseguição acabou quando o carro roubado bateu contra um muro. Em seguida, os três homens tentaram continuar a fuga a pé. Não foram longe. Um conseguiu escapar. Outro, João Barbosa da Silva, foi o primeiro a ser morto, bem próximo ao

carro. O motivo da morte de José Mendes, pela versão oficial, foi uma reação ao ataque suicida sofrido pelos matadores:

> *...os patrulheiros foram surpreendidos pela inesperada aparição de um indivíduo... que, saído do meio do mato, surgiu à frente da viatura, de arma em punho, e fez alguns disparos em direção aos policiais, que de imediato abriram fogo contra aquele indivíduo. E, além dos tiros recebidos, aquele indivíduo ainda foi colhido pela própria viatura... não houve tempo suficiente para frear o veículo antes de atingir aquele indivíduo, que, gravemente ferido, foi socorrido imediatamente no PSM da Lapa, onde, não resistindo aos ferimentos, veio a falecer.*

No Inquérito Policial-Militar sobre o assassinato na Vila dos Remédios também há várias irregularidades comuns às do IPM do caso Rota 66. Um exemplo é a falsa acusação contra as vítimas. Além de ser apontado como responsável pela sua própria morte, Mendes ainda foi acusado, sem nenhuma prova, de ter praticado um assalto minutos depois de ter roubado o carro. Duas vítimas dos roubos, no entanto, não o reconheceram como um dos assaltantes. Esses testemunhos não foram nem mesmo citados na ata da sessão do julgamento do caso na Auditoria Militar. Os oficiais que absolveram os matadores também não deram importância aos depoimentos das pessoas que viram Mendes no baile do Clube Portuguesinha, minutos antes de ser metralhado pelos PMs.

O mesmo documento que registra a sentença da absolvição, assinado pelo juiz Tullio Vicente Barbato, apresenta falhas técnicas gravíssimas. No relatório do IPM, por exemplo, o responsável pelas investigações, tenente Antônio Bezerra, afirma que Mendes foi morto pelos PMs Paulo Aparecido Cabral, Eurípedes Barbosa e Orlando Lescov, que estavam na Veraneio

Tático Móvel 1503. Eles inclusive o teriam atropelado depois de feri-lo a tiros de metralhadora. Já na ata da sessão do julgamento, são apontados como responsáveis pela morte de Mendes os PMs José Camargo dos Santos, Luís José de Oliveira e Rony Jorge da Silveira Paulo, que faziam parte da Rota 17.

Fato ainda mais grave é a acusação, formalizada na ata de sessão da sentença, de que Mendes era um criminoso. Os responsáveis pelo IPM não conseguiram levantar nenhuma prova da participação dele nos assaltos ou no roubo do carro. Se tivessem consultado os arquivos da própria polícia, poderiam comprovar que Mendes nunca cometeu nenhum crime no estado de São Paulo. A mesma informação teriam obtido da Justiça Civil, onde não há registro de crimes praticados por ele. Ou bastava simplesmente procurar os seus pais, que guardaram a carteira profissional do filho José Mendes de Oliveira — operário de uma indústria de Osasco.

José Mendes de Oliveira não foi o único inocente morto pelo soldado Rony Jorge. Um ano antes, fevereiro de 74, o soldado matou outras duas pessoas, ambas menores, que não eram criminosas. Jorge Ribeiro, de 16 anos, e Augustinho Nilton Candeias, de 17, foram mortos durante a perseguição a um carro supostamente roubado. Os matadores levaram os corpos para o hospital como se eles fossem dois homens desconhecidos, que não portavam nenhum documento. Este é apenas um detalhe da versão oficial do crime, que mais uma vez tem muitos pontos em comum com o caso Rota 66.

Em outra coincidência, os PMs afirmaram que, durante a perseguição, um dos fugitivos colocou meio corpo para fora da janela do carro e deu vários tiros contra a viatura. Nesse momento, os matadores teriam começado a disparar suas armas. No final do suposto tiroteio pelas ruas da cidade, nenhum PM estava ferido e Jorge e Augustinho estavam mortos com treze tiros em seus corpos. Jorge Ribeiro tinha um ferimento no pulso, um no rosto, dois no queixo e um na parte posterior da cabeça. Augustinho foi baleado seis vezes: quatro no tórax e duas na cabeça, uma delas na parte posterior. A apuração do crime ficou restrita, como sempre, ao Inquérito Policial-Militar. Não houve testemunhas do assassinato ou o responsável pelo IPM não se preocupou em encontrá-las. Foram reunidos exclusivamente os depoimentos parciais dos matadores. O único civil a depor, um vigia do posto de gasolina onde aconteceu o crime, afirmou nada ter visto na hora em que os jovens foram mortos. Os cadáveres dos menores foram retirados do posto, procedimento que impediu o trabalho da perícia técnica no local da morte. Também deixou de ser feito o exame residuográfico nas mãos das vítimas para saber se havia resíduos de pólvora ou não. Apesar das falhas do processo, o conselho de sentença da Auditoria Militar julgou que as provas reunidas no IPM eram suficientes para absolver Rony Jorge e seus companheiros.

A investigação sobre os assassinatos do soldado Rony Jorge nos levou a identificar quinze de suas vítimas, das quais apenas uma seguramente era criminosa. Não contabilizamos aqui os três rapazes do caso Rota 66, pois eles não foram mortos diretamente por Rony, cuja participação se restringiu à perseguição de carro. Descobrimos que, de quinze, a maioria de doze vítimas de Rony nunca havia praticado algum crime que fosse do conhecimento da polícia ou da Justiça Civil de São Paulo.

O trabalho de identificação dos matadores e de suas vítimas nos deu as condições para romper um obstáculo às investigações que parecia intransponível. Há anos eu vinha tentando obter informações sobre o andamento dos processos na Auditoria Militar de São Paulo. Embora a consulta aos autos seja um direito público, os juízes de algumas auditorias frequentemente negavam meus pedidos. Eles alegavam dificuldades na localização dos processos nos cartórios porque eu nem sempre tinha a identificação dos envolvidos nos crimes. Depois de conseguir identificar pelo meu Banco de Dados os principais matadores e mais de 4 mil vítimas, eu finalmente podia obter no distribuidor criminal da Auditoria os números dos processos que desejava examinar. De posse desses números, tentei exercitar o direito de consulta dos processos nos próprios cartórios da Justiça Militar. Alguns juízes tentaram impedir a minha pesquisa nos cartórios, que começou em abril de 87. O juiz Antônio Prazak, da 1ª Vara, foi um dos que me proibiram de consultar os processos, que são públicos. Alegou que eu não tinha amparo legal. Insisti com novo requerimento, em maio de 87.

> *Solicito autorização para consultar os processos, relacionados abaixo, no cartório desta Auditoria Militar. Meu objetivo é fazer um levantamento sobre o risco profissional durante o policiamento das grandes cidades. Também é de meu interesse pesquisar as causas dos confrontos armados entre criminosos e policiais militares.*

Diante da minha insistência, o juiz Prazak fez uma consulta ao juiz corregedor geral da Auditoria Militar, que negou a autorização nos seguintes termos:

> *...Trata-se do segundo pedido do mesmo jornalista, que, agora, indica os feitos que deseja consultar e o objetivo do exame.*
>
> *Tenho para mim que a consulta a processos-crime deve ser limitada a magistrados e às partes com real interesse.*
>
> *Ao alto descortino de Vossa Excelência...*

> (Juiz Nelson Monteiro, 21/5/87)

O juiz Antônio Prazak só iria nos autorizar a consultar alguns processos sobre crimes dos matadores da PM cinco anos depois do meu primeiro pedido. Antes de conceder a autorização, me alertou sobre os dispositivos constitucionais a que eu deveria obedecer e exigiu que eu assinasse um termo de compromisso. As informações obtidas nos cartórios da Justiça Militar me levaram a abrir mais um arquivo no meu Banco de Dados. A pesquisa foi feita em duas fases: na primeira, em 1987, foram quatro meses de leituras diárias de processos arquivados ou em andamento. Alguns juízes, como o da 2ª Auditoria, me facilitaram o trabalho concedendo a permissão para consultar e copiar dezenas de processos. Os outros juízes autorizaram somente a consulta no próprio cartório, sem a reprodução de nenhum documento. Essa limitação me obrigou a escrever a mão o resumo da leitura de mais de quatrocentos processos, num total de dez meses de trabalho na Justiça Militar.

Penúltima fonte de pesquisa de minha investigação, meu levantamento nos cartórios da Justiça Militar mostrará que o procedimento burocrático oficial na apuração dos crimes dos PMs é precário e tendencioso. Possibilitará também a descoberta de outro fato muito grave: a prova de que os matadores muitas vezes são incentivados pelo comando a matar criminosos.

A apuração oficial dos crimes do soldado Rony Jorge da Silveira Paulo, por exemplo, revela um critério parcial que beneficia o matador. Na leitura de seus processos descobri que ele nunca foi condenado, nem mesmo em um dos doze assassinatos cujas vítimas descobrimos não serem criminosas. Nos casos em que encontrei depoimentos de testemunhas oculares imparciais, fato raro nos crimes dos PMs, a denúncia de contradições dos matadores foi minimizada tanto pelo responsável pelo Inquérito Policial-Militar quanto pelos oficiais responsáveis pelo julgamento.

No dia 7 de agosto de 1984, Rony e seus companheiros de patrulhamento foram denunciados pela morte de um rapaz desconhecido, envolvido numa briga de rua. Os PMs afirmaram que ele foi morto em tiroteio, depois de reagir à prisão. O exame da arma apreendida, como se tivesse sido usada pela vítima, revelou anomalias nos seus sistemas de percussão e repetição. Segundo o laudo dos peritos, esses defeitos impediam a realização de disparos. Três testemunhas garantiram em seus depoimentos que a vítima não estava armada. O estudante Wagner Moreno, preso junto com o rapaz, disse que a causa da morte foi o disparo aparentemente acidental da arma de um PM.

...O rapaz já estava sentado na viatura. O PM tinha um revólver na mão. No momento em que me obrigava a entrar preso no carro, a arma disparou e atingiu o rapaz. Ele gritou que estava baleado e começou a sangrar. Foi levado ainda com vida ao hospital.

O soldado Rony Jorge também foi denunciado pelos pais de dois menores, um deles sobrevivente de um suposto tiroteio ocorrido durante um assalto na estação ferroviária do município de Barueri. Os dois menores Anselmo Francisco da Silva e Cláudio Rodrigues contam em seus depoimentos que foram atacados pelos soldados Rony Jorge e Wilson Justino quando voltavam de um baile numa noite de sábado. Eles viajavam como pingentes de um trem da Fepasa, agarrados à borracha da porta do vagão, em direção à cidade de Jandira, onde moram. Bem perto da estação de Barueri ouviram o barulho de um tiroteio e saltaram para se proteger. Perseguidos a tiros, os dois correram ao lado do trem em movimento. Tentaram saltar para dentro de um vagão que estava com a porta aberta. Cláudio conseguiu. Anselmo caiu junto à plataforma da estação e se arrastou para se abrigar embaixo dela. Logo foi descoberto pelo soldado Rony Jorge.

...Os PMs mandaram eu sair lá de baixo e me obrigaram a deitar no chão com as mãos sobre a cabeça. Implorei para não ser morto. Mas o soldado disparou um tiro no meu peito. Depois me algemaram e ainda me deram muitos chutes e tapas nas costas enquanto me levavam para o hospital...

Outros dois menores que viajavam no mesmo trem depuseram no processo confirmando a história contada por Anselmo. O serralheiro Odair Crispin, de 14 anos, viu o amigo ser baleado. Ele acha que Anselmo só não foi morto porque havia muita gente na estação. Alguns chegaram a interferir a favor dele, como fez o amigo Carlinhos.

...Depois de Anselmo ser baleado, um amigo nosso, o Carlinhos, mostrou os documentos dele ao PM e chegou a gritar para ser ouvido: "Olha aí, ele é trabalhador, não é um vagabundo." Mas o PM pegou o documento e não olhou. Colocou no bolso e continuou a agredir Anselmo com socos...

O depoimento do menor Carlos Alberto Alves Prates, o Carlinhos, é mais detalhado:

...Quando Anselmo foi ferido, estava deitado com as mãos no rosto, de peito para cima, e, chorando, pedia: "Pelo amor de Deus, não atire!" O policial que atirou dizia: "Você estava armado, vagabundo!" Mesmo ferido, Anselmo não ficou calado. Avisou os PMs que aquilo iria dar processo contra eles. E, quando perguntaram por que correu dos tiros, ele respondeu: "Não tenho peito de aço"...

Em todo o processo não há nenhuma prova de que o menor Anselmo estivesse armado ou que tenha reagido à prisão. A vítima do assalto que deu origem ao tiroteio na estação não o reconheceu. No julgamento, porém, prevaleceram as versões dos PMs, absolvidos pelos oficiais do Conselho de Sentença. As apurações dos Inquéritos Policial-Militares notoriamente tendenciosas e a frequente impunidade dos PMs nos tribunais podem esclarecer, em parte, a causa do grande número de assassinatos durante o policiamento. Nos cartórios das Auditorias, no entanto, descobri fatos ainda mais reveladores sobre a ação dos matadores. Para minha surpresa, ou melhor, para meu espanto, encontrei nos processos várias provas de que os policiais militares são incentivados a matar criminosos durante o patrulhamento da cidade. Alguns documentos revelam, inclusive, que os matadores que mais se destacam na caça aos suspeitos são elogiados e recebem prêmios patrocinados pelos seus comandantes.

Minha pesquisa mostra que os PMs envolvidos no caso Rota 66 são alguns dos mais elogiados pelo comando. O soldado Rony Jorge, por exemplo, é ganhador de vários prêmios. Embora tenha matado doze pessoas inocentes, Rony recebeu quatro vezes das mãos de seus comandantes o troféu PM-zito, homenagem aos que se destacam por ato de bravura. Todos os seus prêmios e elogios foram anotados em sua ficha disciplinar e o ajudarão a somar pontos para futuras promoções na carreira. Considerado soldado exemplar, Rony inclusive já recebeu do comando as honras de um título raro na corporação: o do mérito pessoal de quarto grau.

Um boletim interno da Rota, de número 93, assinado em 29 de junho de 1982, é uma das provas que encontrei de que os comandantes incentivam a ação dos matadores. O boletim se refere ao envolvimento de Rony Jorge numa perseguição a quatro jovens suspeitos de serem criminosos. Durante a fuga teria havido um tiroteio cujo desfecho foi o capotamento do carro dos jovens. Mesmo depois do acidente, segundo a versão dos PMs, eles teriam resistido à prisão a tiros. Depois do suposto tiroteio, os jovens foram levados feridos ao Pronto-Socorro de Vila Prudente, onde dois morreram. O desfecho do caso levou o comandante da Rota a fazer um elogio emocionado ao soldado Rony Jorge.

...Parabéns, companheiro, demonstrou coragem, tirocínio policial, consciência do dever e experiência no serviço da Rota, exaltando-a perante a população bandeirante, fazendo-se assim merecedor dos cumprimentos deste comando...

Meses depois, o soldado Rony Jorge voltou a ser elogiado pelo comandante da Rota por ter matado um homem acusado de furto na zona leste de São Paulo. O texto do boletim 154 da Rota, assinado em 22 de outubro de 1982, também foi registrado em sua ficha disciplinar:

...surpreendeu dois marginais no momento em que carregavam o produto do furto... travou tiroteio na hora de efetuar suas detenções, sendo que um deles veio a ser alvejado, falecendo ao dar entrada no PS de São Miguel Paulista... com o marginal morto foram apreendidas as duas armas de fogo e todo o produto do furto, que foi restituído ao seu legítimo proprietário... Demonstrando assim coragem, arrojo e abnegação à causa abraçada, fazendo-se merecedor dos cumprimentos deste comando...

CAPÍTULO 14 | **O campeão dos matadores**

A Veraneio cinza do campeão dos matadores faz a curva em duas rodas, em frente à estação ferroviária do Jaraguá. Quase capota. São 11 horas da noite. O ruído dos pneus que escorregam no asfalto assusta as poucas pessoas da rua, atrai a atenção dos que estão em casa. Alguns correm à janela para ver. Meio corpo enfiado pela janela do carro, revólver na mão direita apontado para o alto, ele olha para todos os lados como um animal à procura de uma presa. O estilo é inconfundível. Dez anos depois de ter metralhado os rapazes do caso Rota 66, o ex-cabo Roberto Lopes Martínez continua a usar seus métodos brutais no patrulhamento da cidade. Martínez é o causador de tragédias na vida de dezenas de famílias. As provas estão em nosso Banco de Dados. Descobrimos que ele matou, no mínimo, 45 pessoas. Nesta noite em que procura mais uma vítima pelas ruas escuras do Jaraguá, já detém um recorde: Roberto Lopes Martínez é o campeão dos matadores da Polícia Militar.

Promovido a sargento depois da absolvição no caso Rota 66, agora Martínez é comandante de equipe. Dentro da viatura, em alta velocidade, na curva da estação Jaraguá, ele centraliza as atenções. Também orienta e dá todas as ordens. Um dos PMs o segura pelo cinturão, para evitar que caia janela afora. A tarefa do soldado sentado junto à porta esquerda, atrás do motorista, é direcionar o holofote aos homens que saem apressados da plataforma da estação. A luz forte é lançada diretamente sobre o rosto, com o objetivo de acuar o suspeito, causar impacto, espalhar o medo. A Veraneio passa direto pela estação, entra na rua Gerimanduba que dá acesso ao Jardim Campanário, conforme já estava planejado. Na outra extremidade da mesma rua, no sentido contrário, vários PMs em trajes civis avançam em um Fusquinha particular em direção ao mesmo ponto.

Os jovens do bar Sinuca Vermelha são surpreendidos pelo Fusquinha. Os PMs em trajes civis já chegaram disparando as armas. Alguns rapazes se protegem embaixo da mesa e atrás do balcão. Os que estão próximos à porta correm em direção ao descampado, à direita do bar. São seguidos. O comerciário Daniel Bispo de Oliveira pensa que é um assalto. Já disposto a entregar o pouco dinheiro que tem, fica próximo à entrada. Dali, vê antes de todos que a Veraneio cinza se aproxima em manobras bruscas. Vem em zigue-zague de um lado ao outro da rua, com os policiais sentados no vão da janela, o corpo do lado de fora. Para Bispo, que admira o trabalho dos policiais militares, a chegada da viatura é motivo de euforia.

— A Rota está chegando. É, sim, é a Rota!

O aviso de Bispo é motivo de novo pânico dentro do bar. Já se ouve o ruído do breque no asfalto enquanto os jovens do bar Sinuca Vermelha tentam escapar de qualquer jeito. Fogem pela janela, frente, fundos. Menos Bispo, que resolve sair do bar como se nada estivesse acontecendo. Ali perto três rapazes são detidos pelos PMs que estão usando o Fusquinha particular. Bispo já caminha em direção a casa, distante cinco quarteirões, quando as luzes do holofote da Rota escurece a sua visão.

— Volta logo, papai — pediu o filho Wellington quando Bispo saiu de casa, por volta das 10 horas da noite, para comprar leite e cigarro.

— Cuidado com a escuridão, com a polícia. Está levando os documentos? — alertou a mulher, Elza Lúcia Colferai.

— Quem não deve não teme. Fica fria, gata, volto já! Quero ouvir o Afanázio.

Bispo é ouvinte assíduo do programa policial de Afanázio Jazadji. Não deixa de ouvi-lo nem enquanto trabalha, pela manhã, na reposição de estoques das Lojas Abaeté, na Lapa. Nesta noite de setembro de 85, ele pretende ouvir a reprise que vai ao ar à meia-noite, onde Afanázio elogia os policiais da Rota e defende a pena de morte contra assassinos e estupradores. Bispo também é a favor da pena de morte, costuma elogiar os policiais que matam os criminosos do bairro. De tanto ouvir Afanázio, já sabe de cor o nome dos oficiais mais atuantes da PM. Adora falar de polícia e violência. No começo da noite, ao voltar com a mãe do culto na Igreja da Congregação Cristã do Brasil, ele não falou de outro assunto.

— A senhora sabe a diferença entre uma Radiopatrulha e uma Tático Móvel? — perguntou Bispo à mãe.

— Pra mim é tudo igual, meu filho. Se eu precisar pedir socorro, quem eu devo chamar então? — indaga a mãe, Geralda Pereira.

— Depende. Se a senhora for roubada por um ladrão que já fugiu, chame uma RP, Radiopatrulha. Mas, se o roubo for grande e se o assaltante talvez ainda estiver por perto, o mais indicado é uma Tático Móvel. Os PMs do Taticão são mais treinados

— E se o bandido ainda estiver dentro de minha casa?

— Neste caso eles vão acionar a Rota, que já chega pra matar o bandido.

A mulher de Bispo teve um dia exaustivo na fábrica de malhas, onde trabalhou das 7 horas da manhã às 5h30 da tarde. Elza foi para a cama logo depois que o filho Wellington, de 3 anos, adormeceu. Ela fez um esforço para esperar acordada pelo marido, que nunca voltava da rua depois das 11 horas da noite. Mas acabou adormecendo. Só ao acordar pela manhã se deu conta de que Bispo não havia voltado para casa. Imediatamente avisou a mãe, deixou Wellington aos cuidados dela e saiu pela vizinhança à procura do marido.

Rota mata o bandidão do Jaraguá... a cidade fica livre de mais um assaltante!... mais um que vai pro inferno!

A notícia da morte de Daniel Bispo chegou na casa da família pela voz de seu ídolo, o radialista Afanázio Jazadji. No seu programa matinal, Jazadji apresentou a vítima como um bandido sem identificação, morto depois de ter agredido a tiros os policiais militares no meio de um matagal. Além de elogiar a ação dos matadores, o radialista transmitiu em detalhes a versão do tiroteio apresentada pelo sargento Martínez na delegacia. Fez uma breve referência sobre o ataque contra os rapazes que estavam no bar. Omitiu o envolvimento irregular dos PMs à paisana que usavam um carro particular, típica tarefa de investigação que só deve ser exercida por policiais civis.

A referência ao bar Sinuca Vermelha no programa do rádio levou a família a desconfiar que a vítima pudesse ser Bispo, suspeita confirmada com a identificação do corpo no

Instituto Médico Legal, onde havia chegado como indigente. A viúva localizou os três rapazes detidos pelos PMs. Eles esclareceram que o motivo da operação policial era de interesse particular do soldado Cláudio Rocha, que dirigia o Fusquinha naquela noite. Rocha é dono de um bazar no bairro, que fora roubado dias antes. Três suspeitos do roubo costumavam frequentar o Sinuca Vermelha. O soldado pediu a ajuda da Rota para se vingar deles. Como Bispo foi o único que não fugiu no momento do ataque dos PMs, segundo a versão das pessoas do bar, acabou sendo morto por engano.

Um dos suspeitos presos naquela noite, Amarildo Barbosa, denunciou que foi torturado para confessar o furto no bazar do soldado Rocha. Além de tê-lo agredido a socos e pontapés, os PMs lançaram um líquido em seus olhos enquanto o interrogavam.

— O líquido provocava dor e ardência muito fortes. Parecia ser Lisoforme. Eles queriam que eu confessasse o furto e que envolvesse no rolo o rapaz morto, que era gente boa, conhecido no bairro. Nenhum de nós estava armado naquele bar, não houve tiroteio, só os PMs atiraram.

Revoltada com as circunstâncias da morte do marido, Elza procurou o radialista Afanázio Jazadji para pedir uma retratação. Munida de documentos pessoais e de uma folha de antecedentes criminais da Justiça Civil de São Paulo, papéis que provavam o passado limpo de Bispo, Elza acabou sofrendo uma grande decepção. O ídolo do marido se negou a corrigir o erro, nem mesmo quis ouvi-la pessoalmente. Por consequência da falsa informação do radialista, Elza perderia o emprego dias depois da morte de Bispo.

— O patrão disse que não trabalhava com viúva de bandido e me demitiu no ato.

CACO BARCELLOS

Os responsáveis pelo Inquérito Policial-Militar também não se preocuparam em esclarecer se houve erro do sargento Roberto Lopes Martínez. Eles não localizaram nenhuma testemunha que tenha assistido ao tiroteio. Não deram a devida importância à certidão da Justiça Civil, prova que Daniel Bispo de Oliveira não era criminoso. A impunidade dos matadores foi garantida pelos seus próprios depoimentos. Mais de dez PMs envolvidos no crime contaram aos homens da Justiça Militar uma versão semelhante à do sargento Roberto Lopes Martínez.

...ao chegarmos no local os elementos se refugiaram no meio do mato... após certo tempo de buscas, deparamo-nos com um indivíduo oculto entre arbustos, o qual, não atendendo nossa solicitação para identificar-se, efetuou uma série de disparos em nossa direção. Não tendo outra alternativa para o momento, vimo-nos obrigados a revidar aquela injusta agressão... vindo com isso a ferir o recalcitrante, fato que ensejou que o desarmássemos e de pronto o socorrêssemos ao Pronto-Socorro de Pirituba, onde ao receber os primeiros cuidados médicos não resistiu e veio a falecer.

Trabalhador, pardo, pobre, 21 anos. O comerciário Daniel Bispo de Oliveira tem o perfil típico das vítimas do sargento Martínez. A versão oficial sobre sua morte também é idêntica à maior parte dos casos. Do total de crimes de Martínez registrados em nosso Banco de Dados, investigamos 41. Em todos esses casos ele alegou ter agido em legítima defesa durante tiroteio. Por estranha coincidência, em nenhum deles houve sobreviventes, embora Martínez sempre tenha violado o local do crime, a pretexto de levar as vítimas feridas ao hospital. Dos 41, a maioria de 37 homens mortos, em outra estranha coincidência, assim como Bispo, saiu de casa com documentos que sumiram misteriosamente na hora do assassinato. Quase todos foram apresentados por Martínez no hospital como desconhecidos.

Descobrimos também que em trinta casos a morte foi precedida de perseguição, geralmente iniciada por uma simples desconfiança de Martínez durante o patrulhamento das ruas. Dessas trinta perseguições, 21 tiveram desfecho em uma área descampada, ou seja, sem nenhuma testemunha. Os outros nove homens foram mortos dentro de automóveis, também, muitas vezes, em lugares ermos.

Conseguimos levantar a idade e a cor da pele de 36 vítimas de Martínez. Dezesseis eram jovens com menos de 21 anos, seis eram menores. Quanto à cor da pele, o resultado revela também um componente de racismo do matador: doze eram brancos, e a maioria, negros — 4 — e pardos — 20. A coincidência mais impressionante com o caso de Daniel Bispo, no entanto, é o número de inocentes mortos por Martínez. Levamos os nomes e principais dados de 32 vítimas à Justiça Civil para saber se eram criminosos ou não. O balanço da pesquisa é assustador: catorze tinham antecedentes policiais — quase todos ladrões e assaltantes, apenas um já havia praticado um crime de morte. Não obtivemos informações em três casos porque não tínhamos os nomes dos pais para confronto nos arquivos dos cartórios. A maioria tinha a ficha limpa. Exatamente quinze jovens mortos eram primários, ou seja, nunca praticaram nenhum crime. Alguns já tinham constituído família. Assim como o filho de Bispo, Wellington, de 3 anos, encontramos oito crianças órfãs de pais mortos por Martínez.

CACO BARCELLOS

Tivemos acesso aos exames de cadáver de 31 jovens mortos por Martínez. Constatamos que os ferimentos indicavam a grande possibilidade de eles terem sido executados. Dos 31, 29 morreram por consequência de tiros na cabeça, alguns inclusive na parte posterior do crânio. Quatro desses também apresentaram ferimentos nas costas, marcas clássicas das mortes por execução.

Roberto Lopes Martínez começou a matar dois anos antes de se envolver no caso Rota 66. O primeiro crime, em julho de 73, é semelhante a esse em vários aspectos. O número de vítimas, por exemplo, é o mesmo: três jovens que circulavam pela cidade em um táxi roubado. As circunstâncias do crime, se acreditarmos na versão dos PMs, também são idênticas às da Rota 66. Depois de alguns minutos de perseguição pelas ruas do bairro Tatuapé, os rapazes teriam perdido o controle do carro, que bateu contra um muro. No momento do acidente, eles teriam resistido à prisão e agredido os PMs a tiros. Não houve testemunhas no local do tiroteio. Todos foram baleados por Martínez no rosto e na cabeça.

Um ano depois, Martínez se envolveu em novo tiroteio sem testemunhas. Desta vez, matou o jovem José Luís de Assis, de 18 anos, que passeava com três amigos em um Dodge Dart. Martínez desconfiou deles. Houve perseguição. Era uma noite em que chovia intensamente. Durante a fuga, o Dodge derrapou no asfalto molhado, subiu na calçada e parou contra um poste. Na hora do acidente, três rapazes fugiram a pé. José Luís teria resistido à ordem de prisão e usado a porta do carro como escudo durante a troca de tiros com a polícia. De acordo com a versão oficial, Martínez escapou da morte por milagre. As carteiras de habilitação e de identidade estavam no bolso esquerdo da camisa e barraram a entrada dos projéteis em seu coração. Apesar da história parecer inverossímil, a ação do sargento foi considerada exemplar pelos comandantes da PM.

...nossos parabéns e que continue sempre demonstrando grau de eficácia cada vez maior por parte da Rota e de seus componentes a fim de que o nome da mesma e do 1º Batalhão Tobias de Aguiar se localize mais profundamente na coletividade tão ansiosa por dias mais tranquilos em sua existência.

(Secretário do 1º Batalhão, 10/3/75)

Nesse começo de carreira, Martínez era elogiado e orientado, no quartel, por oficiais que ganharam notoriedade entre colegas de farda por promover uma guerra sangrenta contra militantes políticos. Nas ruas, durante o patrulhamento, também tinha a companhia de homens que participaram do combate à guerrilha. Deles herdou os métodos brutais empregados na repressão contra os civis, sobretudo o hábito de atacar pessoas indefesas em operações cinematográficas que causaram enormes prejuízos públicos. Meses antes do caso Rota 66, por exemplo, Martínez e o soldado-caçador de guerrilheiros Nilton Filó se envolveram com policiais civis e agentes do Dops, integrantes das forças de repressão política, numa verdadeira ação de guerra contra um inimigo comum.

O inimigo era Danilo José de Santana, que havia roubado um Karman Ghia de um posto de gasolina, no bairro do Aeroporto, zona sul da cidade, além do equivalente a 50 dólares do caixa e o relógio do frentista. Minutos depois do assalto, dois agentes do Dops localizaram o carro roubado. Avisaram pelo rádio do Opala de chapas frias que já estavam em perseguição e pediram reforço. Alguns quilômetros à frente, o Karman Ghia já era seguido pela Rota 28 da equipe de Martínez e Filó e por mais de vinte viaturas das polícias Civil e Militar. No caminho, causaram quatro acidentes de trânsito e derrubaram um poste de iluminação pública. Os moradores de três ruas ficaram sem energia e duas pequenas fábricas pararam de produzir durante vinte horas. A perseguição só acabou quando Danilo entrou numa rua sem saída, a travessa Caracas.

O barulho das sirenes, das brecadas e dos motores das viaturas, que não paravam de chegar, acordou os moradores da casa número 12 com a sensação de que estivessem numa guerra. Eram 2 horas da madrugada. A família Albuquerque morava em um sobrado com um corredor lateral que levava à edícula onde dormia a empregada. O advogado Afonso Albuquerque viu quando o fugitivo Danilo passou correndo por ali. Em seguida ouviu-o bater no quarto da empregada, pedindo abrigo:

— Abre, pelo amor de Deus, a polícia quer me matar.

— Não vou abrir, não, Jesus. Eu estou com medo.

Sem alternativa, Danilo invadiu o banheiro ao lado da lavanderia. A casa já estava cercada por dezenas de policiais quando começou a desnecessária fuzilaria. Investigadores e delegados disparavam metralhadoras, fuzis, revólveres. Martínez, Filó e os outros PMs jogavam bombas de efeito moral contra o inimigo, que reagia passivamente. De vez em quando jogava de volta uma bomba para fora do banheiro. Eram oitenta policiais contra um homem indefeso, em uma guerra que colocava em risco a vida não só dos moradores da casa como a dos vizinhos.

O advogado reuniu a família no seu quarto, colocou uma cômoda na porta e ficou por muito tempo ouvindo tiros e mais tiros, muitos palavrões e o barulho da correria dos policiais sobre o telhado. O filho Marcelo, de 12 anos, não parava de vomitar. A mãe, Maria Genuína, não conseguia controlar a bexiga. A mulher, Suzi, numa tentativa de acalmar as três crianças menores, cantava alto para abafar o ruído da guerra, que durou duas horas. Terminou com os policiais invadindo o banheiro, onde Danilo foi morto com nove tiros, dos quais dois disparados pelas costas. Cessados os disparos, ao abrir a porta para saber o que tinha acontecido, o casal viu um grupo já levando o corpo de Danilo para o hospital, enquanto um dos policiais comentava com ironia:

— O senhor viu como nós protegemos bem a sua família?

Quando os policiais foram embora, deixaram uma família traumatizada e penalizada por muitos danos materiais. Havia marcas de tiros em todo o lugar: mais de vinte perfurações nos carros estacionados no quintal e na rua, treze em volta da janela do quarto da empregada, mais de quarenta nas paredes da casa. Os tiros também destruíram três portas, quinze vitrôs, cinco vidros da janela da cozinha, duas venezianas, um armário, uma máquina de lavar roupas. Dez por cento das telhas foram quebradas na correria dos policiais. O prejuízo da família Albuquerque foi de 8 mil dólares, o dobro do valor do Karman Ghia roubado, aliás, também parcialmente destruído em um dos acidentes da operação.

Nessa época, os crimes envolvendo PMs ainda eram apurados pela Justiça Civil. O promotor João Benedito de Azevedo Marques denunciou 24 policiais, inclusive Martínez e Filó, por não acreditar na versão oficial. Os policiais alegaram que Danilo tinha duas armas e resistiu à prisão, provocando o tiroteio. O promotor concluiu que houve excesso por parte dos policiais, que agiram sem dar nenhuma chance de defesa à vítima.

...interessante notar que segundo os peritos o revólver Castelo que teria sido encontrado com Danilo não tinha condições de funcionamento e, portanto, não poderia ter sido utilizado para a efetivação dos disparos alegados pelos policiais, enquanto o revólver marca "Rossi" estava com o número raspado, o que não deixa de ser extremamente suspeito.

Se os policiais tivessem cumprido a obrigação de prender o ladrão em vez de matá-lo, teriam não só evitado uma violência desnecessária como também um grande prejuízo público. Eles dispararam centenas de tiros de revólver e metralhadora e fizeram explodir mais de vinte bombas de gás lacrimogêneo. Se contabilizarmos apenas os gastos dos disparos que deixaram marcas nas paredes e no corpo da vítima, o custo foi de 4 mil dólares, o mesmo do carro roubado.

O gasto público da ação dos matadores não se limita aos danos causados durante a operação. Vai muito mais além, sobretudo na fase de apuração judiciária. Para descobrir o tamanho do prejuízo que a sociedade tem cada vez que um policial militar mata um suspeito na cidade, nós fizemos um cálculo estimativo dos gastos no trabalho da Justiça, desde o início do inquérito até o julgamento. Usamos como exemplo esse caso em que Martínez e seus colegas mataram Danilo José de Santana.

Como houve conflito de jurisprudência — durante três anos não se sabia se o caso deveria ser julgado pela Justiça Civil ou Militar —, o trabalho judiciário teve uma dupla burocracia e se arrastou por onze anos. De 75 a 81, o processo tramitou pelas varas do júri civil. Depois, passou para os cartórios da Auditoria Militar. Constatamos no volume de 1.396 páginas que as duas fases envolveram o trabalho de dezesseis delegados de polícia, sete peritos, três procuradores, oito promotores, nove tenentes, oito capitães, seis coronéis, oito majores, 23 escrivãos e treze juízes, além de muitos outros funcionários, em um total de 160 pessoas. Para boa parte desse batalhão judiciário, a sociedade pagou durante onze anos mais de 20 dólares por hora trabalhada no processo. Se calcularmos que os 39 oficiais da PM trabalharam um mínimo de trinta horas no IPM, por exemplo, o prejuízo já terá sido de quase 24 mil dólares, valor seis vezes maior que o do Karman Ghia roubado.

O prejuízo da sociedade é diretamente proporcional ao número de matadores envolvidos na operação. No caso desse crime de Martínez, a denúncia contra 24 policiais levou a Justiça a produzir grandes sessões de interrogatório, cujo ritual exige a presença dos principais envolvidos, como os réus. Foram exatamente 121 sessões para os juízes ouvirem os depoimentos dos denunciados e de 69 testemunhas O prejuízo público estimado, se considerarmos que cada sessão tenha demorado apenas cinco horas, ultrapassa a cifra de 120 mil dólares, ou seja: o povo pagou o equivalente a trinta vezes o valor do carro roubado apenas para os funcionários da Justiça ouvirem os relatos sobre o assassinato do ladrão.

Outra pérola da burocracia judiciária é a conclusão do processo. Como todos os policiais negaram a autoria dos tiros que mataram Danilo José de Santana, o Conselho Especial de Justiça da Auditoria Militar considerou impossível responsabilizar alguém pelo crime. Foram onze anos de trabalho para se descobrir a informação que já era conhecida instantes depois do crime. Todos os matadores foram absolvidos. Do ponto de vista econômico, matar o ladrão também foi uma tragédia.

Até o dia em que este livro estava sendo escrito, o saldo da operação cinematográfica era motivo de causar vergonha. O dono do Karman Ghia continuava com o prejuízo do carro que bateu durante a perseguição. A família da casa onde Danilo foi morto também não tinha sido indenizada. E os policiais, que causaram um prejuízo público superior a 150 mil dólares para matar o ladrão, ainda não tinham recuperado nem mes mo o mínimo que ele roubou no posto de gasolina.

— Não sei o que houve. Eles mataram o ladrão, mas até hoje eu não recebi o meu relógio de volta — reclamava o frentista assaltado, João Lelis dos Santos.

...sempre demonstrou acendrado amor à carreira que abraçou, nunca esmorecendo ante dificuldades por vezes encontradas, vencendo-as pelo espírito de sacrifício... o trabalho profícuo desse valoroso policial em muito facilitou o meu comando e projetou o nome da unidade.

(Coronel Salvador D'Aquino, ao deixar o comando do
1º Batalhão de Choque, em 6/1/76)

...sempre revelou dedicação, denodo, eficiência e amor aos serviços que lhe foram determinados, a despeito das dificuldades... constitui-se, sem dúvida, num dos artífices de glória deste tradicional Batalhão.

(Coronel Dauterdimas Rigonatto, ao deixar o comando
do 1º Batalhão de Choque, em 20/12/76)

As informações arquivadas em nosso Banco de Dados demonstram que os crimes de Martínez tiveram relação direta com a postura dos comandantes da PM e de alguns homens da Justiça Militar. Até se envolver no caso Rota 66 ele já tinha matado cinco pessoas. A grande repercussão do crime contra rapazes ricos e a consequente apuração rigorosa da Justiça Civil levaram Martínez a parar de matar durante seis anos. A partir de 82, quando foi absolvido pelo Tribunal de Justiça Militar, o matador voltou a agir. Praticou três assassinatos no mesmo ano em que lhe garantiram a impunidade. Nos anos seguintes continuou matando ainda com maior frequência. No mínimo foram cinco vítimas em 83, sete em 84, dezesseis em 85.

Não bastassem os fatos de pessoas inocentes serem mortas com tiros na cabeça, em lugares ermos, nos tiroteios que nunca tinham testemunhas e ainda serem recolhidas aos hospitais como indigentes, outra estranha coincidência se observa nos crimes praticados por Martínez nos anos de 85 e 86. Das dezesseis vítimas destes anos, pelo menos doze foram mortas pelo sargento em companhia do soldado Ronaldo Rotundo ou do soldado Maurício Nascimento ou ainda com a participação dos dois. Ao examinarmos os processos em que eles atuaram juntos, nos chamaram a atenção, por exemplo, a ineficiência e a parcialidade dos responsáveis pelo Inquérito Policial-Militar. As incoerências e falhas técnicas que encontramos nos IPMs em geral levaram à absolvição dos matadores. Em alguns casos garantiram o arquivamento do processo, a impunidade sem julgamento.

No caso do assassinato de Alfeu Rodrigues dos Santos, pardo, 21 anos, levado morto ao hospital como se fosse um desconhecido, o IPM se limita a narrar a versão dos matadores. Martínez e Maurício teriam sido chamados para socorrer o dono de um bar, vítima de assalto no município de Suzano. No caminho, um caminhoneiro teria indicado o matagal onde o assaltante se escondeu e reagiu à prisão. Além de não ter localizado nenhuma testemunha do tiroteio, o responsável pelo IPM também deixou de ouvir os depoimentos do caminhoneiro e do dono do bar. O nome de Alfeu é limpo nos arquivos da Justiça Civil, mas esta informação não consta no IPM. A investigação científica também é praticamente nula no processo. O apurador do IPM não providenciou, por exemplo, a perícia no local do crime nem o exame que poderia provar se os tiros que mataram Alfeu foram disparados à queimaroupa ou não. Apesar da falta de testemunhas e das provas técnicas, o conteúdo do IPM foi suficiente para convencer o promotor Luiz José Prézia de Oliveira da inocência dos matadores. Ele mandou arquivar o processo sem julgamento.

...a prova carreada nos autos revela, sem pábulo de dúvidas, a conduta correta e equilibrada dos militares, que somente dispararam seus revólveres em revide aos tiros dados pelo bandido.

Outro processo arquivado, cujas provas nada esclarecem sobre o crime, é o do caso de dois jovens, pardos, Rosimar Pereira e Dilson de Oliveira Santos, mortos por Martínez, Maurício e Rotundo. Há incoerências primárias no processo, que deixaram de ser observadas pelos homens responsáveis pela Justiça Militar. O exame de cadáver revela que os matadores deram quatro tiros em Rosimar, dois no peito e dois no rosto. Em Dilson deram cinco tiros: um na mão, dois no peito, um na face, um no nariz. Os ferimentos concentrados nas regiões mais vitais indicam que o trio agiu com intenção de matá-los. E logo após o crime, para evitar a perícia do local, não deixaram de praticar o velho hábito de levar as vítimas, sem documentos de identificação, ao hospital. Depois, na delegacia e no processo, disseram que, apesar dos esforços em socorrer os feridos, eles morreram no hospital. Mentira. Talvez a verdade esteja anexada ao próprio processo: um documento assinado pelo médico Marcos Antônio Cardoso prova que os dois já chegaram mortos ao Pronto-Socorro Tide Setúbal, e não feridos como afirmaram os policiais militares.

Irregularidades mais graves estão no processo sobre outro duplo assassinato, praticado por Martínez e Maurício, também em um descampado. José Roberto Ferreira e um desconhecido, ambos pardos, foram atacados porque carregavam à noite duas sacolas cheias de objetos. Os matadores suspeitaram que os dois eram os assaltantes que invadiram horas antes a casa do motorista Delson Brandão, no Jaraguá. Ninguém viu como eles foram mortos. Os PMs contaram a história de sempre: os dois suspeitos estavam armados, provocaram o tiroteio e foram levados com vida para o hospital. O delegado responsável pelo Boletim de Ocorrência também afirma que os dois homens sem identificação morreram no hospital. O médico do Pronto-Socorro de Pirituba, entretanto, contradiz a versão dos policiais:

...Pardo, aparentando 18 anos, apresentava um tiro na boca... deu entrada no PS em óbito...

A outra vítima, José Roberto Ferreira de Brito, pardo, 27 anos, também foi morto com um tiro na cabeça. O motorista roubado esteve no necrotério para conferir se os mortos eram os assaltantes que invadiram sua casa. Não os reconheceu. Os objetos apreendidos também não eram seus. As evidentes contradições dos matadores foram ignoradas pelos comandantes da PM. Quase um mês depois, o duplo assassinato foi motivo de elogio a Martínez, como prova o boletim interno número

CACO BARCELLOS

13, onde o redator, além de mentir, usa termos que incentivam a violência no policiamento:

...Os facínoras, sendo socorridos, vieram a falecer quando eram medicados no PS de Pirituba. A ocorrência foi elaborada no 33º DP, onde a vítima readquiriu seus bens e valores que haviam sido expropriados e que estavam em poder dos marginais. Durante a ação demonstrou coragem e arrojo, agindo como um abnegado à nobre causa abraçada, elevando assim o conceito do policiamento da Rota e as glórias das milícias bandeirantes no âmbito da sociedade...

Durante a apuração do crime a versão dos matadores também não foi investigada. O inquérito pouco esclarece sobre as circunstâncias em que os dois homens foram mortos. Não houve testemunhas do crime ou o responsável pelo IPM não se preocupou em encontrá-las. Ele também esqueceu de providenciar dois exames fundamentais: o levantamento técnico do local do crime e o exame químico que detecta se os tiros foram ou não à queima-roupa. Fez questão de destacar, no entanto, os antecedentes de um dos mortos identificados dias depois no Instituto Médico Legal. Era um criminoso que já havia praticado um assalto e três furtos, informações citadas pelo promotor que pediu arquivamento do processo.

...Entendo que inexiste crime a ser perseguido por esta promotoria de Justiça Militar uma vez que os indiciados agiram sob o manto das causas excludentes de antijuridicidade... uma das vítimas, diga-se de passagem, era uma pessoa de alta periculosidade, conforme acusa a vasta folha de antecedentes criminais extraída do terminal de computador.

ROTA 66

Para as autoridades da Polícia Militar também parece mais importante a prova de que a vítima dos matadores era ladrão ou assaltante do que o esclarecimento sobre as condições em que ela foi morta. Em outro processo que envolve um criminoso, Lenilson Amâncio da Silva, há contradições mais graves que também põem em dúvida a legitimidade da ação violenta dos matadores. O assaltante Lenilson, negro, 30 anos, é a única vítima de Martínez por nós identificada que havia praticado um crime de morte. E um dos raros homens da periferia que tiveram a coragem de acusá-lo em juízo. Ao ser preso por Martínez e Rotundo, Lenilson denunciou que foi torturado e vítima de flagrante forjado por porte de drogas. A denúncia — com o laudo de exame de corpo de delito provando que ele estava ferido — foi levada pela mulher dele, Lilian Borges, ao juiz corregedor da Policia Judiciária.

...os policiais pararam Lenilson, que caminhava pelo bairro, e logo foram gritando: "Mãos na cabeça!"... em seguida jogaram um líquido em seus olhos, que perderam a visão temporária... Lenilson ainda foi severamente espancado... os policiais introduziram pedras em sua boca, andando, pisando em seu corpo... que já se encontrava muito machucado, tendo sido atingido depois seu ouvido...

Depois de ficar cinco dias preso, logo que saiu da delegacia Lenilson fez o exame de corpo de delito, que apontou as marcas de tortura em seu corpo. O responsável pela apuração da denúncia no IPM, tenente Theseo de Toledo Júnior, preferiu acreditar nos seus colegas de farda:

...Lenilson foi submetido ao exame de corpo de delito somente no dia 11, após cinco dias do ocorrido, podendo assim nesse intervalo de tempo ter se contundido em outra ocasião, ou propositadamente, tentando com isso embaraçar os policiais militares... pelos fatos expostos concluo não existir falta disciplinar a punir nem indícios de crime a serem esclarecidos, pelo que opino pela isenção de responsabilidade perante o fato dos componentes da Rota...

Enquanto o processo tramitava na Auditoria Militar, Lilian Borges voltou a se queixar dos matadores, que estariam perseguindo o seu marido por represália à denúncia. Ninguém tomou providências. Os fatos provaram que ela tinha por que temer. Meses depois, uma outra equipe da Rota matou Lenilson, que deixou duas filhas órfãs. Com a morte da vítima, o caso da tortura acabou sendo arquivado, sem julgamento.

Não foi por falta de denúncias dos parentes que os comandantes da Polícia Militar deixaram de impedir a série de crimes de Martínez. Depois que passou a agir com Rotundo e Maurício, muitas pessoas o acusaram de matar por razões de interesse particular. A morte do vendedor Antônio Viterbo, de 30 anos, deixou a família revoltada. Ele foi morto em uma rua deserta que dá acesso ao Parque Ecológico do Tietê. Martínez apresentou cinco testemunhas para provar que houve tiroteio. Em seus depoimentos, porém, todas disseram que apenas ouviram o barulho dos tiros, não viram nada. A mulher de Viterbo soube da morte do marido no dia seguinte, pelo programa de Afanázio Jazadji:

Rota mata ladrão de linguiça... Bem feito, ladrão tem que morrer!

A mulher de Viterbo, Maria Rita, tem certeza de que o marido não estava roubando quando foi morto. Ele tinha vendido uma máquina naquele dia, estava com bom dinheiro no bolso. Depois do trabalho, chegou a pagar uma rodada de cerveja aos amigos de bar. Negou-se a beber até mais tarde porque tinha um compromisso importante. Havia combinado sair para comer esfiha com a mulher e a filha Joyce, em um restaurante do bairro. O jantar estava marcado para as 9 da noite. Nesta hora, Martínez já transportava o corpo de Viterbo, com um tiro na cabeça e quatro no peito, para o Pronto-Socorro de São Miguel Paulista.

Já no enterro do marido, Maria Rita suspeitava que ele tinha sido executado. Tinha motivos para pensar assim. Dias antes Viterbo se queixou de ameaças de morte que vinha sofrendo dos matadores da Rota. E no velório os amigos e vizinhos do Bom Retiro revelaram um fato importante. Rotundo era morador do bairro. Junto com Martínez andava matando seus inimigos pessoais. Apontaram outras duas prováveis vítimas na vizinhança: Alberto de Souza, conhecido como Neguinho, e Paulo Vieira.

CAPÍTULO 15 | ## Os desaparecidos

O processo sobre o desaparecimento de Paulo Vieira, de 23 anos, foi o que mais me impressionou entre aqueles que encontrei arquivados na Auditoria Militar. Foi sua própria mãe, dona Socorro, e outros membros da família, ao investigar no bairro, que descobriram o envolvimento dos matadores no sumiço de Paulinho. Os Vieira localizaram um amigo do rapaz, Marcos Alexandre Pires, que o viu ser preso por uma viatura cinza em frente a uma padaria, na esquina das ruas Tocantins e Guarani. Marcos chegou a avisar Paulinho sobre a aproximação da polícia:

— A Rota vem vindo ali. Vamos cair fora, Paulinho — alertou, já se dirigindo para dentro da padaria.

— Estou limpeza. Não tenho por que ter medo — respondeu Paulinho, que continuou sentado numa pedra da calçada.

O amigo gravou o número da viatura: 9163. Era a Veraneio dirigida por Rotundo, chefiada por Martínez. A informação foi passada ao comando da Polícia Militar, que demorou meses para tomar providências. A princípio os comandantes não acreditaram na possibilidade de envolvimento de PMs, porque o tipo de crime fugia dos padrões dos matadores. Não era um caso de resistência à prisão, seguido de tiroteio e morte no hospital. Desta vez sumiram com o corpo da vítima, fato raríssimo. A mudança de método provocaria também uma apuração oficial diferente, muito mais rigorosa. Depois de noventa dias de procura em hospitais, delegacias, necrotérios, as denúncias da imprensa e dos grupos de defesa dos direitos humanos levaram a PM a esclarecer o que tinha acontecido. Os dois companheiros de Martínez e Rotundo na equipe da Rota 9163 contaram toda a história do desaparecimento. A confissão do soldado Éder da Fonseca é a mais rica em detalhes. Ele explicou que qualquer pessoa da equipe tem autonomia para mandar o motorista parar a viatura quando suspeitar de alguém. No caso do jovem Paulo Vieira, a iniciativa foi do próprio motorista Rotundo. Sem fazer qualquer comentário, deu voz de prisão ao rapaz, colocou-o no xadrez da viatura e partiu em direção a um lugar bem conhecido dos matadores: o Parque Ecológico do Tietê, mesmo local do crime de Antônio Viterbo. Um detalhe da confissão de Éder revela que os matadores têm por hábito interrogar suas vítimas em lugares clandestinos.

— Lá no matagal todos desceram do carro. Formamos uma linha em relação à lanterna esquerda da viatura. Eu achava que íamos fazer um interrogatório na escuridão...

Uma atitude inesperada de Rotundo, na versão do soldado Éder, surpreendeu a todos. Sem fazer qualquer comentário, Rotundo apontou a arma bem próxima ao rosto de Paulinho. Disparou nos olhos. O rapaz já estava caído no chão quando Rotundo disparou mais um tiro, contra o peito.

Segundos após a execução, Rotundo surpreendeu ainda mais seus colegas matadores. Sempre silencioso, ele resolveu quebrar, pela primeira vez na história de seus crimes em companhia de Martínez, a velha tática de levar o cadáver, para o hospital, a pretexto de dar socorro à vítima. O novo procedimento também é uma violação do local do crime. É mais adotado, porém, pelos grupos profissionais de extermínio, nas grandes cidades do país.

— Pelo colarinho da camisa puxou o corpo do rapaz e o jogou no rio. Afundou como pedra — afirmou o soldado Éder em seu depoimento.

A atitude inédita de ocultar o corpo levou os matadores a desobedecer a todas as outras práticas burocráticas habituais. Como não havia como justificar o tiroteio, não fizeram o Boletim de Ocorrência na delegacia. Não registraram nem mesmo a detenção do rapaz no relatório diário sobre as missões do dia, que deve ser entregue no quartel ao final do patrulhamento. Por consequência, mantiveram o crime em sigilo dentro do quartel. Não por muito tempo.

O soldado Antônio Carlos Ribeiro, que completava a equipe, confirmou a versão de Éder. Discordou apenas em um ponto: ele afirma que o segundo tiro foi disparado por Martínez. O crime foi atribuído a uma desavença entre Rotundo e Paulo Vieira, originada por uma discussão do rapaz com a mulher do soldado. A dupla Martínez/Rotundo negou as acusações. Apesar de o crime ter sido esclarecido, os dois continuaram impunes. Os homens da Auditoria Militar, que costumam absolver os matadores nos crimes em que eles são as únicas testemunhas, desta vez pediram o arquivamento do processo por falta de provas de acusação, como argumentou o juiz Luiz Antônio Coutinho Maia:

...por jamais ter sido encontrado o cadáver, sendo impossível a feitura do exame de corpo de delito indireto... por ausência de testemunhas da morte, visto que no local estavam apenas os matadores e vítima... arquivem-se os presentes autos, observadas as cautelas de praxe e formalidades de estilo.

(Juiz Luiz Antônio Coutinho Maia, 8/5/90)

Tentei falar com a família Vieira depois do arquivamento do caso, mas não fui recebido. Eles têm medo de represálias da Rota. A meu pedido, a repórter Luciana Burlamaqui visitou dona Socorro por algumas horas, em março de 92, e me trouxe o seu relato:

...São seis anos de procura quase que diária. Hospitais. Delegacias. Prece. Esperança. A cada campainha que toca nas madrugadas o coração bate mais forte: pensa que é Paulinho chegando. Lá no fundo prefere não acreditar na maior das possibilidades que é a de ele estar morto. O clima na casa é de dúvida. A mãe, as irmãs, ninguém fala como se ele não estivesse vivo. Não aceitam isso como definitivo. Seu quarto continua do mesmo jeito. Vivem a agonia de não ter uma certeza, como se a qualquer momento Paulinho pudesse aparecer. Ou o seu corpo.

O primeiro a morrer é o cachorro da costureira do beco sem saída. Nesta velocidade a Veraneio não desvia de nada. Nem dos buracos. Na lombada da rua principal as rodas saltam meio metro do chão. Para os moradores da favela, a cena faz parte da rotina de brutalidade. Só os mais atentos notam: eles estão especialmente agitados esta noite. Um soldado foi morto dias atrás, um cabo se feriu nesta tarde em um confronto com assaltantes. Agora os matadores querem se vingar em alguém da favela Heliópolis. De preferência um ladrão. Os negros são os mais visados. O motorista breca. A Veraneio se arrasta 2, 3 metros. As portas se abrem. Os matadores avançam contra o servente de obra Francisco Pedro da Silva, de 18 anos, que está voltando a pé do trabalho.

— Pode segurar que é esse aí... — grita o sargento.

— Cadê as armas? — exige o soldado depois de dar um tapa na cara de Francisco.

Em seguida puxa-o pela corrente do pescoço em direção a uma obra, enquanto os dois colegas fardados esmurram suas costas.

— Por que correu, vagabundo? — pergunta Maurício, que o empurra com um pedaço de pau e ameaça bater.

— Não corri. Estou ofegante porque caminhei muito do ônibus até aqui — explica Francisco com segurança.

A equipe examina os documentos de Francisco. Carteira de trabalho assinada, certidão de nascimento... convence. O tipo de conversa também não é a de um malandro. Resolvem liberar.

— Se não correu, vai correr agora... Corre, desgraçado! — grita o soldado.

— Não corro, não sou ladrão — retruca o operário, já indo embora.

Meio ano depois da execução de Paulinho, em janeiro de 86, o trio Martínez/Maurício/Rotundo continua a caçar suspeitos pelas ruas da cidade. Depois do fracasso da primeira abordagem, mudam de tática. Desligam todas as luzes da Veraneio e começam a circular bem devagar pelas ruas estreitas da favela. Passam silenciosos por um rapaz sem olhar para ele. O botequim está cheio: dez, doze homens, talvez mais. Eles também ignoram. Avançam, entram à direita, ficam de frente para os dois rapazes que estão cruzando a favela para assistir ao futebol na quadra do Jardim Patente.

Os dois são menores, de 17 anos. Teodoro Hofmann trabalha numa fábrica de móveis de luxo, de um amigo de seu pai. Como todos os dias, trabalhou hoje até as 7 horas da noite.

Chegou em casa meio cansado. Tomou um banho rápido. A mãe, a polonesa Bárbara Lifken, naturalizada brasileira, se ofereceu para servir o jantar, mas ele não quis. Recém-chegada de uma viagem à Argentina, Bárbara tentou fotografar o filho para aproveitar o filme que sobrou na máquina. Teodoro não deixou, o cabelo estava grande demais para seu gosto.

— Vou cortá-lo hoje à noite, mãe. Amanhã a senhora me fotografa à vontade — desculpou-se Teodoro. Em seguida, pediu um dinheiro emprestado, deu um beijo no rosto da mãe e avisou que depois de cortar o cabelo iria ao futebol com os amigos.

Na hora em que Teodoro saiu de casa, o amigo Dirley Rodrigues ainda assistia à novela das 7 na TV, deitado no sofá de sua casa. Era uma noite especial para ele. Mestre de capoeira, Dirley tinha uma apresentação prevista para as 10 horas da noite na mesma quadra do Jardim Patente. A capoeira fazia parte da festa do final do campeonato. Ele convidou a mãe, Tereza Rodrigues, de 51 anos, que, sentindo-se doente, não pôde aceitar o convite. Ao sair de casa perto das 9 horas da noite, Dirley pediu a ela para ser acordado bem cedo no dia seguinte. Ele tinha que ir se alistar no Exército.

Calça jeans desbotada, camiseta de algodão vermelha com listras brancas, tênis brancos. O menor Teodoro Hofmann, de 17 anos, para no meio da rua quando vê que os PMs já estão saindo da Veraneio e vêm em sua direção. O amigo Dirley Rodrigues, da mesma idade, também usa calça jeans e uma camiseta preta e vermelha. Ele se afasta um pouco para a direita e para também. Os dois estão sendo abordados pelos matadores embaixo de um poste de iluminação pública, que está com as duas lâmpadas quebradas. O lugar é escuro, mas do barraco em frente dá para ver tudo. Ver e ouvir. A doméstica Ida Maria dos Santos, que está com a janela do único cômodo aberta, assiste à violência contra os dois rapazes e faz um esforço para se manter em silêncio.

Rotundo cheira a mão de Teodoro.

— Maconheiro! — grita Rotundo e esmurra uma, duas vezes o estômago do rapaz.

— Cadê os canos... Eu quero saber das broncas... Entrega logo! — ameaça o soldado Maurício, enquanto agride com o joelho as costas de Teodoro, já agachado pela dor.

Em seguida, os PMs encontram um pequeno pacote na roupa do rapaz. Maconha. Eles ficam eufóricos com a descoberta. Neste momento o eletricista Raimundo Nonato de Castro, vizinho de Ida, vem chegando em casa e flagra sem querer a cena. Rotundo vai direto conversar com ele.

— Conhece maconha? — pergunta Rotundo ao eletricista.

— Não, senhor — responde Raimundo.

— Então cheira aí... Ficou conhecendo? Agora o senhor é nossa testemunha — avisa Rotundo.

Raimundo concorda com um aceno de cabeça, embora ainda sem entender direito o que está acontecendo. O braço direito de Teodoro é algemado ao esquerdo de Dirley, que chora, implora para não ser preso enquanto vai entrando no banco traseiro da viatura. Rotundo liga o motor do carro e comenta com Maurício:

— Pintou sujeira, você viu o laranja? Temos que ir direto para a delegacia.

— Que nada, esses vamos levar é para o saco!

Os três amigos que caminhavam atrás de Dirley e Teodoro percebem a confusão e escapam pela viela, onde a viatura não entra. Mas são vistos por Rotundo. Ele arranca derrapando os pneus. Vira em duas ruas à direita e ao chegar ao asfalto já avista os rapazes. Um deles, Luiz Thomaz, também vê a viatura.

— Olha o Taticão! — grita Thomaz e ameaça correr.

— Não corre, não, que é a Rota — adverte Marcelo Salustiano. Em segundos eles estão cercados pelos PMs, que chegam batendo, empurrando em direção a um terreno baldio. Marcelo é quem mais apanha, porque Martínez descobriu que ele tem marca suspeita no ombro.

— E essa tatuagem no braço? Você já esteve em cana, você é malaco... — afirma o sargento, ameaçador.

Ao lado, Rotundo pressiona Luiz Thomaz, enquanto o agride a socos e pontapés.

— Por que não trocou tiros comigo? E os canos? Fala!

— Não é do meu departamento, já disse! — grita Thomaz, chamando a atenção de um grupo de mulheres com Bíblia na mão que acaba de sair do culto da Igreja Metodista da favela. Um pastor que caminha atrás das mulheres se assusta com a violência dos PMs. O soldado Maurício a todo instante engatilha a arma apontada contra a cabeça do único rapaz que tem antecedentes criminais, Robson Lima. O soldado se irrita com a curiosidade do pastor:

— Que está olhando? Não tem o que olhar aqui! Por acaso ele está com Aids?

Martínez se preocupa.

— Vamos embora, está pintando muita sujeira.

A mão direita de Marcelo é algemada na esquerda de Robson; a esquerda, na direita de Luiz. Os três são conduzidos para o guarda-presos, com o rosto coberto pela própria camisa. Os matadores não querem que eles vejam os dois amigos, Dirley e Teodoro, deitados entre os bancos dianteiro e traseiro da Veraneio. Os jovens da favela sabem que a Rota primeiro prende e tortura, põe na viatura e leva para matar em lugar sem gente perto. Os três encolhidos no assoalho do carro começam a chorar, desesperados.

— Vocês são uns bundões. Não estão com nada em cima... Por que estão chorando?

A Veraneio se dirige à delegacia de São Mateus. No caminho os PMs sentados no banco traseiro estão com os coturnos sobre as cabeças de Dirley e Teodoro. Todos os matadores, menos o motorista, batucam na lataria da porta e cantam bem alto para os rapazes que estão no guarda-presos não ouvirem os gemidos de Dirley e Teodoro. Cantam um samba de Moreira da Silva:

Você com o revólver na mão
É um bicho feroz
Sem ele anda rebolando
Até trocando de voz...

A Veraneio estaciona a 200 metros da delegacia, em frente ao muro de uma escola. Martínez pega o pequeno pacote apreendido de Teodoro e joga fora boa parte da maconha. Deixa uma quantidade mínima, o suficiente para um cigarro. Em seguida, Martínez e Maurício tiram os três algemados do guarda-presos e se dirigem à sala de plantão da delegacia, enquanto Rotundo e o soldado Luciano de Freitas ficam no carro, na guarda dos menores Dirley e Teodoro. Para justificar a detenção, Martínez entrega ao delegado a maconha apreendida. O delegado abre o pacote e constata:

— É muito pouco, isso não dá flagrante.

Era o que Martínez queria ouvir. O flagrante iria significar abertura de inquérito, depoimentos, perda de tempo. Os matadores têm pressa. Deixam os rapazes no plantão para o delegado averiguar se são pessoas condenadas ou não pela Justiça e voltam à Veraneio, onde os dois soldados já estão ansiosos.

— Vamos deixar esses dois aí também. Eu posso levá-los — sugere Rotundo.

— Como é, você está mijando? Quer adoçar a ocorrência? — retruca Maurício sem esconder a irritação.

— Puta cagada. Está cheio de testemunhas aí. Não há motivo pra isso — alerta Rotundo sem muita convicção.

— Liga essa merda e vamos embora, porra — ordena Maurício.

— Fica frio, Rotundo — acalma Martínez, pondo fim na discussão.

— Temos que ir atrás dos cabritos — lembra Maurício, referindo-se à necessidade de procurar armas particulares para simular um tiroteio com os menores.

Ao sair da delegacia, passam na casa de um PM do 1º Batalhão, padrinho de casamento de Maurício, numa tentativa de conseguir a arma. O PM não estava em casa. Eles partem para Diadema, endereço de outro PM amigo. Martínez e Maurício se encarregam de bater na casa. Quando estão de volta à viatura, são surpreendidos por um chamado da Central de Operações.

— Aqui Comando 7, QSL? Rota 9105, entre em contato com a base, urgente. Câmbio.

— Positivo. Rota 9105 na escuta. Câmbio — responde Rotundo, chamando a atenção com uma piscada para Martínez.

— Informe localização, Rota 9105. Localização, QSL? — pergunta o PM do Comando 7 pelo rádio.

Maurício interfere. Sugere que Rotundo minta. Informe o lugar errado e que a missão é difícil, demorada. A Veraneio cinza avança por uma estrada de asfalto de duas mãos, em direção ao bairro Eldorado, no município de Diadema. Quando Rotundo informa a localização via rádio, a equipe já está fora da cidade de São Paulo, o que é proibido pelo comando da PM.

— Estamos no Jardim Campanário, procurando bandido na favela, QSL, comando?

— Positivo. Quando acabarem a missão, se dirijam para o PS do Jabaquara, QSL? Câmbio.

As casas vão se tornando raras à margem da estrada do Alvarenga, uma rodovia antiga, estreita, cheia de curvas e buracos no asfalto. Os matadores começam a despir os menores. Os dois choram, pedem para ser deixados em qualquer lugar.

— Nos deixem em paz... Não fizemos nada de errado... — pede Dirley.

— Nos joguem na estrada... Nunca vamos dar queixa a ninguém... — implora Teodoro.

A Veraneio avança pela escuridão. Os matadores estão em silêncio. Martínez joga a calça de Teodoro pela janela, depois a camiseta, os tênis. De espaço em espaço lança uma peça de roupa fora. A Veraneio reduz a velocidade, passa para o acostamento da estrada. Entra em um terreno aberto, à direita, sentido Diadema-São Bernardo do Campo. Para a 200 metros da estrada: um lugar deserto, nenhuma luz em volta. Os menores nus são levados pelos soldados Luciano e

Maurício por um caminho de terra, seguidos por Martínez. Passam por um lixão e param. A Veraneio continua com o motor em movimento. Apoiado ao volante, Rotundo ouve o ruído de vários disparos, sete, oito tiros. Em poucos segundos Martínez, Luciano e Maurício estão de volta. Entram na viatura animados.

— Dois a zero pra Rota. Vinguei a morte do soldado Prieto e o ferimento do cabo Higo — vibra Maurício.

— Onde estão os corpos? — pergunta Rotundo, estranhando a quebra da velha prática de levar os mortos para o hospital.

Os três não respondem.

— Ainda acho uma puta cagada. Os rapazes não tinham nada a ver com nada. E que negócio é esse de deixar o corpo no mato? — insiste Rotundo.

Pela segunda vez os matadores resolveram ocultar os cadáveres no próprio local da execução. Na primeira, Rotundo jogou o corpo de Paulinho no rio Tietê. Agora, os dois menores foram enterrados em um lixão do terreno. Ao saírem dali, Martínez parecia não ter dado importância ao fato de ter quebrado a velha regra de levar o corpo ao hospital, para evitar o trabalho da perícia no local do crime. Embora soubesse que a história não poderia jamais chegar ao conhecimento do comando, parecia tranquilo, seguro da futura impunidade.

— Fica frio. Não vai existir cadáver. Então não vai haver acusação — afirma Martínez, tentando acalmar Rotundo.

No caminho de volta, Martínez joga pela janela as peças de roupa dos menores que restaram no carro. Maurício começa a se lembrar de detalhes da execução. Seus comentários divertem Martínez e Luciano. Os dois chegam a gargalhar quando ele fala da sua inseparável Shirley, o punhal de 30 centímetros que usa junto à perna direita, por dentro do coturno.

— Esta noite você foi demais, Shirley. Degola direto na jugular. Parabéns, Shirley! — vibra Maurício, referindo-se ao corte que riscou no pescoço de Teodoro, logo seguido pelos tiros que completariam a execução.

A conversa se estende ao balcão de uma padaria, última parada dos matadores nesta noite de terça-feira. Era hora de fazer o lanche e relaxar, com a sensação de missão cumprida.

O desaparecimento de Dirley e Teodoro foi denunciado ao comando da PM no dia seguinte, 29 de janeiro de 86. Nenhum oficial deu crédito aos pais dos menores. Afinal, a história era completamente diferente do tipo de ação adotado pelos matadores da Rota. Não havia o BO de tiroteio por resistência à prisão seguido de morte sem testemunha. Também não havia registro de transporte de dois corpos desconhecidos, com as características dos menores, para nenhum hospital. Neste caso, nem cadáver havia. Outro motivo de estranheza era o fato de o acusado ser o sargento Roberto Lopes Martínez. Ele é um dos criadores da velha técnica da resistência seguida de morte, repetida 45 vezes em sua carreira.

A indiferença do comando levou os parentes dos menores a investigar por conta própria. Eles ganharam, de imediato, a solidariedade dos vizinhos, sobretudo das famílias de dezenas de outros jovens mortos pela Rota. Em dez dias de investigação coletiva, fato inédito na periferia, localizaram as pessoas que assistiram à prisão dos menores. E receberam delas não só a informação como também a promessa de depor em juízo se necessário. A luta das famílias resultou na criação de uma entidade popular de defesa das vítimas da violência policial: o Comitê Teodoro-Dirley. A pressão de 46 entidades de defesa dos direitos civis e do próprio governador da época, Franco Montoro, forçou o comando da Polícia Militar a esclarecer o crime. Dois meses depois do desaparecimento, os soldados Ronaldo Rotundo e Luciano de Freitas confessaram a execução. Roberto Lopes Martínez e Maurício do Nascimento negaram. Com exceção de Rotundo, Maurício, Luciano e Martínez foram condenados no julgamento da Auditoria Militar à pena máxima prevista para homicídio: 30 anos de cadeia por duplo homicídio qualificado, mais 2 anos devido às agravantes pelo motivo fútil e à prática do crime mediante meio cruel. Em março de 86, expulsos da Polícia Militar, os três condenados começaram a cumprir a pena no presídio especial da PM.

As mães dos menores acompanharam a procura dos corpos na estrada do Alvarenga. Foram encontrados no dia 17 de março de 86. Eram duas ossadas. Tereza Rodrigues fez o reconhecimento pela arcada dentária e por outro detalhe. O filho mestre de capoeira usava uma braçadeira de palha e uma miçanga verde, que ainda estavam em volta dos ossos do braço. Bárbara Lifken também fez o reconhecimento das ossadas do filho. Havia cinco marcas de tiro: um no braço, dois no peito e dois no crânio. Marcas inconfundíveis do campeão dos matadores da Polícia Militar.

Tentei entrevistar o sargento Roberto Lopes Martínez no presídio dos policiais militares. Cheguei a ser autorizado pelo juiz da Auditoria Militar, desde que Martínez concordasse. Mas o sargento se negou a conversar comigo. Preferiu escrever uma carta, onde explica suas razões:

Em cumprimento ao despacho do Senhor Comandante do Presídio Militar Romão Gomes, informo que, não obstante sentir-me profundamente lisonjeado com a lembrança do honrado repórter em entrevistar-me, vejo-me na contingência de, respeitosamente, recusar a esse amável convite pelos motivos que a seguir passo a expor:

Em meus 21 anos de Polícia, 14 dos quais servindo na Rota, expus-me em demasia à crítica da opinião pública em razão de incontáveis ocorrências em que fui envolvido, cujas notícias foram amplamente divulgadas nos diversos órgãos de imprensa. Como nem sempre as notícias são colhidas "in loco", no momento dos fatos, geralmente suas sutilezas fogem à exata percepção de quem as divulga, ensejando a que em algumas ocasiões sejam veiculadas de maneira distorcida e, por vezes, até com certa parcialidade, provocando aplausos de uns e a ira de outros.

Minha capacidade de absorção desses impactos está exaurida, ocasionada por uma carga de ataques muito grande à minha pessoa após uma troca de tiros com marginais, na qual agi em legítima defesa e cujo resultado foi ser atirado ao fundo de um cárcere, vindo assim a derrocada de uma carreira que, pela lógica, deveria ser dispensada a familiares, sendo que estes eram constantemente colocados em segundo plano por este meu insano amor à bela profissão Policial Militar.

Estou segregado da sociedade, família, amigos, enfim, de tudo que gosto e quero, por força de uma condenação que foi-me imposta pelo Egrégio Tribunal de Justiça Militar como é manifestamente sabido, baseado no covarde e falso testemunho de um soldado

CACO BARCELLOS

despreparado para a nobre arte de ser um mantenedor da ordem, o que facilmente se comprova arguindo-se seus antigos companheiros de caserna, soldado este que não presenciou os fatos por ele narrados por encontrar-se a longa distância, sem ângulo algum de visão.

Essa explanação torna-se imperativa para que tenha VS^a uma pálida ideia de como encontra-se destroçado meu íntimo e as chagas em meu ser ainda abertas, causadas pela calúnia e maledicência de que fui uma vítima sem possibilidade de defesa.

Ao ensejo, solicito sejam enviados meus protestos da mais alta estima e distinta consideração ao amável repórter e, se possível, que ele tome conhecimento de minhas palavras e, aproveitando esta oportunidade, que aceite minhas escusas em não lhe conceder entrevista, pois meu único desejo é manter-me no ostracismo, refletindo sobre a armadilha que o destino me preparou, qual seja, ontem um policial aclamado por seus superiores, pares e subordinados, hoje um enclausurado, arrastando os pesados grilhões que me foram atados por força e obra de pessoas que um dia serão condenadas pelo tribunal de suas consciências.

(Roberto Lopes Martínez, 13/5/87)

Preso em 1986, depois de ter matado 45 pessoas, Martínez abandonou, por força de circunstâncias, as ruas da cidade. Seus métodos brutais de trabalho, no entanto, já tinham criado escola. Nos primeiros dois anos da década de 90, os seus seguidores continuavam a espalhar o terror entre os jovens da periferia de São Paulo.

CAPÍTULO 16 | Matador modelo

O motorista é filho de um oficial da Polícia Militar de São Paulo. Há um mês completou 18 anos. Os dois companheiros são menores. Um tem 16 anos. O outro, 14, é quase um menino. Eles fogem desesperados de uma Veraneio cinza da Rota, que está a 200 metros, com a sirene ligada, disparos de metralhadora varrendo o ar.

Passa da meia-noite de sábado, 22 de abril de 78. O ruído da violência que vem da rua desperta o sargento Antônio Bueno, que acabara de ir para a cama. Ele estava quase dormindo e comenta meio sonolento para si mesmo:

— Esses colegas da Rota dão duro mesmo!

A mulher Gabriela, que assiste a um filme na televisão da sala, também ouve o barulho, que parece cada vez mais próximo de casa. A sirene, o cantar dos pneus, a sequência de tiros desviam a atenção do vídeo. Do quarto, o marido explica:

— Isso é rajada de metralhadora, mulher!

— Você também ouviu, Antônio? Quem será que eles estão matando hoje? — grita da sala Gabriela.

— Bandido, bandido — responde o sargento, sem dar importância ao incidente que está acontecendo a poucos quarteirões de casa.

225

CACO BARCELLOS

Na rua, os três rapazes fogem em um Corcel 76. O filho do sargento é Paulo Bueno, que tem pouca prática de direção. O amigo de infância, Hugo Rezende, foi quem o convidou para dar uma volta em um carro emprestado de um conhecido. O menino de 14 anos, João Devanir, pediu uma carona. O nervosismo do motorista em um carro seminovo, ocupado por mais dois rapazes, chamou a atenção dos matadores. Há cinco minutos a equipe da Rota 119 estava fazendo um lanche em uma padaria da Vila Ede, zona norte de São Paulo. Quando viram os rapazes passando de carro na avenida, logo desconfiaram.

— Eles têm toda a pinta de bandidos — avisou o comandante da equipe, tenente Gilson Lopes, já correndo em direção à viatura para iniciar a perseguição.

Os outros três PMs também abandonaram o lanche e saíram apressados, obedientes à ordem do chefe. Embora tenha apenas 21 anos, o tenente já tem grande ascendência sobre os subordinados, graças à fama de violento que conquistou em pouco tempo de trabalho na polícia.

Há um ano o tenente Gilson Lopes começou a imitar a turma da Rota 66. A pequena experiência de patrulhamento nas ruas já prova que ele assimilou rapidíssimo a técnica. Envolveu-se em quatro assassinatos bem ao estilo dos matadores mais experientes. As três primeiras vítimas foram mortas no desfecho de uma perseguição de carro. Na sequência, depois de ter metralhado os rapazes, o tenente não esqueceu aquele gesto humanitário que impede o trabalho dos peritos no local do crime: imediatamente levou os corpos para o pronto-socorro. Mais tarde, na delegacia, adotou também a versão habitual de resistência armada à prisão, tiroteio e morte. De volta ao 1º Batalhão, sede da Rota, recebeu as glórias do comando. O comandante-geral da Polícia Militar na época, general Francisco de Mello Torres, chegou a convocar a imprensa e as autoridades para assistir a uma homenagem especial ao matador. O ainda inexperiente tenente Gilson Lopes recebia das mãos do comandante a sua primeira medalha PM-zito por ato de bravura, ou seja, por matar quatro civis suspeitos.

A perseguição desta noite de sábado na Vila Ede seria idêntica à do caso Rota 66 se entre os fugitivos não estivesse o filho do sargento Antônio Bueno, da Polícia Militar. Professor da academia desde o tempo em que a PM se chamava Força Pública, o sargento é um dos responsáveis pela formação teórica dos soldados, trabalho que desempenha com orgulho até exagerado. Fiel cumpridor das regras disciplinares da instituição, Bueno costuma exigir dos alunos uma postura idêntica: cabelos curtos, raspados sobre as orelhas, uniforme impecável, camisa sempre engomada, sapatos engraxados.

Assim como a maioria de seus colegas de farda, Bueno é um oficial avesso à violência durante o patrulhamento, postura que aprendeu a respeitar nos seus dez anos de trabalho nas ruas. Antes de se tornar professor da academia, já tinha vivido os riscos naturais da profissão: fez parte das equipes que reprimiam o comércio de camelôs no centro da cidade; cuidou da segurança de escolas nos bairros de maior incidência de crimes; trabalhou na guarda de presídios. Nunca precisou ser violento para impor respeito e autoridade. Na noite em que os matadores da Rota perseguiram o seu filho pelas ruas da zona norte a tiros de metralhadora, o sargento Bueno já tinha completado trinta anos de carreira sem jamais ter disparado a arma contra um civil.

Em casa, os filhos sempre tiveram queixas de Bueno, que costumava impor regras próprias da hierarquia militar à família. Homem de moral rígida, conservadora, sempre proibiu os filhos de falar palavrão, fumar cigarro, chegar tarde da rua e, sobretudo, de discordar de suas ordens e ideias, sob pena de serem castigados ou surrados. As diversões também sempre foram proibidas, ou melhor, proibitivas. O salário de sargento, inferior a 500 dólares, era insuficiente para o sustento de uma família grande. Pai de oito filhos, jamais teve condições de levá-los a uma praia ou a uma viagem para fora da cidade. Desde que migrou de São Sebastião do Paraíso, Minas Gerais, passaram-se quarenta anos sem que tenha conhecido um cinema sequer de São Paulo. Há mais de uma década que não goza o período de férias. Preferiu vendê-las para usar o dinheiro na ampliação da casa de seis cômodos, sua única propriedade.

O esforço do pai para garantir uma vida mais digna à família é reconhecido pelos filhos maiores, como Paulo. Para reforçar o orçamento doméstico, o rapaz trabalha desde os 15 anos numa oficina mecânica do tio, irmão de seu pai. Neste sábado Paulo chegou do serviço à 1 hora da tarde com um pacote de pão de fôrma, queijo em fatias e uma garrafa grande de guaraná. Ele e a mãe comeram vários sanduíches juntos ao longo da tarde. No começo da noite, antes do jantar, Paulo vestiu a jaqueta de couro nova e foi para o casamento de um vizinho. Foi durante a festa que o amigo Hugo sugeriu um passeio no Corcel 76.

Passados cinco minutos do início da perseguição na avenida principal da Vila Ede, a Veraneio está a poucos metros do Corcel, que já parece desgovernado. Neste momento, o estudante Francisco Lopes está com o carro estacionado na rua Japi, aguardando a abertura do portão da garagem da sua casa. Ele se assusta quando ouve o barulho da sirene e dos tiros. Põe rapidamente os pés sobre o banco quando vê que o Corcel pode bater de frente contra seu carro. Um instante antes da colisão, Francisco se jogou sobre o banco numa tentativa de se proteger do acidente e dos tiros.

Depois de bater no carro do estudante, o Corcel ainda se movimenta e só para quando bate contra outro carro estacionado à frente. O motorista da Veraneio não consegue brecar a tempo. Bate na traseira do Corcel, enquanto os três rapazes já tentam escapar pela única porta possível de abrir.

O primeiro a sair é o menino de 14 anos, Devanir. Ele recebe a primeira carga da metralhadora quando tenta pular o muro para se proteger no jardim da casa em frente. Cai de costas a poucos metros do Corcel. O amigo de infância, Hugo, consegue escapar pela ladeira da rua Japi, seguido de perto por dois PMs, que não param de atirar. O menino passa pela primeira esquina. Na próxima, entra na rua Autoporã e se esconde atrás de um caminhão estacionado na parte escura da rua. Em seguida, aproveita os poucos segundos que o separam dos matadores para bater à porta de uma casa.

— Abre, pelo amor de Deus. Eles querem me matar.

O casal da casa 401 ouve o apelo do rapaz e se omite, continua na cama. A veneziana está fechada, os vidros abertos. Dá para ouvir tudo. Os tiros e gritos de desespero do menino assustam o casal, que acende as luzes da casa numa discreta tentativa de intimidar os agressores da rua.

— Não atirem, estou desarmado. Não me matem, não me matem!

O vizinho da casa em frente, Mário Calabresi, de 53 anos, interrompe a leitura do livro de biologia. Impressionado pelos pedidos de clemência, sem coragem para sair de casa e se expor ao perigo, o único gesto de Calabresi é cobrir os ouvidos com as duas mãos.

A moradora da casa mais próxima ao caminhão, Terezinha Francisca de Souza, corre em direção à porta da sala para fechar o vitrô. Aproveita a luz apagada para espiar a rua. Ela vê de onde partem os gritos. O rapaz está sobre a carroceria de madeira do caminhão, pulando de um lado ao outro para escapar dos tiros de dois homens que estão em volta do veículo. A impressão é de que ele grita cada vez que uma bala atinge seu corpo. De repente, o rapaz salta ou cai da carroceria, Terezinha não consegue ver direito a cena. No instante seguinte, observa que ele tenta se proteger embaixo do caminhão. Os tiros continuam. Os gritos se tornam mais fracos, menos frequentes. Cessam em um minuto. Terezinha tem a impressão de que o jovem está morto lá embaixo. Quer gritar, mas tem medo de atrair os assassinos. Pensa em chamar a polícia. Não tem telefone. Fecha o vitrô. Em seguida, ouve o barulho de motor de um carro. Abre o vitrô. Vê que o corpo do rapaz está sendo arrastado para uma Veraneio. Só então se dá conta de que os matadores são da Polícia Militar.

O filho do sargento foi o último a ser morto. Logo que saiu do Corcel, ele deve ter pulado o muro da casa em frente, já ferido. É o que se supõe pelo relato dos moradores. Eles ouviram o rapaz gemer e pedir para não ser morto. O estudante que estava estacionando o Fusca na garagem se jogou no banco do carro e nada viu. Apenas ouviu o barulho dos tiros de metralhadora. Quando os tiros cessaram, os PMs pediram para ele ajudar a colocar o corpo no guarda-presos da Veraneio. A única versão sobre as circunstâncias do crime é a do tenente Gilson Lopes. Ele repetiu ao delegado responsável pelo texto do Boletim de Ocorrência a justificativa de sempre dos matadores: acusou a vítima de ter resistido à prisão a tiros, fato que o obrigou a matar em legítima defesa.

A notícia da morte do filho chegou na casa dos Bueno por intermédio de um casal de policiais civis. Quem os atendeu foi o sargento.

— O senhor tem um filho chamado Paulo Bueno?

— Tenho, por quê?

— Lamentamos, ele trocou tiros com a Rota...

— Trocou tiros, não. Meu filho não é bandido, nunca andou armado!

— O senhor deve procurar o IML......

— Como, IML? Meus colegas não fariam uma coisa dessa com meu filho...

Só depois de confirmar o crime na delegacia o sargento foi fazer o reconhecimento do corpo do filho no Instituto Médico Legal. Contabilizou sete ferimentos de tiros frontais. Observou também que alguns documentos de Paulo tinham marcas de perfurações de balas, detalhes que causaram uma profunda revolta no pai. Bueno jurou se vingar, batalhar por uma punição que levasse à expulsão dos matadores. No mesmo dia, logo cedo, já procurou seus superiores para exigir providências urgentes. Estava convencido de que o próprio fato de a vítima ser filho de oficial da Polícia Militar e de um homem de conduta irrepreensível já bastava para o comando reconhecer o grave erro e imediatamente punir os matadores. Tudo o que o sargento conseguiu neste primeiro dia, porém, foi ouvir palavras de consolo de seus superiores, palavras que só serviram para aumentar ainda mais sua revolta.

Antes de seu filho ser assassinado, Bueno já era contra a violência dos colegas do 1º Batalhão, onde está sediada a Rota. Mas não chegava a ser crítico. Nas conversas entre os amigos mais próximos, concordava com a existência de uma minoria violenta na instituição para o combate dos criminosos mais perigosos da cidade. Com a morte do filho, em circunstâncias que o levaram a acreditar em fuzilamento, Bueno radicalizou sua opinião sobre os matadores. Nas primeiras semanas de investigações, o sargento aos poucos se deu conta de que os homens da Rota formavam uma minoria não só violenta mas também poderosa, intocável, com grande prestígio no alto-comando. A descoberta do sargento, que representou a maior decepção de sua vida profissional, aconteceu meses depois.

Apesar do constrangimento causado pelo assassinato do filho de um oficial, o tenente Gilson Lopes voltou a atacar os jovens da periferia em outubro do mesmo ano de 78. Dessa vez, o tenente agiu em dupla com outro homem famoso pela violência entre os colegas da Rota. No nosso Banco de Dados, o aspirante a oficial Marco Antônio da Costa, com 29 assassinatos, é o sétimo da lista que fizemos dos dez maiores matadores. Durante uma patrulha pela estrada do Alvarenga, a dupla Gilson/Marco Antônio desconfiou de dois rapazes em um Fusca, que foram perseguidos pela viatura até bater em um barranco. Quando tentavam fugir pelo descampado, o jovem Claudiomiro Marques, de 19 anos, e o menor Amauri Benedito, de 16, foram metralhados. Como sempre, os matadores alegaram ter agido em legítima defesa, embora uma das vítimas, Claudiomiro, tenha sido morto com um tiro pelas costas e outro na fronte.

As coincidências em relação ao caso de seu filho Paulo levaram o sargento Bueno a acompanhar a investigação oficial. Já eram nove assassinatos de autoria do mesmo tenente Gilson Lopes. O sargento chegou a pensar que a reincidência dos crimes, em circunstâncias que no mínimo levantavam dúvidas sobre a legitimidade da ação, pudesse levar a uma punição rigorosa ao matador. No final do ano, pouco antes do Natal, o sargento conseguiu uma cópia da apuração do crime, desenvolvida no próprio quartel da Rota pelo capitão Renato César Melo, notório defensor da pena de morte. Ao ler o relatório do inquérito assinado pelo major, o sargento Antônio Bueno ficou espantado com a parcialidade.

...Gilson de há muito vem demonstrando extraordinária capacidade durante a execução dos serviços que lhe são confiados... seus atos se constituem exemplo vivo à tropa, tendo agido portanto com heroísmo e praticado ato de bravura... quanto ao aspirante Marco Antônio da Costa, igualmente foi corajoso, audacioso, enérgico, firme e tenaz durante a ação...

Depois de constatar que os crimes dos PMs eram incentivados e elogiados dentro do quartel, o sargento entendeu que jamais conseguiria na PM uma punição disciplinar para os matadores. Suas esperanças se deslocaram para a Justiça Civil. Nessa época o Supremo Tribunal Federal ainda não havia criado o decreto que dá o privilégio aos policiais militares de serem julgados pelos próprios policiais militares. O trabalho dos homens do Ministério Público era o principal motivo para o sargento acreditar em um julgamento isento para o crime da morte de seu filho.

Durante a fase investigatória, o promotor Antônio Celso de Paulo Albuquerque descobriu oito testemunhas que o ajudaram a reconstituir as prováveis circunstâncias do assassinato. No final de seu trabalho, o promotor estava convencido de que o Corcel envolvido na perseguição era roubado. O ladrão estava na festa do casamento e emprestou o carro para os rapazes darem um passeio. No caminho eles foram descobertos pela Rota e executados sem qualquer possibilidade de defesa.

No caso específico do filho do sargento, o promotor garante que ele não representava nenhum perigo para os policiais. O exame do revólver apresentado pelos PMs como se fosse de Paulo prova que ele estava emperrado. Os peritos não encontraram vestígios de pólvora em suas mãos, outra evidência de não ter disparado uma arma. As investigações do promotor apontam que Paulo foi morto quando estava encolhido junto ao muro. Já ferido, gemia de dor. Mesmo assim, o tenente Gilson disparou os tiros que consumaram sua morte. O promotor afirma ainda que um soldado dava cobertura ao tenente. Depois da execução, o mesmo soldado o teria ajudado a arrastar o corpo do local do crime, a pretexto de socorrê-lo, embora já tivessem constatado a morte do rapaz. Em novembro de 78, o promotor denunciou o tenente e três soldados por triplo homicídio e pediu à Justiça que fossem julgados pelo Tribunal do Júri.

O conflito de jurisprudência salvou o tenente Gilson Lopes do Tribunal do Júri. Pelo mesmo motivo alegado no caso Rota 66, o Supremo Tribunal Federal declarou a Justiça Civil incompetente para o julgamento dos crimes praticados por militares contra civis. Um ano depois, em 30 de novembro de 79, o tenente e os três soldados foram submetidos a um Conselho Especial de Justiça, formado por quatro majores e um juiz auditor, o mesmo do caso Rota 66. Momentos antes do julgamento na Auditoria Militar, o sargento Antônio Bueno já era um homem cético em relação ao veredicto: estava convencido de que os oficiais iriam votar a favor dos matadores. Não imaginava, porém, que a sessão fosse representar tanta desonra a sua família.

Para justificar a absolvição dos matadores, os oficiais acusaram os rapazes de serem criminosos dos mais violentos, o que não era verdade. O amigo de infância, Hugo, nunca tinha sido preso. O menino Devanir e o filho do sargento já tinham sido detidos uma única vez, para averiguação de roubo pela Febem, a instituição dos menores infratores de São Paulo. Apesar das acusações falsas, o motivo de maior indignação do sargento foi o fato de o Conselho não se deter às circunstâncias em que as vítimas foram mortas. A impressão que o sargento teve de seus colegas membros do júri foi de que todos eram a favor da pena de morte nas ruas. Estavam ali apenas para saber se os mortos eram criminosos ou não, como se isso fosse uma condição de legitimidade à ação dos matadores. O juiz Júlio Scantimburgo não poupou ofensas ao próprio sargento e aos seus vizinhos, ao redigir sua tese que justificava a impunidade aos matadores:

...Exercendo suas funções num bairro de alta criminalidade, como de resto são todos da capital, povoados de indivíduos perigosos, ladrões e assassinos... que não vacilam um instante em lesar a integridade física de outrem, em furtar, roubar, estuprar e matar, e vendo-se atacados como o foram, não podiam hesitar em revidar a agressão...

Do primeiro ao último minuto o sargento Antônio Bueno assistiu ao julgamento aos prantos, sem nada falar. Resistiu calado até as ironias dos colegas. Logo após o veredicto do júri, o tenente Scóbar, amigo dos matadores, foi um dos que mais o provocaram:

— Se conforma, Bueno. Seu filho era bandido, tinha que morrer!

Depois da morte do filho, o sargento nunca mais foi o mesmo policial militar. Vivia desiludido com a profissão, sentia-se deslocado, envergonhado. Os melhores amigos tentaram convencê-lo a confiar no futuro, a acreditar no fato de que os matadores representavam uma minoria dentro da corporação, cujos abusos e desrespeitos à lei um dia deveriam ser questionados pela sociedade. Embora pessimista, durante seis anos o sargento ainda acompanhou com atenção os casos de tiroteios envolvendo o matador de seu filho. Nunca iria vê-lo punido ou afastado da missão de segurança nas ruas. Quando o sargento Antônio Bueno morreu, em maio de 85, o inimigo tinha se tornado um oficial ainda mais prestigiado, espécie de ídolo da Rota. O tenente Gilson Lopes já era o vice-campeão dos matadores da Polícia Militar.

Há uma controvérsia sobre a classificação do tenente no placar das vítimas dos matadores. Seus maiores fãs afirmam que em 1985 ele já tinha superado o sargento Roberto Lopes Martínez. O nosso Banco de Dados registra entre 44 e 46 pessoas mortas por Gilson Lopes. O número não é exato justamente porque ele matou três jovens em parceria com Martínez. Não foi possível identificar os autores de cada assassinato. O tenente reivindica dois deles. Se for verdade, em 1985 os dois estavam empatados em primeiro lugar.

No dia 24 de maio de 81, Gilson Lopes voltou a agir em dupla para matar o traficante Rafael Valentim, de 20 anos, na cidade de Piracicaba, interior do estado. Nessa ação, o tenente pediu autorização ao comando para agir fora do município. Convocou a fazer parte de sua equipe o soldado Everaldo Borges de Souza, um dos quinze PMs diretamente envolvidos no caso Rota 66. No nosso Banco de Dados, com 23 assassinatos, o soldado Everaldo ocupa a décima posição entre os dez maiores matadores da Polícia Militar. É o único entre eles que também mata mulheres. Dos 24 casos de vítimas femininas, o mais recente é o da menor Elielza Martins, de 17 anos, namorada de um ladrão de carros, também assassinado por Everaldo, em julho de 91. No caso de Piracicaba, a dupla Gilson/Everaldo deixou na vítima marcas características de execução.

A operação de Piracicaba já começou irregular. Eles foram autorizados pelo comandante do 1º Batalhão, coronel Nyomar Cirne Bezerra, para uma missão típica da Polícia Civil e não da Militar, pois se tratava de um trabalho de investigação. O endereço do traficante tinha sido delatado pelo chefe de uma quadrilha presa na capital. O objetivo dos matadores era prender o traficante e recuperar material furtado escondido em sua casa. Sem nenhum mandado da Justiça, Gilson e Everaldo chegaram às 4 horas da madrugada na casa de Rafael Valentim. Interditaram o quarteirão, acordaram os vizinhos, fizeram todos se retirarem da área e, sem testemunhas por perto, começaram o ataque.

— Vou estourar a cabeça do primeiro que entrar na minha casa. Estou com a mulher e o bebê como reféns... — era o que gritava Valentim, segundo alegou o tenente Gilson Lopes para justificar a violenta invasão à casa do traficante.

Tudo indica que a versão é fantasiosa, o tenente gosta de alimentar a fama de herói. Os dois reféns na verdade constituíam a família do traficante. Eram a sua mulher Heloísa e o filho Alexandre, de 2 meses, que dormiam com ele no mesmo quarto. O irmão menor, Joaquim, que dormia num quartinho dos fundos da casa, acordou com o barulho da polícia e ouviu os apelos de Valentim aos matadores.

— Vocês não podem invadir minha casa de madrugada. Estou com minha mulher e meu bebê...

CACO BARCELLOS

Enquanto o tenente lançava bombas de gás pelas janelas abertas à força, o soldado Everaldo também praticava seus abusos de poder: arrombava a porta com os coturnos. Em seguida invadiram a casa e mataram Valentim com quatro tiros, um deles na cabeça. Depois o levaram para o hospital. O médico-legista Omir Dias de Morais, que examinou o corpo no necrotério da Santa Casa de Piracicaba, constatou que um dos tiros evidenciava uma execução.

...orifício de entrada de projétil único de arma de fogo na região hipocôndrica esquerda, caracterizando tiro à queima-roupa com orla de esfumaçamento e tatuagem.

O caso do traficante Valentim mostra bem a parcialidade dos homens responsáveis pela investigação dos crimes dos PMs. A informação científica do médico-legista, fundamental para se esclarecer a circunstância da morte, foi ignorada no relatório do Inquérito Policial-Militar. O responsável pelo IPM, em um esforço para livrar os matadores de qualquer culpa, chegou a distorcer o relato das testemunhas. Ele afirma que os vizinhos assistiram ao traficante reagir a tiros à prisão, embora todas as testemunhas estivessem longe do local do crime. A história do relator do IPM explica a sua parcialidade: ele é o capitão Roberval Conte Lopes, também um dos dez maiores matadores da Polícia Militar de São Paulo.

Há outra vítima do tenente Gilson Lopes morta com características de execução. Nesse caso ele também agiu em dupla com outro matador classificado na lista dos "dez mais" de nosso Banco de Dados. O sargento Lauro Amadeu dos Santos, com 25 assassinatos, é o nono maior matador da Polícia Militar. A vítima é o jovem Oldegário Oliveira César Filho, de 18 anos. Ele era acusado pelos PMs de fazer parte de uma quadrilha de ladrões de carros, embora os arquivos da Justiça e da Polícia Civil não registrem crimes em seu nome.

A operação para matar Oldegário foi idêntica à do caso Valentim. De madrugada, num trabalho de investigação sem mandado judicial, o sargento Lauro Amadeu arrombou a porta do barraco aos pontapés. Numa ação rápida, junto com o tenente Gilson Lopes, matou o jovem deitado na cama. A irmã de Oldegário, Ednalva de Oliveira, que dormia no chão, ao lado da cama, afirma que assistiu a um fuzilamento:

— Acordei com o barulho do arrombamento da porta. Quando vi, eles já estavam em volta da cama.

— Quem atirou primeiro?

— Meu irmão não tinha arma. Pelo menos nunca o vi armado em casa.

— Eles falaram alguma coisa?

— "Levanta, Oldegário, mãos pra cabeça!" E outro PM gritou: "Cuidado, ele pode estar armado!"

— Foram quantos tiros?

— Três, todos no peito. No último tiro, o meu irmão rolou na cama e caiu, bem ao meu lado.

— E o que você fez?

— Ele gemia: "Ai, meu peito, ai, meu peito, estou morrendo..." Mas eu não pude fazer nada. Os PMs levaram o corpo dele pra viatura e foram não sei pra onde.

Dois meses depois de ser encarregado de investigar a morte de Oldegário, o responsável pelo IPM, tenente Antônio Salatiel de Siqueira, também um matador, mandou o relatório do seu trabalno à Justiça Militar sem citar o depoimento da irmã da vítima, rara testemunha ocular dos assassinatos da PM. O inquérito se limita a reunir provas de que a vítima era um ladrão e a elogiar a ação dos matadores. Segundo Salatiel, eles agiram com "desassombro e coragem" no exato cumprimento do dever legal e em legítima defesa.

Durante nossa investigação dos crimes do tenente Gilson Lopes, descobrimos que os matadores costumam se revezar nas ações de rua e de investigação de seus próprios crimes. O tenente Gilson Lopes frequentemente ganhava do comando do Batalhão uma chance de retribuir o apoio dos colegas encarregados dos IPMs. Nos intervalos de seu trabalho de rua, era encarregado de presidir inquéritos. Constatamos, por exemplo, que o vice-campeão dos matadores presidiu o Inquérito Policial-Militar de pelo menos um dos assassinatos do campeão Roberto Lopes Martínez. O sistema de matador investigar crime de matador por certo ajuda a explicar a impunidade dos PMs.

Nós examinamos 28 dos 46 casos de homicídio do tenente Gilson Lopes. Conseguimos uma cópia dos exames de cadáveres de vinte de suas vítimas. Dezenove apresentavam marcas de tiros na parte frontal ou posterior da cabeça. Quatro foram feridos pelas costas. Com os dados completos de vinte pessoas mortas por Gilson, levamos seus nomes à Justiça à procura dos antecedentes criminais. O resultado da pesquisa prova que, a cada dois criminosos mortos por Gilson Lopes, um é primário, nunca se envolveu em nenhum tipo de crime.

Em 1982, impressionado com a frequência do nome do tenente no noticiário em situações em que era elogiado como matador de bandidos, decidi perseguir uma oportunidade de testemunhar suas ações. A minha chance surgiu numa noite em que, sem dúvida, houve resistência à prisão e tiroteio entre os policiais e o suspeito. Pode ser coincidên-

ROTA 66

cia. No único caso em que eu estava perto, o inimigo dos PMs não era um criminoso. Era um operário, com emprego fixo, sem antecedentes criminais. E bom de tiro. Não fui o único civil a assistir ao operário vencer o duelo com o tenente matador de bandidos.

Terceira Parte

Os Inocentes

CAPÍTULO 17 | A polícia fala mais alto

A casa do homem que mais conhece os segredos dos policiais militares é uma estranha fortaleza situada em algum lugar da zona leste de São Paulo. Depois de insistir durante dez dias, consigo convencê-lo a me receber. Devo cumprir uma condição imposta com rigor: a da pontualidade. Toco a campainha exatamente à 0h45 da madrugada de uma quarta-feira, como combinamos. Creio ter acionado o dispositivo automático do portão de ferro, que se abre sozinho, enquanto ouço o latido forte de um pastor-alemão.

Avanço pelo corredor escuro em direção aos ruídos vindos de um cômodo iluminado à frente. As grades laterais me protegem do cachorro, que pula de raiva em um espaço pequeno do quintal. Percebo uma pequena luz vermelha em uma caixa preta presa ao teto, sinal de que provavelmente estou sendo filmado por uma câmera de TV apontada para a entrada.

A recepção se completa de uma forma que me assusta. Uma luz intermitente se acende e se apaga em sintonia com as ondas sonoras provocadas pelo disparo de uma sirene, idêntica à usada nos carros da Rota. O som, no corredor estreito, é de ensurdecer. Dura poucos segundos. Ao entrar na sala ilumi-

CACO BARCELLOS

nada, o som da sirene é reduzido: dá lugar a uma voz não menos impressionante.

— A polícia fala mais alto!

A voz é de um homem magro, 1,85 metro, calvo, pele claríssima, olhos pequenos e eternamente fechados. Ele está sentado em frente ao microfone. De sete em sete minutos, fala a mais de 50 mil pessoas que ouvem diariamente o programa *Madrugada com Deus* pela Rádio Tupi. A sirene seguida de um grito de louvação à polícia são a marca da parte jornalística do programa, que mistura notícia com música, oração e conselho de pastores evangélicos. Nenhum ouvinte sabe que Chico Plaza é um dos únicos repórteres cegos do Brasil. A falta de visão não o impede de exercer várias atividades ao mesmo tempo. Além de repórter policial de rádio, é funcionário da Polícia Civil, onde exerce duas funções: operador do Cepol, órgão que recebe as queixas da população, e agente do Grupamento Especial de Polícia, o GEP, especializado em missões de salvamento. Técnico eletrônico formado, também presta assessoria à manutenção dos equipamentos de segurança dos bancos da Grande São Paulo. Todos seus trabalhos se relacionam com a grande paixão de sua vida: a radiocomunicação.

A primeira notícia transmitida por Chico Plaza, nesta madrugada, é a de um assalto. Ao ouvir o chamado do locutor dos estúdios da Rádio Tupi, seus dedos percorrem uma folha de papel branca atrás das informações anotadas em braile. A voz segura revela experiência, intimidade com o microfone.

— Neste momento ladrões estão dentro da padaria Dois Irmãos, em Lauzane Paulista. Patrulheiros da Rota se dirigem a todo vapor para o local. Madrugada agitada, ouvinte! Voltaremos a qualquer instante com mais detalhes porque... Por quê? Porque... a polícia fala mais alto! Agora oremos com a bênção do pastor Décio Silva!

— Com a graça de Deus, Chico Plaza... Libertai a alma dos ladrões... fora, satanás.

Ter acesso à notícia que Chico Plaza divulga em primeira mão na madrugada é o objetivo da minha visita. O plano é fazer um plantão no seu estúdio, com a esperança de receber ao vivo (instantaneamente) as informações sobre tiroteios entre policiais militares e criminosos. Eu já vinha perseguindo essa possibilidade havia alguns meses, através da escuta pelo rádio do programa *Madrugada com Deus*. Logo na chegada à casa, percebi que no estúdio minhas chances eram maiores. Quando surgir o primeiro caso, pretendo me dirigir rápido ao local para fazer a reportagem o mais perto possível da ação dos matadores.

No primeiro intervalo do programa eu me aproximo de sua mesa, já impressionado com o equipamento em volta dele. Enquanto nos apresentamos, ele movimenta dezenas de botões do equipamento eletrônico, que produz uma sinfonia de ruídos incompreensíveis. Manifestada minha curiosidade, Chico Plaza começa a me explicar a utilidade e o funcionamento de cada um de seus aparelhos. Demonstra sentir orgulho do aparato de comunicação de sua casa-estúdio.

— Você é preocupado com a segurança, não é, Chico? Cachorro, grades. Percebi uma câmera ligada ali no corredor...

— Não viu nada, então. São quatro microcâmeras. A do corredor, uma no quintal e duas no andar de cima, com infravermelho, que gravam até a sombra do bandido. Você quer ver aqui?

Chico Plaza aciona a tecla de retrocesso do gravador, posiciona a fita no ponto desejado, pressiona mais uma tecla, em seguida aparece no monitor a minha imagem, gravada por

CACO BARCELLOS

uma câmera em movimento rotatório que focaliza a movimentação em frente da casa. A gravação me mostra estacionando, saindo do carro, procurando na calçada a numeração do endereço, olhando o relógio, apertando a campainha, desaparecendo ao entrar no corredor.

— E se eu fosse um inimigo, Chico? A porta já aberta, e aí?

— Aí você teria a recepção mais fantástica de sua vida.

— Como assim?

— Meu alarme infravermelho não falha. Quando alguém passa pelo corredor, automaticamente é detectado pela cortina eletrônica, que emite um sinal à central dos computadores da casa.

— Onde fica essa central?

— Naturalmente em um lugar incerto e não sabido.

— Por que tocou a sirene quando eu entrei?

— É o alarme que acusa a invasão da cortina eletrônica invisível. Eu que o acionei por controle remoto.

— Controle remoto?

— Não desgrudo dele nem pra dormir.

Chico Plaza me mostra que o controle remoto da lente infravermelha está preso à sua corrente de pescoço. É um aparelho minúsculo com duas teclas, que devem ser acionadas com o dedo mínimo. Uma delas dispara alarmes via computador em dois pontos da Polícia Civil. A outra, se acionada, emite sinais de socorro em outros cinco pontos estratégicos. O computador, mesmo sem o comando de Chico Plaza, também é capaz de pedir ajuda aos policiais das três delegacias mais próximas à casa.

Todos os alarmes são interligados às quatro microcâmeras embutidas nas paredes. As munidas com infravermelho captam a presença de pessoas, apenas pessoas. São insensíveis a animais e objetos, com exceção da gravadora do corredor de entrada — hipersensível, detecta até a passagem de um rato. Os equipamentos mais caros e modernos não são de Chico Plaza. Pertencem a um consórcio de bancos. A maior parte do complexo de alarmes é ligada a mais de cem agências bancárias das cidades de São Paulo, Guarulhos, Osasco, Moji das Cruzes e da região do ABCD, que confiam a Chico Plaza a vigília noturna do patrimônio.

— E se o inimigo burlar todo esse aparato e invadir a casa, Chico?

— Em menos de dez minutos estará cercado pelos homens da delegacia do bairro, do Garra da Polícia Civil, soldados da Radiopatrulha, Tático Móvel. O sistema está ligado até com os federais.

— E se houver resistência, tiroteio?

Chico Plaza garante que estará em condições de se defender. Ele abre a gaveta para mostrar que tipo de reação teria. Vejo um revólver calibre 32. Não é o único. Tem dois, o outro guarda em uma pasta junto com seus documentos mais importantes. Apesar da falta de visão, ele diz que sabe atirar com precisão se for necessário. Mas em quem ele confia mesmo é no seu anjo da guarda: a mãe, a viúva Maria Plaza, que costuma ajudá-lo nas tarefas em que a visão é insubstituível.

Os quadros e diplomas na parede do estúdio contam parte da história de Chico Plaza, ex-animador de circo e locutor de parque de diversões. Filho de uma família simples de lavradores do interior de São Paulo, mudou para a capital aos 7 anos, com a mãe e três irmãs, por consequência da morte do pai. A ausência paterna o levou a assumir o papel de protetor da casa e o obrigou, desde garoto, a batalhar pela independência financeira. O caminho profissional da radioeletrônica, até a meia-idade, não iria lhe garantir muito dinheiro. Mas foi um grande fator de realização pessoal. Transformaria Chico Plaza em um radialista popular aos ouvintes da madrugada e ainda no policial de reconhecido valor humanitário por sempre se dedicar à prestação de serviço público gratuito.

O arquivo com milhares de fitas cassete tem uma coleção de histórias heroicas do seu trabalho no Grupo de Resgate. Histórias como a da operação de salvamento do helicóptero da Polícia Civil, com quatro pessoas a bordo. O piloto, um delegado e dois investigadores estavam perdidos no céu encoberto pelas nuvens de uma tarde de inverno. Voltavam de uma missão de emergência, em Campos do Jordão, onde um garoto havia sido ferido por um coice de cavalo na cabeça. A situação era crítica. O helicóptero voava acima das nuvens, com visibilidade vertical zero e combustível suficiente apenas para sete minutos de voo. Apesar de receber orientação da base do heliporto, o piloto não conseguia descer porque as nuvens estavam muito baixas, não dava para enxergar a pista. Depois de acompanhar via rádio o fracasso de várias tentativas de aterrissagem, Chico Plaza interferiu. Como o telefone da base do heliporto estava quebrado, ele improvisou uma operação de frequência triangular estúdio-heliporto-helicóptero. Por esse meio, mandou os funcionários do heliporto colocarem fogo em três tonéis cheios de gasolina e óleo diesel na margem da pista. A coluna vertical de fumaça cruzou as nuvens e serviu de referencial para o piloto descer com segurança dois minutos antes de acabar o combustível.

Os aparelhos de Chico Plaza possibilitam o contato com toda a rede hospitalar num raio de 100 quilômetros a partir do marco zero da capital. Também captam as informações transmitidas pelos rádios dos carros da Guarda Metropolitana, Corpo de Bombeiros, Defesa Civil, transportes de valores, shopping centers e das polícias Civil, Militar e Federal. A grande mesa, onde passa a maior parte do dia e da noite, chamada por ele de Estúdio Plaza, dispõe de quatro microfones, 425 metros de extensão de fios, nove telefones com trinta pares de linha, um aparelho telepete, que permite uma comunicação triangular entre um policial no rádio da viatura, por exemplo, com alguém no telefone de casa e mais uma terceira pessoa em um radioamador.

Em poucos minutos de visita já estou impressionado com a amplitude da visão radioeletrônica de Chico Plaza. A estrutura é uma espécie de grande radar, uma central de observação permanente que capta por ondas sonoras as histórias das pessoas envolvidas em anormalidades por toda a área de 80 mil quilômetros quadrados da grande metrópole. Sem dúvida são grandes as chances de uma notícia ou queixa de tiroteio chegarem ao estúdio em primeira mão. Percebo que a aparelhagem não para de absorver informações. Chico Plaza faz a triagem, só grava as transmissões mais importantes. Se for na madrugada, divulga ao vivo no seu programa da Tupi.

Um dos telefones toca. Apesar do barulho da mistura de vozes e descargas dos rádios, Chico Plaza sabe exatamente qual deve ouvir.

Agência Itaú Avenida Paulista número 555. Estamos sendo assaltados... Repetindo: Agência...

Chico Plaza acaba de receber a gravação de uma mensagem, enviada por telefone pelo aparelho eletrônico que é a maior novidade de seu estúdio: o delator de roubos, ou o computador que fala. Faltam cinco minutos para entrar novamente

CACO BARCELLOS

no ar pela Rádio Tupi. Ele rapidamente telefona à agência do banco para checar a informação antes de avisar a polícia ou transmiti-la no programa *Madrugada com Deus*. As fitas dos gravadores acoplados à discadora já se movimentam para gravar o diálogo com quem atender o telefone.

— Alô, é da agência Itaú 555 da Paulista?

— Hein?

— É da agência Itaú?

— Hã? Hein?

— Você confirma assalto aí no banco? Com quem estou falando?

— Vigilante Sérgio, às suas ordens.

— Confirma assalto aí no banco?

— De jeito nenhum. Aqui tudo na santa paz...

— Mas como? A sirene continua disparando aqui na central. Você não dormiu em cima do botão do alarme, não?

— De jeito nenhum...

— Em que posição você está?

— Sentado.

— Experimenta levantar...

— Já levantei.

— Pronto, o alarme parou de tocar aqui, percebeu?

— É mesmo? O senhor está querendo dizer que eu sentei no alarme?

— Pela quinta vez este mês, não é, Sérgio?

O toque da sirene no estúdio anuncia a hora de Chico Plaza transmitir mais uma notícia ao vivo ao *Madrugada com Deus*.

— Neste momento o motorista de um caminhão distribuidor de leite pede socorro à polícia no Tremembé. Ele foi assaltado agora há pouco por dois elementos, que ainda estão na área. Tremembé, Tremembé! Os patrulheiros da Rota se diri-

252

gem a todo o vapor para o local porque... Por quê? Porque a polícia fala mais alto!

Os dias de plantão no estúdio de Chico Plaza e sobretudo a escuta do seu programa da madrugada me levaram a testemunhar vários fatos onde houve a interferência da Polícia Militar. Em alguns casos consegui chegar meia hora depois. Nas primeiras tentativas em relação aos tiroteios, no entanto, não consegui atingir meu objetivo. Nas vezes em que cheguei ao local com um atraso de trinta, quarenta minutos, encontrei somente as cenas típicas de final de crime: as marcas da violência, a movimentação dos policiais retardatários e dos curiosos querendo saber o que aconteceu. Sempre os matadores já tinham levado as vítimas para o hospital. Nunca encontrei os envolvidos na troca de tiros nem sobreviventes, nem testemunhas oculares.

Enquanto aguardava pela radioescuta de Chico Plaza a oportunidade de testemunhar um tiroteio, também fiz algumas tentativas diretas com os matadores. Várias vezes pedi permissão ao comando da Polícia Militar para acompanhar a rotina de trabalho dos homens da Rota. Os pedidos eram negados, sob a alegação de que não era possível garantir a minha segurança física. Mas em maio de 1982, quando trabalhava na revista *IstoÉ*, eu e o fotógrafo Hélio Campos Melo fomos surpreendidos com um convite. Numa tarde de quarta-feira, durante uma visita ao 1º Batalhão para entrevistar o comandante da Rota, o oficial do serviço de relações públicas do quartel permitiu que nós acompanhássemos a patrulha-comando de quatro equipes noturnas.

— Você tem preferência por alguma equipe, Barcellos? — perguntou cordialmente o assessor.

— Que tal a do sargento Roberto Lopez Martínez? — sugeri.

CACO BARCELLOS

— Ele está passando uns dias no Serviço Reservado.

— E a do tenente Gilson Lopes, por exemplo?

— Ele já está nas ruas, mas vou colocar você numa equipe à altura deles, alto nível!

Acompanhamos o rápido treinamento dos soldados no quartel, a preparação psicológica das equipes, o aquecimento e o teste de suspensão das viaturas no pátio. Às 8 horas da noite já estávamos voando baixo, em direção à periferia de São Paulo. De imediato nos impressiona a força do motor da viatura e a habilidade do motorista, que em alta velocidade vai abrindo caminho no meio do trânsito movimentado. Nas retas, com pista livre, o ponteiro do velocímetro passa dos 140 quilômetros por hora. Mesmo nas curvas não baixa dos 100. Passamos direto pelos cruzamentos sem respeitar sinal vermelho ou amarelo. A segurança é o grito da sirene aberta, que faz todo motorista parar ou abrir caminho para a Veraneio. Sentados no banco traseiro, Hélio junto à porta e eu no meio, com um soldado à minha esquerda, nos agarramos à barra de ferro de segurança presa na parte posterior do banco dianteiro. O perigo de capotagem ou batida em algum cruzamento parece permanente. É visível o desgaste da Veraneio, que apresenta uma grande folga no volante. Para evitar a capotagem nas curvas, o motorista é obrigado a girar a direção em movimentos verticais bruscos e rápidos, de cima para baixo e de baixo para cima, à direita ou à esquerda, dependendo da inclinação da curva.

Rodamos mais de 250 quilômetros atrás dos chamados de prioridade das outras Rotas espalhadas pela cidade e que pediam reforço via rádio. O chefe da equipe, capitão Iezo Conte Silva, quatro assassinatos de sua autoria registrados em nosso Banco de Dados, estava sentado à frente, ao lado do motorista. Adora dar ordens aos subordinados pelo rádio. Ele fala quase

254

o tempo todo, característica que justifica o apelido que ele tem entre os colegas: é o psicólogo da Rota. Iezo é um dos oficiais que dão diariamente instruções teóricas aos soldados, com o objetivo de prepará-los para entrar no clima de guerra contra os criminosos já antes de sair do quartel para as missões de patrulhamento.

Nas ruas, a função do capitão é coordenar o trabalho de outras quatro viaturas, compostas também de um oficial, um cabo e dois soldados. Nesta noite há outras quatro Rotas-Comando espalhadas pela cidade. São 25 Veraneios em patrulhas simultâneas a caçar suspeitos por toda a parte. Observamos que quando não há nenhum chamado urgente pelo rádio, ou seja, nenhuma Veraneio envolvida em perseguição, a caçada muda completamente de estilo. Torna-se discretíssima.

A velocidade se reduz para 30, 20 por hora, todas as luzes se apagam. A equipe inteira, com olhar atento à rua, passa a controlar qualquer movimento suspeito na escuridão. O capitão desconfia de um Opala vermelho que segue à nossa frente e manda o soldado-motorista chegar mais perto sem alarde. Depois de alguns segundos ordena ao soldado que ameace a ultrapassagem. Agora a dianteira da Veraneio já está ao lado da traseira do Opala, afastada pouco mais de 1 metro. O Opala é seminovo. São três rapazes. Só o que está no banco traseiro parece perceber a observação dos policiais ao lado do carro deles. O capitão Iezo, que tem muitas gírias no seu vocabulário, tem outra interpretação:

— Esse do volante é *truta*. Olha só: pescoção duro, olhando só para a frente. Está fingindo que não nos viu ainda. É *malaco*, vamos abordar!

Foi uma abordagem clássica da Rota. De repente os PMs lançaram a luz do holofote contra o rosto do motorista suspeito, aceleraram a Veraneio, piscaram os faróis, as armas apontadas janela afora. O Opala logo para no acostamento. A Veraneio estaciona atrás na mesma posição de antes, ou seja, a dianteira próxima à traseira do outro carro. É uma medida de segurança. Na hipótese de haver uma reação dos suspeitos, eles terão que se virar quase de costas para atirar nos policiais. As portas da Veraneio se abrem e os PMs se protegem atrás delas. Dali gritam para os rapazes saírem do carro com as mãos sobre a cabeça. Todos obedecem. Só então os PMs se aproximam. Fazem uma revista geral nos rapazes e no carro e logo descobrem:

— *São franceses* — comenta o capitão. Francês, na gíria dos PMs, significa cidadão comum.

O motorista do Opala é liberado. Era filho do dono de um supermercado que pediu emprestado o carro ao pai para passear com os amigos. Em várias abordagens como essa percebemos que os PMs obedecem a algumas regras para desconfiar de alguém, quase todas relacionadas com a aparência e o tipo de reação da pessoa no momento em que é observada pelos matadores. Isso vale tanto para quem anda a pé quanto motorizado. Nada é pior que a atitude de correr ao avistar a Veraneio cinza. Isso não significa que quem não corre está livre de um ataque de desconfiança dos PMs. Também constatamos que os homens da Rota sabem cumprir suas obrigações: tratar os civis com educação, respeitar seus direitos, cuidar da segurança sem violência, sem arbitrariedades. Desconfiamos, porém, que o estilo excessivamente cordial desta noite possa ser um jogo de cena para nos impressionar.

Conversamos bastante durante a patrulha sobre as condições de trabalho dos homens da Rota. Todos se queixam do baixo valor do salário, os soldados ganham menos de 300 dólares mensais. Os três homens da equipe do capitão Iezo foram recrutados para fazer parte do efetivo da Rota por terem se destacado em outras unidades da PM. O trabalho na Rota, de longe o mais arriscado de toda a corporação, não significa nenhuma vantagem salarial, nenhum centavo a mais no final do mês. Até mesmo o capitão, salário-base de 700 dólares mensais, tem suas queixas. Ele ganha cinco vezes menos que um policial americano com funções semelhantes. A única mordomia que eles auferem da PM é motivo de piada. É o *cheese-meganha*, sanduíche de mortadela que eles recebem no quartel no início do expediente. Ninguém come, geralmente acaba nas mãos de algum mendigo da cidade. Durante o lanche em uma padaria, eles nos explicam que só há uma vantagem em trabalhar na Rota: sentir a honra de fazer parte de uma unidade de elite, a mais prestigiada da PM. Nossa conversa é interrompida quando o soldado responsável pela guarda da viatura estacionada em frente à padaria chama o capitão para ouvir a mensagem que mais esperávamos:

— Atenção todas as viaturas, atenção todas as viaturas. Prioridade zona oeste, Freguesia do Ó. Resistência! Dois elementos Passat verde... Resistência!

Logo que ouve o chamado, o capitão nervosamente pega o fone do rádio e faz o contato com a Central de Operações para obter mais dados. Em seguida, já estamos em alta velocidade rumo à zona oeste, enquanto o capitão se comunica com as quatro equipes sob o seu comando:

— Aqui Rota-Comando 3, prioridade Freguesia do Ó, próximo à ponte da Marginal. QSL, tigrão?

Não há resposta imediata ao chamado. Várias mensagens são transmitidas uma atrás da outra, sem possibilidade de diálogo entre as equipes. Só se ouve com mais clareza a voz do operador do Copom, que tenta informar a todos cada novo local da perseguição. Estávamos no extremo da zona leste. Depois de quinze minutos, em velocidade assustadora, chegamos ao local da perseguição, que já havia culminado com um acidente de trânsito. O motorista do carro suspeito, ao sair da Marginal numa velocidade de 140 quilômetros por hora, perdeu o controle da direção, subiu em um canteiro gramado e bateu de frente contra dois postes de madeira, bases de um outdoor.

Ao chegar ao local, meia hora depois de finalizada a perseguição, encontramos cinco viaturas já estacionadas e outras duas também chegando. O motorista do Passat já tinha sido levado pelos PMs ao hospital, onde chegou morto. O amigo que viajava como carona conseguira fugir para o lado do rio Tietê. Alguns PMs que o perseguiram contam que o viram cair dentro das águas imundas do rio. Um grupo de soldados ainda está às margens do Tietê. Agachados, em posição de tiro, estão prontos para disparar se o suspeito ressuscitar de dentro das águas.

Meses depois, ao sintonizar o rádio de meu carro na Tupi quando voltava de um cinema para casa, a voz do repórter cego anunciava uma grande oportunidade para que eu acompanhasse um tiroteio da Rota.

...elemento perigosíssimo, já matou um policial militar, feriu um soldado e um investigador. A casa está cercada por mais de cem PMs e ele resiste ao fogo das armas. E atenção para a informação que está chegando neste momento em nosso estúdio: o famoso tenente Gilson Lopes acaba de ser baleado! O famoso tenente está ferido com gravidade... O tiroteio continua. Elemento perigosíssimo..

CAPÍTULO 18 | # Deputado matador

Há duas horas ele resiste à artilharia de mais de cinquenta policiais. Abrigado em uma casa simples de alvenaria, sem pintura, afastada 10 metros da calçada, tem um revólver e não se sabe quanta munição. Enfrenta delegados, investigadores, soldados, sargentos, armados de revólver, bomba, fuzil, metralhadora. Enquanto os policiais não param de atirar, ele quase não revida. Demora dez, quinze minutos para dar um tiro lá de dentro. Na primeira hora de combate revelou uma incrível pontaria. Nas seis vezes em que acionou o gatilho acertou a metade dos tiros: feriu o soldado Celso Vendramini e o investigador Roberto Sanches e matou o tenente Rage Paulo Neto, da Polícia Militar.

É grande a confusão em volta da casa. Os policiais não se entendem. São vários a gritar ordens e contraordens. Alguns gritam também palavrões para o homem, que resiste em silêncio. Só fala quando alguém o manda se render. Mesmo assim, nem sempre responde. A pequena rua de chão batido do Jardim Olinda, periferia da zona sul de São Paulo, está entupida de viaturas. São mais de vinte. A última a chegar trouxe o reforço mais esperado pelos policiais: o ídolo da Rota, tenente Gilson Lopes, que imediatamente assume o comando da ope-

259

ração. Sua primeira atitude é afastar os policiais civis da área. Em seguida, dá ordens de cessar-fogo. Manda todo mundo desengatilhar revólveres e metralhadoras. Dá as ordens aos gritos para o homem ouvir dentro da casa. A terceira hora de combate começa com uma tentativa de Gilson Lopes dominar sozinho o inimigo, em uma ação de surpresa.

O tenente manda dois soldados, que estão sobre a laje, jogar duas bombas pelo buraco do vidro da janela do quarto. Metralhadora na mão direita, lanterna na esquerda, ele avança rente ao muro do quintal às escuras, em direção à porta de entrada. Um soldado lhe dá cobertura por trás. O tenente protege o corpo junto à parede da casa e força a porta com o cano da metralhadora. Ela se abre, estava apenas encostada. O tenente ameaça entrar. É barrado por dois tiros. Aí apela para a negociação. Lança a boina preta para dentro da casa, ilumina-a com a luz da lanterna e ameaça:

— Eu sou o comandante aqui, respeite minha autoridade!

— Não é coisa nenhuma — responde o homem, antes de fazer um novo disparo.

O soldado que dá cobertura tenta enganar, com uma nova tática.

— Eu sou o juiz da comarca. Entregue-se que você terá todas as garantias.

— Vocês são da Rota. Se eu jogar a arma, vocês me matam...

O plano do tenente é invadir a casa correndo até chegar à parede da sala, ao lado da porta de acesso ao quarto, onde o homem se abriga. Dali pretende surpreender o inimigo agarrando sua mão quando esticar o braço para dar o próximo tiro. O soldado dispara uma rajada de metralhadora em direção à porta do quarto. O tenente se agacha e avança. A reação do homem é um único tiro, certeiro. Atinge em cheio o peito de Gilson Lopes, que cai com meio corpo para dentro da casa. O soldado pede socorro para salvar o colega. Mais de cem policiais que acompanham a cena do lado de fora do quintal se desesperam.

— É impossível! Ele derrubou o Gilson Lopes! Quem será esse cara, meu Deus?! — impressiona-se um policial.

Os policiais disparam as metralhadoras. O soldado que dava cobertura aproveita para puxar o tenente pelas pernas e tirá-lo da linha de fogo. Em seguida outros PMs o ajudam a socorrer. Em minutos, duas Veraneios partem em alta velocidade. Uma leva Gilson Lopes para o hospital, a outra segue para o lado oposto da cidade, em direção ao município de Guarulhos. Missão: buscar um substituto à altura do ídolo ferido. São 2 horas da madrugada. Não é a primeira vez que o capitão Roberval Conte Lopes é acordado no meio da noite para enfrentar um desafio. Logo na chegada, já se percebe que ele se envolve nessas tarefas com entusiasmo, um entusiasmo exagerado que contamina os colegas:

— Comigo é pra rachar! Onde se esconde esse filho da puta?

Tiros, rajadas, bombas e mais bombas são lançados para dentro da casa. A pequena cozinha, a sala e o quarto estão tomados por uma fumaça espessa, que irrita as narinas, a garganta. Provoca dor nos olhos. As lágrimas não param de escorrer pelo rosto de Oseas Antônio dos Santos, que está sentado no chão do quarto, ao lado da porta, com as costas apoiadas na parede de alvenaria. Tenta se controlar, resistir à terrível pressão do gás e dos tiros. Há uma força solidária ao seu lado. A mulher Amélia Gomes de Oliveira, grávida de 30 dias, está deitada sob a cama agarrada aos pés do marido.

CACO BARCELLOS

Sob a cama, Amélia não está sozinha. Dulcilene, 6 anos, Denise, 3, Oseas Júnior, 2, e Edmilson, 1 ano e meio, estão agarrados ao corpo da mãe. Há duas horas a família inteira chora e treme desesperada. A todo instante o pai pede calma, silêncio, força para resistir.

— Se ouvirem nosso choro, eles invadem a casa e matam todos nós. Força, precisamos de força.

— Não dá mais pra aguentar esse gás, Oseas. As crianças vão morrer.

— Corra pro banheiro, mulher. Eu vou te dar proteção... se agacha e vai, rápido!

Restam duas balas no revólver. Os policiais podem invadir a casa a qualquer momento e Oseas é obrigado a economizar munição. É preciso fazer mais um disparo, frágil cobertura à família que começa a ensaiar um movimento para sair do quarto. Os PMs reagem com dezenas de disparos, muita gritaria. Amélia e as crianças conseguem o seu objetivo. Ela abre o chuveiro, a água ameniza o efeito do gás. Mas agora o marido está longe e isso a preocupa.

— Vem pra cá, Oseas. Vem!

— Falta munição, mulher, não dá mais.

A mulher se arrasta 2 metros pelo assoalho da sala. Abre a porta do armário de fórmica. Tateia o fundo à procura de alguma coisa no meio das louças e objetos pessoais da família. Encontra uma pequena caixa de papelão e a joga para perto de Oseas. Ele pega imediatamente. A caixa está cheia de projéteis calibre 38. Enquanto a mãe se arrasta de volta ao banheiro, um dos filhos corre para o colo do pai: é Oseas Júnior, o Reloginho.

Todos os dias às 5h30 da manhã em ponto, o loirinho magro, cabelos lisos, escorridos, sai da cama que divide com o irmão menor, Edmilson, e vai acordar o pai com carinhos no rosto.

262

— Papai, papai... acorda! Você tem que trabalhar!

— Você não falha, filho. É o meu reloginho mesmo! — costuma falar Oseas ao filho que o desperta.

No começo deste dia de março de 82 não foi diferente. Acordado por Reloginho, Oseas colocou o filho sentado numa cadeirinha dentro do banheiro enquanto tomou o banho. Em seguida, os dois tomaram juntos o café preparado pela mãe. Às 6 horas da manhã, o operário já estava saindo de casa. Caminhou durante quinze minutos até o ponto do ônibus especial que o levou para a indústria de São Bernardo do Campo. Oseas é metalúrgico da Massey Ferguson, do setor de carcaça de tratores. Os colegas, quando se referem a sua postura profissional, costumam afirmar que seu nome é trabalho.

Ele sempre procura fazer horas extras para melhorar o orçamento. No sábado, costuma dobrar a jornada de trabalho. No domingo, se não vai ao Morumbi assistir a algum jogo de futebol do São Paulo, usa as horas de folga para carregar pedra, cimento, bater prego em madeira, pintar, reformar ou consertar algo na sua casa ou na de algum vizinho. Oseas já participou de três mutirões de construção com os amigos da vizinhança. A extrema dedicação ao trabalho tornou-o candidato natural à vaga de supervisor de uma linha de produção da Massey Ferguson. Ele passou o dia preocupado com a proposta que recebeu para assumir um cargo que não cobiça por não gostar da obrigação de fiscalizar colegas. A única coisa que o fascina na proposta é o aumento de 20 por cento sobre o salário de 400 dólares.

Lamentando a perda, ao final do expediente, no começo da noite, avisou à gerência que se sentia honrado pelo convite, mas não poderia aceitá-lo.

Ao voltar para casa, estava especialmente feliz. Apesar da chuva fina, os filhos correram para o quintal logo que ouviram o barulho no portão. O pai abraçou os quatro de uma só vez, em seguida carregou-os para dentro de casa, dois em cada braço. Depois do jantar, sentado na poltrona da sala com o filho Reloginho no colo, Oseas assistia ao programa de TV *Show sem Limite* quando ouviu gritarem seu nome na rua. Levantou-se do sofá, baixou o volume da TV, apagou a luz da sala, pediu silêncio às crianças e ficou atento ao barulho da rua. De novo ouviu batidas de palmas e a voz de alguém a chamá-lo:

— Queremos conversar com você, Oseas!

— Aqui não mora nenhum Oseas. Meu nome é Joaquim — respondeu desconfiado, já espiando pela vigia da janela. Viu três homens junto ao portão. Tinha motivos sérios para desconfiar. No começo desta semana dois homens armados haviam invadido sua casa, dominado a mulher e os quatro filhos, roubado o dinheiro de dois anos de economia, o rádio-relógio e uma de suas armas, um revólver 38. Depois que os assaltantes foram embora, Amélia pediu socorro a um carro da PM, que negou a ajuda.

— Nós somos da Rota, não somos ambulância de vítima de assalto. A senhora deve se queixar na delegacia... — explicou o policial.

No dia do assalto Oseas tinha trabalhado seis horas extras. Chegou em casa às 10 horas da noite. Embora já fosse tarde, resolveu tomar providências no mesmo dia. Ao ouvir o relato da mulher, logo desconfiou de um rapaz, Jesus Marques Vieira, conhecido assaltante do bairro. Dias antes Jesus lhe fizera uma proposta, uma tentativa de trocar um relógio de luxo roubado pela sua arma. Oseas não aceitara. A lembrança do fato despertou sua suspeita. Amélia contou que os homens entraram em sua casa falando que estavam à procura do revólver do marido, já tinham certeza de que havia uma arma na casa.

A desconfiança levou-o aquela noite mesmo a procurar o rapaz que considerava suspeito. Pediu a ajuda de um amigo, Geraldo, que estava começando a ganhar fama de justiceiro por combater criminosos na região. Depois de algumas horas de caminhada, encontraram Jesus em uma esquina do Jardim Olinda. Geraldo estava armado com um *muchaco*, dois pedaços de pau ligados por uma corrente. Oseas não se conteve. Puxou a faca da cintura antes de conversar com Jesus. O rapaz percebeu que seria atacado e fugiu correndo. Oseas e o amigo o perseguiram até o momento em que o fugitivo entrou no quintal de sua casa, esbaforido, pedindo abrigo à família. O pai do rapaz apareceu no quintal disposto a defender o filho. O justiceiro Geraldo estava no portão, Oseas se escondia agachado atrás da cerca de madeira.

— O que você quer com meu filho? — perguntou Quirino Marques, 57 anos, pai de Jesus.

Antes de Geraldo responder qualquer coisa, Oseas avisou:

— O velho, não. É gente boa. Eu quero é o filho.

O irmão de Jesus, Marcolino, também apareceu no quintal e aproximou-se com o pai para conversar com o justiceiro. Oseas percebeu o movimento, levantou-se para explicar o motivo da perseguição. Exigiu sua arma de volta. O pai entrou na casa, consultou o filho Jesus e voltou sem uma solução. Afirmou que o filho negara a participação no assalto. Oseas não escondeu a irritação. Ao partir fez uma ameaça:

— Qualquer hora eu vou pegar esse moleque de jeito. Se ele aparecer morto, não estranhe!

No dia seguinte, Jesus foi assassinado junto com uma jovem do bairro, Sílvia Ventili. Os policiais que localizaram o corpo contaram dezenas de facadas, características de um crime de vingança. Os parentes foram à delegacia apontar Oseas como suspeito natural. O investigador Roberto Sanches se dispôs a sair às ruas para tentar esclarecer o crime de imediato. Depois de examinar os corpos dos dois jovens pediu a ajuda do pai e do irmão de Jesus para investigar o crime pelo caminho mais direto. Às 11 horas da noite, sem a garantia de nenhum mandado judicial, os três chegaram na casa do suspeito número um.

— É a polícia, Oseas. Precisamos falar com você!

— Polícia coisa nenhuma! — comentou Oseas com a mulher ao seu lado, também tentando espiar o movimento na rua através do vitrô da janela.

Amélia pensou que fossem os assaltantes de volta, em represália à queixa do assalto registrada na delegacia. O marido também estava desconfiado, já com o revólver na mão.

— Vem aqui fora, Oseas. É da polícia, precisamos conversar com você! — gritou o investigador.

— Primeiro me mostre a carteira da polícia, traga na mão até aqui.

— Saia pra rua que a gente te mostra. Vamos logo, é uma ordem policial.

— É da polícia, é? Eu não fiz nada pra ninguém — respondeu Oseas ao mesmo tempo que disparou um tiro certeiro.

O investigador sentiu uma ardência no peito e, ainda sem dor, se afastou para o lado em busca de proteção no muro vizinho. De repente as pernas já não suportavam o peso do corpo e ele caiu. O irmão de Jesus se deu conta de que o homem estava ferido. Junto com o pai, ajudou-o a entrar pela porta traseira da viatura, enquanto o motorista da polícia já pedia socorro urgente pelo rádio. Enquanto o carro partia em direção ao hospital, outras viaturas já se movimentavam em alta velocidade para atender ao chamado prioritário de resistência a prisão. Por alguns minutos, Oseas pensou ter afastado o perigo de casa.

— Dei uma lição naqueles safados — comentou com Amélia, ainda sem ter percebido que havia ferido um policial. Em menos de cinco minutos, porém, as atenções da família voltavam à rua. As lâmpadas ainda estavam todas apagadas quando Oseas ouviu o som de portas de carro se fechando. Pelo vitrô percebeu que alguns homens se movimentavam em frente de casa, outros corriam pelo quintal do vizinho. Mandou a mulher acordar as duas crianças que ainda dormiam e protegê-las, enquanto procurava nervosamente a caixa de munição no guarda-roupa. Ao ouvir os primeiros disparos, correu de volta à parede, ao lado da porta da sala.

— Entregue-se. Saia já com as mãos sobre a cabeça! — gritou um policial.

— Não me entrego coisa nenhuma, não sou bandido!

— Você está cercado!

— Vão embora que amanhã eu me entrego na delegacia. Isso não são horas de bater em casa de trabalhador.

— Você é bandido. Saia senão você vai morrer.

— Se é pra morrer, quero ser morto dentro de casa. Mas vou levar um de vocês comigo.

Os reforços da polícia não paravam de chegar. Uma hora depois do começo do tiroteio, vinte viaturas e mais de cem policiais civis e militares estavam em volta da casa de Oseas. A situação começou a ficar mais crítica quando o operário acertou um tiro na perna do soldado Celso Vendramini, que estava sobre a laje da casa vizinha lançando bombas de gás lacrimogêneo. Os policiais pararam de tentar convencer Oseas a se render e intensificaram a fuzilaria. Dentro da casa, Oseas entrava em desespero, já convencido de que jamais escaparia com vida. Sua única esperança era o amanhecer.

— Se eu resistir até de manhã, vou pedir a proteção da Justiça. Me ajude, mulher, me ajude.

Os gritos das crianças dentro da casa acabaram vazando para a rua, fato que ajudou a impedir uma ação mais violenta dos policiais dispostos a invadir a casa. Oseas economizava munição, só atirava quando algum policial se aproximava demais da entrada. Por mais que tentasse sobreviver pela força, a cada disparo reduziam-se suas chances. Ao acertar um tiro fatal no tenente Rage, que tentava invadir a casa pela janela do quarto, o próprio Oseas teve consciência de que acabara ali qualquer possibilidade de sair vivo do tiroteio.

A reação dos policiais à morte do tenente Rage levou o operário à loucura dentro de casa. Balas de grosso calibre varavam a porta de madeira, perfuravam os armários de fórmica, tiravam lascas da parede interna da sala. Oseas tinha pouquíssimo espaço livre dos projéteis para se manter de pé. A mulher e os quatro filhos, porém, estavam relativamente bem protegidos embaixo da cama do quarto. As balas que cruzavam a janela passavam por cima da cama. A parede de alvenaria impedia a entrada dos tiros direcionados para baixo da janela. A partir da terceira hora de combate, a mudança de tática imposta pelo chefe da operação, tenente Gilson Lopes, representou uma trégua passageira. A tentativa de negociar uma rendição foi interpretada pelo operário como uma artimanha que visava matá-lo de surpresa e desarmado. Pouco respondeu às propostas dos negociadores. O tiro no peito de Gilson Lopes pôs fim ao diálogo.

A chegada do novo chefe da operação, capitão Roberval Conte Lopes, ganhador de duas promoções do comando por agir com extrema violência em situações como esta, representou a volta da tática da fuzilaria sem trégua. Eu também acabara de chegar ao local do tiroteio e me juntei ao grupo de repórteres que se abrigava junto ao muro da casa vizinha. Era a primeira vez que acompanhava de perto um tiroteio envolvendo PMs de São Paulo. De imediato constatei que a ação policial era legítima. O operário era suspeito de ter matado duas pessoas, tinha reagido a tiros à voz de prisão e ainda havia matado um policial e ferido outros dois. Nos primeiros momentos ali, me impressionou o exagero da operação, por envolver mais de cem policiais contra um único homem. Fiquei mais impressionado ao descobrir que tudo tivera origem no erro do investigador, que sem ordem judicial fora procurar o operário em sua casa já quase à meia-noite. Também me chamou a atenção a capacidade de resistência de Oseas, explicável em parte pelas características da sua moradia. A casa simples de apenas três cômodos de alvenaria ajudava-o a proteger a família. Era um pequeno *bunker*. A parte superior se constituía apenas de uma laje de concreto. Não havia nenhuma abertura pelos fundos, exceto o minúsculo basculante do banheiro. As janelas do quarto e da cozinha, fechadas com grades, e a porta da sala estavam na parte da frente da casa, construída no limite dos fundos do terreno. Por isso Oseas tinha boa visão dos únicos pontos vulneráveis e podia enfrentar por tanto tempo um exército superarmado de uma centena de policiais.

No final da terceira hora de combate, a família está dividida. A mulher e os três filhos estão dentro do banheiro com o chuveiro aberto, o que auxilia a abafar o efeito do gás lacrimogêneo. Amélia chama por Oseas, que está com Reloginho no colo, sentado no chão do quarto. Sufocados pelo gás, pai e filho começam a se arrastar em direção ao banheiro. Oseas coloca Reloginho à esquerda de seu corpo para protegê-lo dos tiros. O ponto crítico é a passagem pela área da sala vulnerável aos tiros que atravessam a porta de madeira. Ali as balas cruzam sem parar, do chão até uma altura de 2 metros. Ao atingir esse ponto, Oseas resolve se erguer e cruzar correndo. É atingido por um tiro na perna que o derruba, e o impulso da corrida acaba por jogá-lo para perto da porta do banheiro.

— Quebraram minha perna, mulher, me acertaram...

Amélia ajuda-o a se arrastar para dentro do banheiro. Os gritos de dor e a visão do sangue do ferimento levam os seis a entrar em pânico. Mas Oseas ainda pede calma. Ajuda a mulher a colocar os filhos com a cabeça junto ao sanitário, em uma tentativa de proteção. Depois pega a arma que caíra no chão, posiciona-se novamente para o combate e dá mais um tiro depois de gritar aos policiais:

— Isso é pra vocês não invadirem casa de trabalhador!

Entre tantos disparos só a família deve ter ouvido o protesto de Oseas. Ele continuava atento ao movimento da porta da sala, por onde a qualquer momento poderia se dar uma invasão. Não chegou a perceber que naquele instante o perigo vinha por trás, por cima de sua cabeça. O basculante estava aberto. Oseas nem percebeu os olhos do inimigo que espiava a cena que se passava no interior do banheiro. O capitão Conte Lopes primeiro apontou o cano do revólver no vão entre os vidros. Aguardou alguns segundos para a cabeça da mulher sair da linha de tiro e disparou. Oseas caiu para trás. Amélia agarrou o rosto dele, os olhos se abriram e se fecharam desfalecidos.

— Mataram papai — disse às crianças. Em seguida avisou a polícia aos gritos.

A notícia chegou à rua sem causar muita euforia entre os policiais, ainda revoltadíssimos com o número de baixas dos colegas. Amélia apareceu na porta com um filho no colo e os outros agarrados a suas pernas. Alguns PMs que invadiram a casa logo saíram arrastando o corpo de Oseas e o jogaram no chão de concreto do quintal, um fato para mim surpreendente. Nesta época, eu já tinha examinado dezenas de casos em que a vítima depois de baleada era imediatamente socorrida em um hospital, mesmo com vários ferimentos fatais espalhados pelo corpo. Se a intenção dos matadores fosse realmente prestar socorro aos feridos — e não somente desfigurar a cena do local do crime —, no caso de Oseas havia razões mais lógicas para levá-lo a algum pronto-socorro, já que fora baleado na cabeça. Só havia uma explicação para a quebra da velha regra: a existência de muitas testemunhas imparciais a provar que o tiroteio existiu de fato e a inutilidade de se encenar uma menção de socorro a uma pessoa já comprovadamente morta.

Mais tarde, na delegacia, Amélia chorava enquanto era ofendida pelos policiais. Alguns PMs pressionavam as crianças para dizer que o pai era bandido. A mãe ouvia as ofensas calada. Só respondeu às provocações do matador do marido, que não escondia sua ira e arrogância.

— Agora não adianta chorar. Está morto, acabou. Olha bem pra mim: fui eu que o matei — afirmou o capitão Conte Lopes, orgulhoso de sua ação.

— Deus viu tudo. Tenho certeza que um dia ele vai te dar o troco. Você vai pagar caro — reagiu Amélia com energia, já limpando as lágrimas do rosto.

CACO BARCELLOS

Horas depois, os programas policiais de rádio passaram parte da manhã falando da história impressionante de Oseas, um dos raros casos de tiroteio em que não somente os civis foram vítimas da violência. Esses programas apresentaram Oseas, que tinha ficha limpa na polícia, como bandido perigoso, e Amélia, como comparsa da quadrilha e prostituta, que teria tido os quatro filhos com pais diferentes. O matador ganhou os elogios como se fosse o herói da madrugada, o justiceiro.

No final da mesma semana, Amélia foi informada pelos policiais civis sobre a descoberta de um fato revelador que poderia ter evitado toda a tragédia: Oseas não era o autor do duplo homicídio que desencadeara a suspeita contra ele. Os responsáveis pelo crime eram outros dois homens: Luiz Antônio dos Santos e José Rivadável. Ficou provado que um deles, Luiz, havia emprestado um punhal para a vítima, Jesus Marques, que alegava precisar se proteger por medo das ameaças de Oseas. No dia seguinte, ao se negar a devolver o punhal, Jesus acabou sendo agredido por Luiz e seu amigo Rivadável, que estavam embriagados. Rivadável segurou-o pelo pescoço, enquanto Luiz matou-o com mais de *50* punhaladas. A jovem Sílvia Ventili, que passava pelo local do crime, também foi morta a facadas, pelas costas, apenas porque havia sido testemunha do assassinato. Os policiais que esclareceram o crime eram da mesma delegacia onde trabalhava o investigador Sanches, que fora tentar prender Oseas por suspeita de envolvimento no duplo homicídio.

Apenas os parentes e amigos mais próximos da família tomaram conhecimento da verdade. Mas Amélia fez questão de levar a informação aos colegas de trabalho do marido, que escreveram um artigo no *Jornal da Massey Ferguson*, em homenagem a Oseas:

> *A forma com que houve sua despedida deixou-nos um tanto tristes, constrangidos e até mesmo revoltados. Não vamos nem ao menos nos deter em julgar quem é o responsável por isto, pois caberá a uma justiça muito superior a esta que aqui temos fazê-lo. Só queremos que você, de onde estiver, saiba que continuará entre nós, que em nosso pensamento você sempre existirá e que onde sua presença física se fizer sentir permanecerá uma espera como se fosse voltar. Que em seu novo lugar encontre a paz e de lá continue protegendo, amando e orientando os passos daqueles que você amou e que o amaram, principalmente seus filhos. Breve todos estaremos juntos.*

Dos seus colegas da Massey Ferguson

Passados dez anos, a família de Oseas ainda não havia se recuperado dos traumas daquela noite. A mulher e os filhos se revoltam ao falar dos matadores da PM. Amélia parece bem mais envelhecida do que seus 40 anos. Anda doente, com problemas graves na coluna que fizeram encolher 2 centímetros uma de suas pernas. Muitas vezes pensa em voltar para o interior de Minas Gerais, de onde migrou com Oseas em 75. Faltam coragem e condições financeiras para se mudar com quatro filhos. Recebe o equivalente a 60 dólares da pensão do marido. Não gosta de trabalhar em uma fábrica de bicicletas, onde ganha 150 dólares mensais, porque se obriga a deixar os filhos mais velhos cuidando dos menores.

Reloginho é o mais revoltado com os matadores. Também o mais marcado pelo medo. Uma época cismou que tinha um bicho dentro de seu corpo. Queixava-se que ele estava no pé. A mãe tirava o sapato e não encontrava nada. Então ele falava que o bicho estava na cabeça, ou no peito, ou nos braços, ou nas pernas. Ninguém da família conseguia ver bicho nenhum. O mistério só ficou esclarecido quando Amélia levou o filho a um psicólogo e ouviu como explicação que aquela reação vinha de algum resquício de imagens daquela noite de terror. O "bicho" era a sensação ruim provocada pelas lembranças dos matadores ainda muito vivas na memória de Reloginho.

O caçula Elias é o que encara a tragédia com mais naturalidade. Suas feições são muito parecidas com as do pai: cabelos lisos, dourados, olhos verdes, pele morena. Elias ainda estava na barriga da mãe na noite do terror. Mas sabe contar em detalhes a morte do pai, como se tivesse visto e ouvido tudo. Sente orgulho da resistência solitária de Oseas, o herói que ele só conheceu pelas histórias contadas pelos irmãos e que gosta de repetir aos estranhos, com gestos teatrais:

— Aí papai apertou o gatilho: poou! Isso é pra vocês não invadirem casa de trabalhador!! Poou... poou!

Em 1992, o assassino de Oseas é deputado estadual em São Paulo, cumprindo o seu segundo mandato, para o qual foi eleito com 50 mil votos. Já famoso nacionalmente como matador de bandidos, o capitão reformado da PM Roberval Conte Lopes é quem mais alimenta e divulga a sua própria fama. Exerce também a sua mais nova profissão: a de radialista, com um programa matinal na Rádio Tupi, onde costuma defender a pena de morte contra criminosos durante o policiamento da cidade. Apesar de acumular duas atividades, o deputado-radialista ainda encontra tempo para praticar o antigo hábito de perseguir e matar pessoas que elege como suspeitas. Em abril de 92, Conte Lopes se envolveu em mais dois assassinatos contra civis, que elevaram para 42 o número de suas vítimas registradas em nosso Banco de Dados.

Na nossa lista dos dez maiores matadores da história da PM, Conte Lopes é o terceiro colocado, classificação que talvez o desagrade. O próprio capitão costuma afirmar com orgulho, em entrevistas à imprensa, que matou entre 100 e 150 criminosos. Ele costuma se deixar fotografar com seu revólver na mão, cenas que ganham destaque nas páginas policiais dos jornais e já viraram capa de várias revistas do país.

Desde a sua chegada à Rota, em 1974, sete anos depois de ter se alistado na PM, Conte Lopes persegue o sonho de ser reconhecido como o maior de todos os matadores. Por alguns anos, atuou à sombra dos dois maiores, sargento Roberto Lopes Martínez, campeão dos crimes de morte, e tenente Gilson Lopes, o vice. Alguns colegas afirmam que havia uma disputa entre eles pelo título, que representa vantagens na carreira. Com apenas três anos de experiência nas ruas, ele já havia matado no mínimo seis pessoas, crimes que o comando elogiou como um trabalho eficiente. Em 77, ele recebeu a primeira promoção por ato de bravura. Passou de primeiro para segundo-tenente, com um aumento de 30 por cento no salário.

O reconhecimento do comando também pode ser avaliado pelo número de elogios e troféus PM-zitos recebidos por Conte Lopes após suas ações mais violentas. Ele conquistou todas as homenagens possíveis dentro da corporação: detém o título máximo de *honra ao mérito de quinto grau*. Se ainda não conquistou o primeiro lugar entre os matadores, certamente é o número um quando se trata de autopromoção à custa de seus crimes. Desde o início da carreira sempre se envolveu em ações que garantissem destaque no noticiário policial. Assim como o concorrente Gilson Lopes, tinha notória preferência por atuar em casos de assalto com refém, que costumam causar comoção na cidade. Mesmo quando não estava escalado oficialmente, envolvia-se nesses episódios e fazia de tudo para se tornar o protagonista de cenas cinematográficas. Seu fascínio pela fama era tão grande que ele chegou a irritar até seus superiores que tanto o prestigiavam. Numa ocasião foi punido com prisão de dois dias no quartel por ter convocado a imprensa para acompanhar uma grande ação policial, que envolvia catorze viaturas e setenta policiais militares. A operação tinha sido organizada por ele mesmo, sem o conhecimento do comando.

Conseguimos identificar 36 das 42 vítimas de Conte Lopes registradas em nosso Banco de Dados. Constatamos que em muitos casos a morte poderia ter sido evitada, sem nenhum prejuízo à sociedade ou risco a pessoas inocentes. Nosso levantamento deixa claro que sua tática mais comum sempre foi agir de surpresa contra os suspeitos, em geral sem lhes dar qualquer possibilidade de defesa. Como frequentemente escolhe os casos especiais para agir, é comum ter a seu lado PMs com um poderio de fogo muito superior ao da vítima, esta quase sempre acuada e em grande desvantagem. Uma forte evidência da sua intenção premeditada de matar os suspeitos é o grande número de vítimas mortas com tiros na cabeça. Detivemo-nos nos exames de cadáver de quinze pessoas mortas por Conte Lopes e verificamos que treze apresentavam ferimentos na cabeça, das quais três delas haviam sido atingidas pelas costas.

Constatamos também que ele foi construindo sua fama com a ajuda de seus comandantes e dos radialistas responsáveis pelos programas policiais de grande audiência. Todos esses sempre deram crédito às versões fantasiosas de supostos tiroteios em que se envolvia. Além de incentivá-lo a matar com promoções, troféus e referências elogiosas em sua ficha disciplinar, os comandantes ainda lhe davam crédito para apurar os crimes de seus colegas matadores. Assim como fazia Gilson Lopes, o capitão Conte presidiu vários IPMs. A impunidade de seus crimes também era garantida na fase de apuração, geralmente confiada pelo comando a um colega matador. O capitão Antônio Bezerra da Silva, com oito assassinatos em nosso Banco de Dados, foi várias vezes nomeado pelo comando para presidir inquéritos que envolviam Conte Lopes. Não é exagero duvidar que Bezerra seja um profissional isento para apurar esses crimes. No quartel todos sabem que ele e Conte mais de uma vez agiram juntos matando suspeitos na cidade.

Os dois inclusive têm uma característica em comum: gostam de fazer a *campana* do suspeito antes de matá-lo. A campana, na linguagem policial, significa investigar alguém antes ou depois da prática de um crime, tarefa de responsabilidade exclusiva dos policiais civis. Os PMs devem se limitar aos trabalhos de prevenção e repressão aos crimes. Conte nunca respeitou esses limites. Examinamos alguns casos em que ele chegou a usar trajes civis e carros particulares para investigar e matar suspeitos a pedido dos moradores do bairro onde mora, no município de Guarulhos. Nunca precisou esconder essa ação irregular. Os homens do alto-comando da Polícia Militar veem com naturalidade esse tipo de prática. Alguns chegam a dar seu apoio efetivo. É o caso do major Ubiratan Guimarães, que na época do caso Oseas era subcomandante do 1º Batalhão, sede da Rota.

Nosso Banco de Dados registra que o major Ubiratan se envolveu numa investigação típica de policiais civis em companhia dos capitães Conte Lopes e Antônio Bezerra da Silva, em novembro de 82. Neste caso as semelhanças com os métodos de ação da Polícia Civil acabaram na fase da campana. Localizados os suspeitos, a investigação dos PMs culminou na morte de quatro pessoas. Todas foram levadas para o hospital, onde os corpos chegaram com ferimentos típicos de execução. Adelino Gomes da Silva, de 37 anos, tinha uma marca de tiro na testa e três no corpo; Adelino Ferreira Lima, de 20, uma na testa e cinco no corpo; Sebastião Francisco Alves, de 45, duas na testa, uma no pescoço e uma no corpo; José Aparecido, de 41, estava ferido na cabeça, no queixo e no peito.

Dez anos depois, em 92, quando os PMs superaram seus próprios recordes de mortes contra civis, o major Ubiratan Guimarães e os dois capitães continuavam atuantes e bem mais poderosos. O major Ubiratan ocupava um dos cargos mais importantes da Polícia Militar, era o Comandante do Policiamento da Capital. Embora na condição de capitão reformado da PM, o deputado Conte Lopes continuava a circular no quartel da Rota para ensinar os soldados novatos a agirem como ele. Em abril de 92, novamente em dupla com o capitão Antônio Bezerra, chegou a participar, com um carro da Assembleia Legislativa, de uma operação policial irregular no interior do estado que resultou na morte do civil Marco Antônio da Silva.

A operação envolveu 35 soldados em sete viaturas, além do carro do deputado. Atrás do suspeito, eles invadiram um sítio da cidade de Mairinque, sem o procedimento obrigatório de avisar com antecedência as autoridades da Polícia Civil. Usaram 7 metralhadoras, 14 carabinas e 35 revólveres para entrar na casa de Marco Antônio, acusado de traficar drogas. Apesar da diferença de poder de fogo, segundo a versão de Conte Lopes e de seus colegas, Marco Antônio foi morto por tê-los enfrentado a tiros, o que se configuraria como um impressionante ato de coragem. A mulher de Marco Antônio denunciou que o marido foi executado a tiros enquanto dormia. Durante o seu mandato de deputado, esta não foi a única vez que Conte Lopes se envolveu em supostos tiroteios, como nos tempos em que era um policial na ativa.

Em fevereiro de 1987, ao ser informado de que um bebê de 65 dias era refém de dois homens já cercados pela polícia, Conte Lopes não perdeu a chance de ficar um pouco mais famoso. Em poucos minutos chegou ao local da fracassada tentativa de sequestro, a casa da família do bebê, Tábata Eroles, em Moji das Cruzes, a 40 quilômetros de São Paulo. A operação era exagerada, bem ao seu gosto: mais de quatrocentos policiais civis e militares sob o comando do major Walter Crescibene, que tinha dificuldades em controlar a situação. A tática de Crescibene era forçar pelo cansaço a rendição dos dois homens, que estavam armados com um revólver e um canivete. Na rua havia uma grande confusão: dezenas de civis armados aguardavam revoltados uma possível saída dos homens da casa. Em trajes civis, Conte Lopes se misturou à multidão para aguardar a hora exata de agir.

A oportunidade surgiu quando o major Crescibene precisou se comunicar com o secretário de Segurança pelo telefone do vizinho. Conte Lopes aproveitou para entrar na casa, já ocupada por vários PMs. Os homens haviam se refugiado com o bebê dentro de um quarto. Na hora em que o matador começou a agir, as pessoas que estavam na rua ouviram alguns disparos. Em seguida um soldado apareceu na porta com a criança no colo e foi aplaudido pela multidão.

— O mérito é do capitão — gritou o soldado, referindo-se à proeza de Conte Lopes, que acabara de matar os dois homens.

Ao voltar à casa, o major Crescibene exigiu explicações do capitão Conte Lopes, que alegou ter usado o que chama de bom senso para salvar a criança.

— Os dois resolveram fugir atirando contra a polícia. Fui obrigado a disparar a arma contra o pescoço de um e o nariz do outro.

Mais tarde, o capitão Roberto Vieira Tosta, que participou da operação, contou uma história diferente. Ele disse que os dois homens, identificados como nisseis estudantes de engenharia, não chegaram a disparar o revólver. A iniciativa do ataque partiu de Conte Lopes. De repente ele sacou a arma que levava em uma bolsa a tiracolo e atirou a curta distância contra o homem que usava uma máscara no rosto. Atingido na cabeça, o homem caiu para trás. Ao mesmo tempo, o capitão Tosta atirou contra o outro homem que tinha o bebê no colo e o atingiu no rosto. Segundo o relato de Tosta, o deputado voltou a disparar a arma para acabar de matar o homem que estava no chão já gravemente ferido.

Sem revelar os detalhes do suposto tiroteio, os radialistas dos programas policiais apresentaram Conte Lopes como o herói que havia salvado o bebê das mãos de dois bandidos. Os dois mortos, Eiji Ishizaki, de 26 anos, e Pascoal Ioshi, de 23, nunca haviam praticado crimes antes. Ao investigar os antecedentes das vítimas de Conte Lopes que consegui identificar, eu também acreditava que o deputado fazia por merecer a triste fama de matador de criminosos. Ao final da pesquisa descobri que estava enganado. Pedi informações à Justiça Civil sobre o passado criminal de 25 pessoas mortas por Conte que consegui identificar, descobrir a data de nascimento e a filiação completa. Embora ele costume afirmar que só mata homens perigosos, que estupram e matam para roubar, constatamos que a verdade é bem outra. O resultado da pesquisa mostra que das 25 vítimas 12 já tinham estado envolvidas em algum tipo de crime, a maioria furto e roubo. Dessas, apenas duas se enquadravam no perfil de criminosos que Conte afirma perseguir: assaltantes que já haviam matado uma pessoa. Todas as outras 13 nunca haviam praticado nenhum crime e possuíam ficha limpa na Justiça. Depois de me certificar também nos computadores da polícia, cheguei ao mesmo resultado, um resultado que surpreendeu a mim mesmo. Minha investigação revela que muita gente se engana ao alimentar a sua fama de matador de bandidos.

Em nosso Banco de Dados, pelo menos, o deputado Conte Lopes não passa de um matador de inocentes.

CAPÍTULO 19 | **"Mataram um amigo seu"**

Mal consigo ver as luzes de São Paulo cobertas em quase todo o horizonte pelas nuvens negras do temporal. As linhas de fogo dos raios estão à nossa esquerda. A escuridão não é completa, à direita ainda há o final de luminosidade do pôr do sol. Os trovões assustam. Mas o ruído do giro da hélice é muito mais forte. O piloto acelera para vencer o vento de 70 quilômetros por hora. A ventania empurra o helicóptero para baixo e às vezes o desloca na horizontal. Tenho medo de avião. Mas estou tranquilo. Podemos escapar em menos de cinco minutos. O piloto explica, em detalhes, cada operação de fuga da tempestade. Parece seguro. Estamos a 3 mil metros de altitude tentando um contato com a torre do aeroporto do Campo de Marte, zona norte de São Paulo.

— Alô, torre Marte, aqui Papa Tango Juliete Juliete.

Estou retornando de uma viagem especialmente agitada, do ponto de vista operacional. Nossa equipe saiu da redação às 7 horas da manhã com a missão de reportar o acidente de um navio-petroleiro, no litoral norte do Estado, a 200 quilômetros da capital.

Perdemos muito tempo nas filmagens. Tentamos primeiro de barco. A mancha de óleo estava em alto-mar. Em dia de maré brava, perderíamos muito tempo. Tinha que ser de avião. Mas nos aeroclubes próximos ao local do acidente só encontramos teco-tecos de asa baixa. Andamos 100 quilômetros de carro para alugar um monomotor, de asa alta, que não atrapalha a visão da câmera. Quando finalmente conseguimos a filmagem no mar, eram mais de 5 horas da tarde. Voltar para São Paulo de carro significaria a perda do trabalho para a edição do dia do *Jornal Nacional.* Mas havia uma esperança. Estava prevista a chegada de um helicóptero em São Sebastião, a 70 quilômetros de onde estávamos. Fomos de carro até lá. Quando chegamos, o helicóptero já tinha pousado e decolado em direção ao mar, levando um técnico da Petrobras encarregado de avaliar a dimensão do mesmo acidente do petroleiro. Voltaram uma hora depois, com uma boa notícia para nós. O técnico iria pernoitar no litoral, mas o helicóptero voltaria a São Paulo. O piloto concordou em nos dar uma carona. Eram mais de 6 horas da tarde.

O repórter cinematográfico Hugo Sá Peixoto ficou em São Sebastião para agilizar o contato com a redação. Pediria um motoqueiro para me buscar no aeroporto do Campo de Marte. Mas o temporal pode ter estragado nosso plano. O chefe de reportagem, por medida de segurança, suspende o trabalho dos motoqueiros em dias de chuva.

Às 7 horas da noite, aproximando-nos do Campo de Marte, eu ainda tenho esperança de salvar a reportagem. O piloto tenta novo contato com a torre. Aproveito para pedir um favor.

— Torre Marte, torre Marte. Aqui Papa Tango Juliete Juliete. Câmbio.

— Torre Marte na escuta. Prossiga, Juliete Juliete.

— Procede litoral norte. Mantendo 1.500 pés. Na vertical do pedágio... precisamos de um favor torre... câmbio.

ROTA 66

— Mantenha vertical do pedágio. Vento 15 nós. Prossiga, Juliete Juliete.

— Passageiro repórter do *Jornal Nacional* pede avisar redação mudança plano de pouso. Aproximação de Marte impossível. Vou passar o telefone redação, entendido, torre?

— Qual a nova rota, Juliete Juliete? Motoqueiro da TV Globo já está aqui à espera.

— Vamos tentar o pouso no heliporto da Raposo Tavares. Altura quilômetro 15, perto do Motel Bariloche.

— Ele está partindo pra lá, o motoqueiro está partindo...

— É ele. Só pode ser o Toninho Motoqueiro — digo ao piloto. — Faça chuva, faça sol, Toninho sempre sai às ruas, por iniciativa própria, em busca das fitas de reportagem.

Mas o piloto não dá importância ao comentário. Calo a boca. Ele trata agora de desviar à direita, uma grande curva em direção aos céus da cidade de Campinas, desvio de 100 quilômetros até chegar à rota Itapevi, região oeste, sobre a rodovia Raposo Tavares.

O piloto voa em círculos sobre o heliporto para anunciar a intenção de descer. Alguns homens se movimentam para iluminar melhor a pista. Ninguém esperando. Nada de Toninho. Com a hélice ainda girando, corro agachado ao escritório para ligar à redação.

— Boa-noite, TV Globo, um momento, por favor...

— Alô, telefonista, aqui é o...

Depois de alguns segundos, a telefonista atende:

— TV Globo às suas ordens.

— Aqui é o Caco Barcellos, amiga. Me passe, por favor, à redação, urgente.

— Fala, Caco, onde você está? Já são mais de 7 horas...

— Dancei. Conseguimos a imagem, mas perdi o motoqueiro. Temo que não... não... Ele acaba de me achar aqui... Vamos voar para aí.

Corro à garupa do Toninho.

— Vamos embora!

— Você é louco, Toninho, como conseguiu nos achar?

— Olhando pra cima, ora!

— Olhando pra cima? E essa chuva toda?

— Deixa quieto. Vamos nessa!

— Você é louco! Sorte pra nós...

A caminho da redação, o trânsito está completamente parado. Fomos pelo estreito corredor entre os carros. Subimos assim os 7 quilômetros da Rebouças até o túnel do Pacaembu. Contornamos o estádio, entramos na avenida Pacaembu e em dez minutos chegamos à praça Marechal Deodoro, sede da TV Globo de São Paulo.

Subo as escadas de dois em dois degraus — como faço mesmo quando não tenho pressa. Entro esbaforido na redação. O horário ideal de chegada do repórter, para uma boa margem de tempo de edição, é 5h30 da tarde. Dificilmente consigo ser pontual. Hoje exagerei. São 7h20. Estamos a dez minutos do prazo de geração das reportagens à central de jornalismo, no Rio de Janeiro. O editor vem correndo ao meu encontro e pega a fita.

— Você quer me matar? A esta hora, só um milagre...

— Vamos correr que dá tempo, tem que dar. O off é curto. Uma passagem só...

Já estamos dentro da ilha de edição, um cubículo com paredes de fibra de vidro onde há uma mesa vertical com dois monitores, dois gravadores, um painel de comando eletrônico cheio de botões coloridos. Um lugar gelado, no máximo para duas pessoas. Há uma porta com visor de vidro, sempre fechada para manter a temperatura abaixo de 15 graus centígrados. Somos três ali dentro: eu e os editores de texto e de imagem. Nossa conversa é nervosa, corrida, ritmo de uma edição a jato.

— Onde estão as imagens, no fim ou no começo da fita?

— No ponto. No ponto... Grande! O Hugo conseguiu. Aí estão as manchas de óleo... Que acidente, hein?

Durante a edição sou chamado ao telefone. Impossível atender. Estou ocupadíssimo. O office-boy da redação diz que a pessoa está insistindo, é urgente.

— Então, por favor, anote o telefone dele, ligarei em cinco minutos.

Em seguida o boy bate novamente à porta.

— O cara é um pentelho. Não desligou... Disse que vai esperar um minuto só na linha... Ele disse que depois você vai se arrepender.

Resolvo atender.

— Alô, quem fala? Seja rápido, por favor.

— É o Caco Barcellos?

— Sim.

— Mataram um amigo seu.

— Como? Quem? Quem está falando? Quem está falando?

— PS de Diadema. Necrotério. Esquece o meu nome. O corpo acabou de chegar aqui.

— Mas quem é o morto?

— É o Pixote do cinema. Vem logo, porra, você já está perdendo muito tempo.

— Como faço pra achá-lo aí?

— Eu te acho. Eu te conheço bem.

CACO BARCELLOS

Aviso a chefia de reportagem, que providencia uma equipe com urgência. Mas eu prefiro ir antes, de moto, para ganhar tempo. Toninho ainda não foi embora. Ele se entusiasma com a nova tarefa.

— Ação é comigo mesmo, vamos nessa!

Estamos novamente entre os carros congestionados, avançando pelo imenso corredor da 23 de Maio. O trânsito é lento, movimento de 10 quilômetros por hora nas cinco pistas da avenida. Às vezes para total. Aí buzinamos para evitar que, de repente, algum motorista abra a porta e obstrua o corredor. Agora o perigo é alguém mudar de pista sem ligar o pisca-pisca. Se algum carro vem para cima de nós, Toninho reduz a marcha ou acelera, muda rapidamente de corredor. Acompanho tudo com o máximo de atenção. Inclino o corpo junto, ora para a direita, ora para a esquerda, para mantermos o equilíbrio. Os joelhos de quem vai à garupa são os limites laterais da moto. Preocupado, quando a velocidade aumenta, aperto bem as pernas contra o corpo de Toninho, que vai tirando finos.

— Cuidado com os meus joelhos, tenho que jogar futebol amanhã.

Na velocidade em que estamos ele não me ouve, mas responde não sei o quê. Eu também não consigo ouvir o que ele diz. É sempre assim. No caminho não paramos de falar e nenhum ouve o outro. Mas nosso diálogo absurdo ajuda a baixar a tensão do trânsito e das histórias que perseguimos.

Ao chegar ao hospital, damos uma volta rápida de reconhecimento da área. Muita gente está na porta do necrotério, normal em um lugar como esse. Na parte mais escura do estacionamento das ambulâncias, há um pequeno grupo de homens fardados, ao lado da Veraneio da Polícia Militar. Paramos no quarteirão seguinte.

Tiro rapidamente o paletó e a gravata, ponho a camisa social branca para o lado de fora da calça, troco meus sapatos pelos tênis brancos do Toninho. Vou a pé para o hospital. Já ao cruzar com uma senhora que desce a rampa de acesso do necrotério, meu disfarce de enfermeiro se revela um fracasso.

— Ei, moço, o senhor não é o repórter Rodolfo Gamberini, da Globo?

Finjo que não é comigo, sigo em frente e vou direto à fila do telefone público. Logo alguém bate no meu ombro. Era um barbudo, cabelos encaracolados. Usava a imagem do líder comunista, Lênin, numa pequena medalha presa ao avental branco.

— Você demorou pra caralho!

— Você é médico?

— Me segue, não fale com ninguém.

Com o médico ou enfermeiro à frente, passamos sem problemas pelos seguranças da entrada. Seguimos pelo corredor, cheio de gente machucada, esperando atendimento, e entramos em uma sala à esquerda, que parece vazia. Fechada a porta a chave, entramos em outra sala interligada, onde há alguns armários de enfermaria e uma maca coberta com um lençol. Ele descobre o corpo de um homem que usa tênis verdes de cano alto, calça jeans, camiseta branca justa, ensanguentada. Me aproximo. É um jovem branco, magro, cabelos crespos, bigode e barba rala. Duas tatuagens nos braços, um cruzeiro e um coração atravessado por uma flecha com a letra F. Não tenho dúvida: é Fernando Ramos da Silva, o Pixote.

CAPÍTULO 20 | Pixote, como no cinema

Enquanto me recupero do susto no necrotério do Pronto-Socorro Municipal de Diadema, percebo que o homem do avental branco também está emocionado. Ele tem as mãos trêmulas ao cobrir novamente o corpo de Pixote.

— Ponha na sua cabeça que você nunca entrou nesta sala.

— Não se preocupe. Não te conheço, não sei o seu nome, nem quero saber.

— Você sabe o que pode acontecer comigo?

— Demitido no ato!

— Isso não é nada. Eles vão é me fuzilar...

— Eles quem?

— Estão aí fora!

— Os que mataram o Pixote?

— Cuidado com o que você vai falar lá fora.

— Quem são eles?

— Os de sempre.

— Matadores?

— Fardados. PMs.

— Eles explicaram como aconteceu?

— A história de sempre.

— Tiroteio?

CACO BARCELLOS

— Pixote atirou primeiro e no revide... Venha ver o que eles fizeram com ele...

Estamos um de cada lado da maca. Ele tira o lençol da parte superior do corpo. Aponta em silêncio para os furos na camiseta branca de algodão, que tem listras marrons nas mangas e na gola. Em seguida levanta cuidadosamente a camiseta até a altura do pescoço para mostrar a marca dos tiros. Conto duas perfurações no braço direito, cinco no peito, das quais três sobre o coração. Orifícios pequenos bem definidos, típicos ferimentos de entrada de projétil.

— Que pontaria, hein?

— Fuzilamento! E à queima-roupa, você quer ver?

O homem do avental branco mostra o esfumaçamento da camiseta em volta das marcas dos tiros no coração. O esfumaçado indica presença de pólvora e só é notado na hipótese de tiro a curta distância. Fumaça, chama, pólvora produzidas na hora do disparo não vão muito além da boca do cano da arma. Quando a marca na roupa é escura, como na camiseta de Pixote, maior a possibilidade de se provar que o tiro foi disparado com a arma bem próxima ou tocando no corpo da vítima.

Estamos os dois apressados. Eu tenho que gravar um boletim com as primeiras informações do necrotério sobre a morte de Pixote, ainda para a edição desta noite do *Jornal Nacional*. Ele quer me tirar rápido da sala porque a minha presença é extremamente comprometedora. Minha equipe de reportagem já deve estar à espera lá fora. Meu objetivo agora é entrar com a câmera e gravar as imagens dos ferimentos no peito, fundamentais para lançar dúvidas sobre a versão oficial de tiroteio.

— Impossível, os guardas não vão deixar você entrar...

292

— Pior é que eu estou em cima da hora, não dá nem pra pensar num jeito... E essa janela, não dá pra rua?

— Cuidado! O que você está pretendendo?

Exatamente cinco minutos depois, eu e o cinegrafista estamos no saguão do hospital, junto à parede do necrotério, pelo lado de fora. Nossa câmera está ligada, enfocando a janela basculante no momento em que ela começa a se abrir, em um movimento lento. Com dois passos à frente e um ajuste no foco, o cinegrafista já consegue ver, através da lente, o corpo de Pixote sobre a maca. Sem desligar a máquina, ele faz um movimento horizontal e, em seguida, aciona o dispositivo da lente que provoca um efeito de aproximação da imagem, um close. A gravação acaba quando o basculante se fecha, 25 segundos depois de ter sido aberta em mais um gesto de coragem do homem do avental branco.

O *view-finder* é um dispositivo da câmera por onde o repórter cinematográfico vê a imagem que está gravando. Ele também funciona como monitor, igual ao de um aparelho de TV comum, mas a tela é minúscula. É necessário encostar o tubo de plástico no olho para ver melhor a imagem. É isso que estamos fazendo agora para checar se a imagem do corpo de Pixote foi bem gravada ou não, um procedimento de rotina que possibilita corrigir uma possível falha. A câmera está no chão e o cinegrafista agachado, com o rosto grudado no *view-finder*.

— Como está, gravou bem?

— A imagem está um pouco esverdeada porque a luz lá de dentro é inadequada. Mas mostra o corpo inteiro, dá pra ver que é o Pixote.

— E o close no peito?

— Não ficou legal, por causa do ângulo...

— Deixa eu ver também.

Gravamos com a câmera posicionada à mesma altura da maca, o que resultou em uma imagem de perfil do corpo de Pixote. O close no peito nada revela. Para mostrar os ferimentos na zona do coração precisaríamos estar dentro da sala, de preferência ao lado da maca, com a câmera em uma posição o mais vertical possível em relação ao peito. Desistimos. Temos que procurar a prova de verdade por outro caminho. Antes de sair do necrotério, vamos até o pátio das ambulâncias para entrevistar os policiais militares que transportaram o corpo ao hospital. Mas eles foram embora quando notaram a chegada do nosso carro de reportagem.

Vamos à delegacia de Diadema para ler o Boletim de Ocorrência. Já li milhares desses BOs, com um histórico idêntico a esse sobre a morte de Pixote. Ele é apontado no BO como indiciado, o mesmo que ser responsável pelo crime de sua própria morte. Os nomes dos matadores — sargento Francisco da Silva Júnior, soldados Walter Moreira Cipolli e Wanderley Alessi — aparecem no BO como vítimas de resistência a prisão.

As vítimas são PMs da Tático Móvel 6374 que, ao tentarem deter o indiciado, por ele foram recebidos a bala e, ao revidarem, acertaram-no; uma vez socorrido junto ao Pronto-Socorro Municipal de Diadema, veio a falecer...

Saio rápido da delegacia para não perder mais tempo. Há dois anos persigo a oportunidade de chegar ao local em que a polícia mata, logo depois de o crime ter acontecido. A notícia costuma chegar às redações com um atraso de mais de doze horas. Alguns veículos possuem um sistema de escuta clandestino que capta as emissões dos carros da polícia. Mas a eficácia do equipamento é limitada. Os PMs conhecem este truque da imprensa e usam uma frequência exclusiva para falar de perseguição e morte. Em um caso como o de Pixote, que aconteceu às 5h30 da tarde, se não fosse o telefonema do homem do avental branco, eu provavelmente chegaria aqui só no dia seguinte. Perderia a chance de testemunhar os fatos que sucedem instantes depois do crime, que são fundamentais para quem pretende investigá-lo.

Ao sair da delegacia, estou impressionado com a irresponsabilidade das declarações do delegado Antônio Mesquita, responsável pelo inquérito. Mesmo sem examinar o local do crime, e ainda não tendo ouvido as principais testemunhas, ele já tem uma opinião formada:

— Não morreu nenhum injustiçado. Quem procura o crime, como Pixote, está sujeito a isso. É um risco da atividade.

Decido fazer o roteiro que os investigadores da Polícia Civil já deveriam ter feito, a esta hora, se não fossem complacentes na apuração da violência da Polícia Militar.

São 10 horas da noite. Antes de começar o roteiro, resolvo pedir reforço. Telefono a Daniel Annenberg para fazer uma consulta ao nosso Banco de Dados.

— Preciso saber, Daniel: quantas pessoas a Polícia Militar matou nos últimos trinta dias?

— Exatamente 140, média superior a quatro por dia.

— Quantos brancos, como Pixote?

— Brancos: 64. A maioria é negro e pardo: 76.

— Profissão deles?

— Marceneiro, mecânico, sapateiro, prensista, azulejista, muitos office-boys...

— Tem algum empresário?

— Zero, zero. Nenhum.

— E morador do Morumbi, Pacaembu, zona rica?

— Zero, zero! Só dá zona leste: Sapopemba, São Mateus, Guaianazes. Periferia. Gente pobre, poucos envolvidos em crimes...

— Tem algum ladrão rico que foi morto?

— Zero, zero!

— Tem algum assaltante da pesada, latrocida, entre as vítimas?

— Nada, nada. A maioria é acusada de furtos e assaltos sem morte.

Enquanto aguardo a chegada de Daniel, que se dirige a Diadema em um carro particular, converso com Toninho sobre o dia em que conheci Pixote, em 1980. Era um menino pobre, de 13 anos, filho de migrantes, que trabalhava nas ruas ajudando a mãe a vender bilhetes de loteria. Acabara de ser contratado como ator do filme *Pixote, a lei do mais fraco*, que transformou sua vida. Trabalhou em outros dois filmes, duas peças de teatro e em uma telenovela de horário nobre. No primeiro filme, que o tornou famoso, representou o papel parecido com o dele na vida real: vendedor de chicletes na rua que se envolvia em pequenos furtos. O filme acaba com uma cena em que o diretor prevê um futuro trágico para a vida de Pixote.

Quando o conheci, ainda morava no barraco simples de Diadema, com seis de seus oito irmãozinhos. A mãe trabalhava o dia inteiro. Era uma das irmãs mais velhas que tomava conta dos menores. Há três anos havia perdido o pai, João Alves, um paranaense ensacador de café, autônomo. Antes de se tornar viúva, dona Josefa Carvalho da Silva trabalhava no mesmo ramo do marido, selecionando grãos de café. No

Paraná, nunca encontraram um patrão que pagasse um salário mensal superior a 100 dólares. Mudaram para São Paulo com a esperança de ganhar mais. Grande engano. Os empresários paulistas também ofereciam salários miseráveis. Daí decidiram abandonar a profissão para fazer biscates com a ajuda das crianças.

O pai vivia arrependido de ter migrado com dez filhos. Achava um grande risco principalmente criar sete meninos em uma metrópole violenta como São Paulo. Em um ambiente de miséria eles teriam vários motivos para desviar de sua trajetória de trabalhador mal remunerado. O medo de João era de que os filhos optassem pelo caminho mais fácil e perigoso de ganhar dinheiro, o caminho do crime. O tempo mostrou que ele tinha razão. Mas ao morrer, em 77, o pai não chegou a viver a glória nem o drama de seus filhos. A tragédia da família começaria dez anos depois.

A morte de Pixote é a repetição de um caso de brutalidade contra um de seus irmãos mais jovens. Em fevereiro deste ano de 87, Paulo Ramos da Silva, de 20 anos, feirante, foi linchado por mais de cinquenta pessoas, que deixaram seu corpo deformado, irreconhecível. O motivo do crime — relativamente comum contra ladrões e assaltantes da periferia — é desconhecido. A família e os amigos garantem que o único defeito de Paulo era visto por muitos como virtude: era supermulherengo. Usava a condição de irmão do famoso Pixote para roubar as namoradas da vizinhança.

Exatamente sete meses depois do linchamento de Paulo, dia 25 de agosto, perto da meia-noite, estamos chegando ao local da morte de Pixote: uma rua de chão batido, esburacada, mal iluminada, quase deserta. Eu e Toninho viemos na frente, acelerando bastante para chamar a atenção. Daniel e o motorista do carro de reportagem fazem o mesmo: buzinam, brecam de forma brusca, abrem e fecham portas várias vezes. Nos comunicamos quase aos gritos. Em poucos minutos estamos cercados por mais de vinte pessoas, ouvindo relatos detalhados dos momentos que antecederam o crime. Mas apenas quatro mulheres concordam em gravar entrevista.

A primeira é dona Edna Nunes Santos, de 47 anos, que estava estendendo a toalha no varal quando Pixote passou correndo em frente a sua casa.

— Vestia calça jeans sem camisa, estava suado, olhava pra trás por cima do ombro...

— Estava armado?

— Não vi arma nenhuma.

— E os PMs?

— Eram três, corriam com armas na mão.

— Falavam alguma coisa?

— Um deles gritava: "Desta vez você não escapa, Pixote."

Nas entrevistas seguintes, as três mulheres praticamente repetem a narrativa de dona Edna. Laudiceia Caitana Martins conhecia e gostava de Pixote. Ao vê-lo em apuros, tentou ajudar, sugeriu que se escondesse atrás de uma casa. As amigas Helena Romualda e sua sogra, Carmelita, também foram solidárias. Elas alertaram Pixote quando viram os PMs se aproximando.

— Se abaixa aí que os homens estão chegando — avisou Helena.

A dificuldade agora é convencer as mulheres a contar onde Pixote se escondeu. Insisto, mas não adianta. Elas têm forte motivo para guardar o segredo, só revelado pelas crianças da rua que cercam Daniel Annenberg. O esconderijo é a própria casa delas, número 6 da rua 22 de Agosto, frequentada por Pixote desde a sua infância.

É um prédio em reforma, construído abaixo do nível da rua, um pouco recuado em relação às outras casas. Um cortiço: na frente há o salão da Assembleia de Deus do Jardim Canhema e uma quitanda que só vende banana, pinga e refrigerante. Ao fundo, com acesso por um estreito corredor lateral, abriga as famílias de Laudiceia, Carmelita, Helena. As três mulheres também são testemunhas da cena final da perseguição. Embora com medo de represálias, nos ajudam a reconstituir a tragédia do cortiço.

Apavorado, Pixote desce correndo o corredor do cortiço e não reconhece Helena, mulher do amigo Serginho, que está no meio do caminho.

— Aonde você vai com essa pressa toda, menino?

— Os homens estão atrás de mim... Pelo amor de Deus, me ajude rápido.

Pixote ganha um cigarro. Em seguida pula o muro, pede abrigo no banheiro do vizinho, que nega, não quer se responsabilizar. Da porta de seu quarto, Laudiceia vê os PMs sobre a laje de uma casa. Avisa com um sinal de cabeça. Pixote pula de volta ao corredor e entra em um quartinho do porão do cortiço. Menos de cinco minutos depois, três homens fardados descem o corredor, devagar, pé ante pé. Os braços esticados para a frente, cada um segura, com as duas mãos, o revólver apontado em direção à velha porta de madeira, sem fechadura. Do cômodo ao lado, Helena morde os lábios ao ouvir um deles gritar:

— Achei, está aqui!

Em instantes, Helena ouve um grito de apelo de Pixote, em seguida os disparos, depois o silêncio. Abraça a amiga

Laudiceia. As duas choram, enquanto os PMs sobem as escadas do corredor levando o corpo do amigo. Pelo pequeno vão da porta, a sogra Carmelita vê o sangue escorrer pela boca, os olhos já sem vida. Fala baixinho para si mesma:

— Que judiação!

CAPÍTULO 21 | ## "Pelo amor de Deus, não me mate!"

Passam vinte minutos da meia-noite, eu ainda não consegui convencer Helena a nos mostrar o local exato do crime. Ela manifesta boa vontade, mas, ainda traumatizada, tem medo de não resistir à emoção. É compreensível. O quarto onde Pixote foi morto é a casa de Helena. O acesso é pelo porão, que tem paredes de alvenaria sem pintura e uma janelinha basculante. Um pequeno cômodo de 2 metros de largura, 3 de comprimento, colado à casa de Laudiceia, também minúscula. Desde aquela hora dos tiros, Helena está refugiada no quartinho da amiga. Preocupadas com a nossa perda de tempo, as duas sugerem que eu entre lá sozinho, examine tudo à vontade.

— Pode entrar, só não repare que é casa de pobre...

Sei que não devo fazer isso sozinho. O local do crime precisa ser integralmente preservado. Explico a Helena que preciso de sua companhia para testemunhar que nada será alterado lá dentro. Aliás, os policiais já deveriam ter feito o isolamento e a perícia técnica da área, instantes depois da morte. Passadas sete horas, nenhum policial apareceu ainda. Um absurdo, mas não é o único quando se trata de investigação dos crimes da Polícia Militar.

Para Helena não se sentir pressionada, digo que não tenho pressa. Mas falo também que estou decidido a aguardar o momento de ela sentir coragem de entrar em casa. Enquanto aguardamos, eu e Daniel resolvemos desenhar as cenas da versão de tiroteio, a partir do relato dos três policiais militares à delegacia de Diadema. Nosso objetivo é descobrir se há ou não possibilidade de ter havido tiroteio nesse lugar. Estou no corredor. Reproduzo a história em voz alta, Daniel faz anotações, um esboço da cena. As duas mulheres nos acompanham, se interessam em ouvir a versão oficial.

Na descida do corredor, os três homens fardados examinam porta por porta. Estão todas trancadas, menos uma. O chefe dos três é o sargento Francisco, mas quem toma a iniciativa é o soldado Walter Cipolli. Dá um pontapé na porta do porão, que se abre. Enquanto o sargento e o soldado Wanderley Alessi dão cobertura, Cipolli se encosta na parede, bem ao lado da entrada, e grita:

— É a polícia, você está cercado!

— É mentira. Não disseram isso, não. Eu ouvi bem. O grito foi assim: "Achei, está aqui"... O soldado já estava lá dentro quando falou isso.

Foi Helena quem interrompeu minha narrativa da versão oficial. Anotei suas observações. Noto que ela está um pouco irritada, quando passo à cena seguinte:

Rapidamente, Cipolli recua e os três se posicionam para atirar. De repente, Pixote sai do quarto, com uma arma na mão. Frente a frente, a menos de 3 metros dos PMs, dispara quatro tiros. Erra todos. Os policiais se abaixam. No revide, disparam várias vezes contra o corpo de Pixote. Ele se encolhe, ferido. Volta para dentro do porão. Cai de bruços, deixa a arma ao lado do corpo.

— Covardia! — diz Helena, interrompendo de novo a narrativa. — Como Pixote pode ter atirado se estava desarmado?

A indignação parece ter reanimado Helena. Ela finalmente nos convida a entrar em casa para mostrar mais contradições do relato dos PMs. Um pouco nervoso, talvez por ter aguardado tanto por este momento, dou um rápido abraço em Daniel. Peço à equipe para gravar tudo, desde a nossa entrada. Pego o microfone e começo a narrar a cena, com Helena ao meu lado.

— São 2 da madrugada. Oito horas e meia depois da morte, a polícia ainda não fez a perícia do local do crime. Pixote morreu neste porão, onde mora a família de Helena. Ela vai nos mostrar agora o único cômodo de sua casa, usada como esconderijo no desespero da fuga.

A mesinha de fórmica, o velho guarda-roupa com várias caixas de papelão em cima. As duas portas abertas mostram roupas simples, de homem e de mulher, amontoadas. Calendário de uma oficina mecânica na parede de alvenaria sem pintura. Pequena janela basculante. Ao mostrar a cama de casal, que divide com o marido Serginho, Helena começa a chorar. Aponta a cama de solteiro, onde dorme a avó. Ao lado, no chão, há uma poça de sangue.

— Foi aí — diz Helena aos prantos. — Ele se escondeu embaixo da cama da vó... mas eles acharam...

— Foi nesta hora que o soldado deve ter falado "Achei, está aqui"...

— Foi... não posso acreditar...

— E o Pixote? Você disse que ouviu um apelo dele. Qual foi?

— Isso não sai da minha cabeça, eu ouvi... eu ouvi...

Gravávamos a entrevista de pé, mas Helena começa a passar mal. Desligamos a câmera, ela senta sobre a cama. Peço ajuda a Laudiceia, que senta ao lado dela. Espero que Helena volte a ter condições de nos falar sobre o apelo de Pixote. Para ganhar tempo, gravamos imagens de todos os detalhes do quarto, que podem ser reveladores à investigação. A primeira coisa que chama a atenção é a falta de marcas de tiros nas paredes. Na verdade, achamos uma única, no chão, junto à poça de sangue. Também não encontramos nenhum projétil nem cartucho de bala deflagrada. Se houve tiroteio, como dizem os PMs, onde estão os indícios? Mas a ausência mais notada, do ponto de vista da criminalística, é a do cadáver da vítima. Depois de examinar exatamente 3.546 tiroteios em que, no final, os PMs carregaram as pessoas baleadas ao hospital, passei a duvidar desse gesto aparentemente humanitário.

A desconfiança se baseia no fato de ter encontrado muitas vítimas com mais de um tiro na cabeça. Esses casos indicam, no mínimo, que não houve intenção de se preservar a vida. Na história específica da morte de Pixote, tenho ainda viva a imagem do corpo no necrotério. Não é exagero pensar que os PMs que deram cinco tiros certeiros na região do coração tiveram ao disparar a arma a vontade de matar. Se era essa a intenção, por que em seguida socorrê-lo? Não seria uma simulação, uma forma de criar dificuldades à investigação no local do fuzilamento? Penso novamente na criminalística, na importância que a perícia séria e eficaz teria para o esclarecimento desses crimes.

A criminalística é um conjunto de técnicas que se usa para estabelecer uma relação entre os objetos, impressões, marcas, manchas e sobretudo a posição do corpo encontrado no local da morte, para entender como foi a ação do criminoso.

Se o perito criminal estivesse aqui, certamente já teria provado, por exemplo, que a hipótese de tiroteio, dentro ou fora do quarto, é quase impossível. Iria traçar uma planta, mostrando que toda a área é cercada por paredes e muros de alvenaria. Como Pixote teria errado quatro tiros, como afirmam os PMs, o perito reproduziria as possíveis trajetórias das balas e não encontraria as marcas em nenhum obstáculo, objeto ou parede. A fotografia técnica ou imagem de videoteipe do local deixaria ainda mais claro que essa afirmação dos PMs é mentirosa.

Todo o trabalho do perito tem maior rigor científico se o cadáver estiver no local do crime. Se o corpo de Pixote não tivesse sido retirado do quarto, nessa hora o perito já saberia que o ângulo da trajetória de cada uma das balas, que produziram ferimentos fatais, foi vertical em relação ao peito. Outro detalhe fundamental: poderia descobrir, cientificamente, que os projéteis foram disparados de cima para baixo. Estaria revelando assim dois fortes indícios de que Pixote foi fuzilado ao ser descoberto embaixo da cama.

O perito poderia também traçar plantas com base no relato dos PMs envolvidos no crime. Repetir o trabalho com as informações das testemunhas que viram as cenas finais da perseguição. O confronto das duas plantas mostraria as principais incoerências da história contada pelos matadores.

A análise das manchas de sangue daria a certeza definitiva sobre o indício de fuzilamento. Aos olhos de peritos experientes, cada gota de sangue é indicador de um tipo de movimento da pessoa ferida. Neste caso, uma única grande mancha ao lado da cama da avó de Helena pode provar que a vítima, Pixote, já estava no chão quando foi ferido e dali não se movimentou.

Mas toda a importância do trabalho do perito depende da preservação do local do crime. Qualquer detalhe alterado pode produzir indícios falsos, que levem a conclusões erradas. Quando os policiais militares de São Paulo retiram o corpo do local do tiroteio — por humanidade ou não —, certamente criam grandes dificuldes à investigação. É uma verdade tão antiga quanto a história da criminalística, que começou a surgir na França, em 1885.

Neste caso de Pixote, como o caminho técnico já está praticamente inviabilizado, o depoimento das testemunhas adquire maior importância na procura da verdade. Explico isso para Helena, mais aliviada pela chegada do marido Serginho. Depois de sair do trabalho, ele evitara voltar para casa, por medo de sofrer represálias da polícia. Agora Serginho ouve a mulher contar a morte de seu melhor amigo. Eles permitem que eu grave o relato de Helena.

— Ouvi um barulho de um pontapé na porta e logo depois o soldado avisar que achou Pixote, que estava embaixo da cama da vó.

— E Pixote falou alguma coisa?

— Primeiro gritou: "Ai, ai, ai"...

— E depois?

— Fez um apelo, desesperado.

— Qual foi?

— "Pelo amor de Deus, não me mate, eu tenho uma filha pra criar!"

— E os PMs disseram alguma coisa?

— Dispararam sete, oito tiros.

Saímos da casa de Helena às 3 horas da madrugada. O motoqueiro Toninho, que fora buscar um lanche, voltava com uma novidade:

— Vocês estão perdendo a maior ação lá no velório... A família está revoltada, os amigos também.

Fomos até lá. Logo na chegada vemos a mãe na frente do prédio do necrotério, cercada por algumas pessoas. Elas tentam impedi-la de se aproximar do carro da polícia estacionado a 200 metros, com três PMs dentro. De longe dá para ouvir o protesto de dona Josefa Carvalho da Silva:

— Assassinos! Vocês mataram meu filho!

Daniel ficou no velório. Estou exausto. Vou descansar. Pela manhã cedo, uma multidão de repórteres está na delegacia de Diadema. O delegado Antônio Mesquita continua sustentando a versão de que Pixote foi morto em tiroteio, ao tentar agredir os PMs com quatro tiros. Ele também explica em detalhes a história da perseguição baseada nos relatos dos PMs e do menor Marcelo Bicalho, acusado de praticar assaltos com Pixote um pouco antes de sua morte.

A história oficial sobre o dia 25 de agosto tem uma introdução verdadeira. Era dia de pagamento em Diadema. Para evitar assaltos, o policiamento fora reforçado nas áreas de bancos e de concentração de indústrias. Justamente ali o sargento e os dois soldados da Tático Móvel 6373 se envolveram no primeiro incidente grave do dia. Colidiram de frente contra um Puma conversível. A viatura danificada ficou sem condições de rodar e eles se juntaram à equipe da Tático Móvel 6374. Eram seis na Veraneio, quando no meio da tarde receberam um comunicado pelo rádio sobre um assalto na Indústria Rapstom.

Aqui começa a mentira da história oficial.

Três homens levaram da indústria 570 mil em dinheiro, dois talões de cheques, um revólver. Fugiram em um Monza cinza. Logo depois do assalto, o carro, roubado em São Paulo, foi abandonado em uma rua de acesso ao Jardim Canhema. Ao chegar ali os PMs desconfiaram de dois rapazes sentados em um barranco da rodovia dos Imigrantes, que ao ver a viatura começaram a andar depressa. Um deles fugiu correndo, era Pixote. O outro, Marcelo Bicalho, 16 anos, foi preso sem resistência. Ao chegar à delegacia teria confessado que assaltara a indústria junto com o amigo Pixote...

Saímos da delegacia para conversar com os funcionários da Rapstom. Eles conhecem o famoso Pixote da TV e do cinema. O diretor que fez a entrega do dinheiro aos assaltantes também o conhece bem. Todos são categóricos. Pixote não estava entre os assaltantes.

Ainda segundo a história contada pelos PMs, após o abandono do Monza, Marcelo e Pixote tentaram assaltar um ciclista à margem da Imigrantes. Estavam armados com faca e revólver. Mas desistiram do roubo porque havia muita gente por perto. Um funcionário do posto de pedágio da rodovia, policial militar, teria visto a cena e confirmou isso em depoimento. Tentei localizar o ciclista, mas não consegui. Passados cinco anos ele ainda não havia prestado queixa à polícia sobre aquela tentativa de assalto.

Até o momento em que escrevo estas linhas ainda tenho dúvidas se ele tentou roubar na Imigrantes. Na verdade, esta é a segunda vez que não consigo esclarecer o envolvimento de Pixote em um caso de roubo. Tive três encontros com Pixote. O primeiro foi na época do lançamento do filme *Pixote, a lei do mais fraco*, em que ele fazia o papel de menino de rua. Nos outros dois, ele estava preso em delegacias de polícia. Discutimos antes, durante e depois da última entrevista.

Acusado de roubo, Pixote confessou o crime em um depoimento assinado de próprio punho. Mas, ao sair da cadeia, denunciou que havia sido forçado a confessar, sob tortura. Nossa discussão começou porque ele queria cobrar pela entrevista.

— Não trabalho dessa forma, nunca paguei pra entrevistar alguém.

— Você não quer é denunciar que eu fui torturado.

— Quero contar as duas coisas: você sendo acusado e você denunciando.

Durante a entrevista, nova briga. Ele falava da tortura. Espancamento com palmatória e uma longa sessão de eletrochoque. Pedi o nome do policial torturador e que mostrasse as marcas da tortura no corpo. Pixote ficou ofendido.

— Que marcas, caralho! Você está duvidando de mim?

— As marcas das garras de metal, que eles prendem na pele pra dar o choque...

— Você não sabe de nada. Eles são burros pra deixar alguma marca? Não diz besteira, vá se informar direito.

— Preciso provar melhor a sua denúncia. Só a entrevista é pouco, muito pouco...

— Mentira. Se eu fosse um rico se queixando, viraria manchete no ato! Vocês repórteres são todos iguais.

No dia seguinte a reportagem foi ao ar apenas com uma rápida referência a sua denúncia. Mas meses depois descobri que Pixote tinha toda razão sobre os métodos de tortura que não deixam marcas. Um investigador da Corregedoria da Polícia, avesso à violência, me mostrou dois aparelhos de choque apreendidos em uma delegacia. Um deles tem o apelido de espanhola. É do tamanho de um aparelho BIP, funciona com bateria. Tem um pino metálico, condutor da carga elétrica de intensidade regulável ao corpo da vítima. O torturador não precisa encostar o pino. Em uma simples aproximação, a pessoa já sente o choque. O outro aparelho é uma engenhoca: são dois fios elétricos, cobertos por canos de plásticos, presos em uma das pontas a um plugue. Na outra extremidade, os fios desencapados são enrolados em panos e esparadrapos. Na hora da tortura, o plugue é ligado na tomada. A ponta de pano, umedecida, aumenta o efeito do choque e facilita a introdução do cano de plástico no ânus da vítima, sem deixar muitas marcas.

Talvez Pixote tenha ficado magoado comigo por não ter provado, naquela reportagem de 1984, que ele foi torturado com aparelhos semelhantes. Sua família também deve guardar mágoas da imprensa. Três anos depois, ao chegar ao local do enterro de Pixote, o mais velho dos sete irmãos, Waldemar, fala para os amigos:

— Aí vem chegando mais um urubu.

Fingi não ter ouvido e me dirigi à mãe. Novamente fui mal recebido.

— Vocês querem o quê? Festa? Por que não vão festejar a morte do meu filho lá no quartel? Corram lá...

Fico calado em respeito aos seus sentimentos. Durante toda a cerimônia do enterro, as hostilidades continuam. Passado algum tempo, já tenho certeza de que as ofensas não são dirigidas exatamente contra mim. Representam uma revolta contra a postura parcial da imprensa favorável à versão oficial de tiroteio. A multidão — perto de 2 mil pessoas — cerca vários carros de reportagem, ameaça destruí-los. É vergonhoso. Temos a obrigação de perseguir a verdade e o que mais estamos ouvindo gritarem contra nós é a palavra "mentira". Somente no dia seguinte ao enterro, quando o caso já era tratado como escândalo pela imprensa internacional, é que a imprensa brasileira passou a noticiar com isenção. Ou seja, passou a contar todos os lados da história. Aí a verdade não demorou a aparecer.

Dias depois, na mesma semana, os PMs Francisco Júnior, Walter Cipolli e Wanderley Alessi, em depoimento secreto nas dependências do Serviço Reservado da Polícia Militar, confessaram que não houve tiroteio. Pixote não disparou nenhum tiro. Depois do fuzilamento, o próprio sargento Francisco providenciou a simulação de tiroteio. Ele pegou a arma apreendida, como se fosse de Pixote, e disparou quatro tiros para o alto, de dentro da viatura, a caminho da delegacia de Diadema. Essa prática não é rara entre seus colegas de farda. Tem até nome próprio, *fazer a arma*, revelado por Francisco na sua confissão.

— Fizemos a arma, antes de saber quem era o cara.

Os colegas Cipolli e Alessi também confessaram o fuzilamento. Os três foram expulsos da Polícia Militar no mesmo dia. A punição causou um alívio momentâneo aos parentes de Pixote. Mas o drama da família continuaria. Três anos depois mais um filho, Waldemar, foi morto à margem da rodovia dos Imigrantes. O assassino alegou ter matado Waldemar para evitar uma vingança contra sua sobrinha, que o delatou à polícia como ladrão de carros. Dos três filhos que estavam vivos em 1992, dois haviam fugido de Diadema com medo de serem mortos. Waldemir mudara para o Ceará. Aparecido José fazia de seu endereço um mistério. Só visitava Diadema no Dia das Mães. Dona Josefa temia pela sorte de suas três netas órfãs de pai: as duas filhas de Paulo e a menorzinha, de 5 anos, Jaqueline, a filha que Pixote não pôde criar.

Em 1992 os matadores do pai de Jaqueline ainda aguardavam julgamento. Seus ex-colegas de farda continuavam matando Pixotes em toda a Grande São Paulo, em uma média superior a quatro por dia. O soldado Wanderley Alessi continuava solteiro, morando com os pais. Achava uma injustiça a sua demissão da PM. O sargento Francisco e o soldado Walter Cipolli ganharam fama de justiceiros e já estavam empregados, ambos na área de segurança. Walter Cipolli era coordenador de proteção patrimonial de uma indústria em Diadema.

Como o motivo da sua expulsão é uma prática frequentemente impune entre policiais militares, Walter Cipolli não se conformava:

— Nós só fomos demitidos porque o cara era famoso, culpa do filme que ele fez.

CAPÍTULO 22 | O bêbado

O pai é erguido da lama pelos cabelos no meio da rua. Os punhos estão algemados. O soco no estômago faz o corpo se encolher para a frente. Junta os braços sobre a barriga em uma tentativa de se proteger, conter a dor. A cabeça se inclina ainda mais. O golpe de joelho atinge em cheio o nariz, lança a cabeça bruscamente para cima. A visão é terrível para o filho Alessandro, de 8 anos, que tem os olhos grudados no buraco da velha porta de ferro do galpão.

O menino morde os lábios, aperta os dedos das mãos. Torce chorando por Zezinho, o pai, que não consegue escapar da violência. O homem ainda tenta se equilibrar. Dá dois passos para a frente, um para o lado. As pernas amolecem. É agarrado por trás, pelo cinto, pela gola da camisa. Um empurrão joga-o para o meio da roda formada pelos agressores. Ao cair de bruços sobre um pneu abandonado no barro, o pai sai do ângulo de visão de Alessandro, que pede a interferência da mãe:

— Temos que fazer alguma coisa, mãe. Chame a polícia...

— Eles *são* a polícia, filho — cochicha a mãe, Maria Aparecida, também espiando a agressão.

O menino sobe em um caixote em busca de outro ponto aberto pela ferrugem da porta. É preciso se erguer um pouco mais para enxergar o pai caído, rolando na lama a cada pontapé dos homens da Polícia Militar. Zezinho é chutado no peito, nas costas. Encolhe-se, protege a cabeça com os braços. Alessandro vê que a agressão chama a atenção dos poucos vizinhos da rua Oscar Fernandes. Uma mulher está na janela de uma casa próxima. Algumas pessoas assistem junto ao muro, dentro do quintal. Quase todo o quarteirão é ocupado pelos galpões de três empresas transportadoras. As cenas da violência atraem a curiosidade de alguns empregados que estão chegando ao trabalho neste começo de manhã do dia 4 de setembro de 1983. A agressão assusta os pedestres. Alguns param a distância, outros aceleram o passo. Ninguém interfere.

Alessandro começa a esmurrar a porta de ferro quando vê o pai desfalecido e os policiais cada vez mais violentos. Dois PMs agarram Zezinho pelos pés, outros dois pelos braços algemados, como se fossem carregá-lo para a viatura. Em seguida, abrem suas pernas e chutam à altura dos órgãos genitais. Dois pontapés, três, quatro, cinco... A sequência de golpes leva o filho ao desespero:

— Eles estão matando meu pai, mãe. Estão matando...

O menino salta do caixote e corre em direção à rua. A mãe tenta impedir, grita por socorro. Quando Alessandro passa pelo portão, desperta a atenção de dois rapazes, que tentam impedi-lo de seguir em frente. Correm atrás dele. O menino já está bem perto dos PMs quando é agarrado pelos rapazes. Tenta se livrar, esperneia na lama, grita:

— Pai! Pai! Pai!

A mãe chega à rua correndo para ajudar os rapazes a levar Alessandro de volta para dentro de casa, um barraco com quarto, banheiro e cozinha nos fundos do terreno de uma transportadora. O menino consegue se agarrar ao portão, resiste.

Uma vizinha solidária traz um copo d'água com açúcar, mas ele se nega a beber. Aumenta a intensidade dos gritos quando vê, do portão, que o pai continua sendo espancado no meio da roda de PMs. Um deles joga várias vezes o estepe da viatura sobre as costas de Zezinho. A mãe toma coragem, tenta intervir:

— Parem com isso! Chega! Meu filho está vendo tudo...

— Para, nada. A gente sabe o que está fazendo. Ele roubou um carro, estuprou uma mulher, tem que apanhar.

A desculpa é parcialmente verdadeira. A prisão desta manhã é o desfecho de um assalto mal explicado que começou na noite do dia 3 e se estendeu durante toda a madrugada. José Nogueira de Almeida, de 33 anos, em companhia do menor Iranildo de Andrade, de 16, estava voltando para casa às 11 horas da noite quando viu que a motorista de um Chevette, Cecília Maia Rezeta, estava em apuros devido a uma pane no motor. O ex-mecânico Zezinho ofereceu ajuda com a intenção de assediá-la. Consertado o defeito, ele convidou Cecília para um passeio. Ela agradeceu o convite, mas disse que precisava ir embora.

Antes de a mulher completar a explicação, Zezinho apelou para a violência: armado com um canivete, assumiu a direção do automóvel, enquanto o amigo Iranildo entrava pela porta do passageiro. Assustada diante da coação, Cecília desmaiou. Ao recuperar os sentidos, já estava em uma favela. Dali partiram para outros pontos da cidade. De tempos em tempos, Zezinho deixava Cecília com Iranildo no carro e saía para buscar cerveja ou conhaque. Ela era obrigada a beber também. Por algumas vezes Zezinho ameaçou violentá-la, chegou a tocá-la nos seios, nas pernas, no sexo. Horas depois, os três estavam bêbados e continuavam a misturar cerveja com conhaque. Zezinho já havia desistido de violentar Cecília. Esqueceramse de abastecer o carro e já amanhecia quando faltou gasolina.

315

CACO BARCELLOS

O Chevette parou em frente à casa de Alessandro, que vivia com a mãe, Maria Aparecida Mendes de Oliveira, ex-mulher de Zezinho. Às 8 horas da manhã, como havia combinado com o pai, o menino apareceu no portão para receber a mesada. Cecília aproveitou o encontro para ir embora, com o consentimento de Zezinho. Ao chegar em casa, a moça encontrou a família preocupadíssima. Alguns parentes inclusive já haviam se encarregado de dar queixa de seu desaparecimento à polícia. Com sua chegada, após novo telefonema, os policiais foram informados sobre tudo o que se passara na madrugada.

Zezinho e o amigo Iranildo dormiam dentro do Chevette, ainda parado no mesmo lugar, quando foram encontrados por duas viaturas repletas de PMs. Os policiais bateram no vidro do carro, mas os dois só acordaram quando a porta foi aberta à força. Zezinho despertou sendo espancado. Agarrou-se à jaqueta do soldado que o puxava, pela camisa, para fora do carro. Ao ser derrubado pelos primeiros socos e pontapés, rasgou o bolso da jaqueta do PM, fato que irritou ainda mais os agressores.

Nesse momento, o menino Alessandro já assistia ao espancamento sobre uma laje do escritório da transportadora. Ao notar a chegada de mais três viaturas, Alessandro sentiu medo. Escondeu-se dentro do galpão da empresa e de lá continuou a testemunhar a violência contra o pai. Depois de meia hora de agressões em público, os PMs levaram Zezinho preso no xadrez da viatura. A brutalidade contra ele continuaria ainda por vários dias.

Assaltante condenado pela Justiça, Zezinho saíra da cadeia há poucos meses beneficiado pelo regime de prisão albergue. Essas informações sobre seu passado são confirmadas pelas duas últimas fontes de pesquisa que incluímos em nosso Banco de Dados no começo da década de 90. Depois de ter identificado mais de 4 mil mortos por meio das fontes *Notícias Populares*, Instituto Médico Legal e família das vítimas, decidimos submeter nome por nome de nossa pesquisa aos arquivos da Polícia e da Justiça Civil, onde ficam registradas as informações sobre os criminosos processados no município.

Meu objetivo nesta última ampliação do Banco de Dados era tentar descobrir se as autoridades da área de segurança falam a verdade quando defendem a ação dos matadores oficiais. Desde a criação da Polícia Militar, em 1970, até 1992, comandantes da PM, secretários de Estado e governadores garantem que os tiroteios são legítimos e que os mortos são bandidos, criminosos dos mais violentos, assassinos, estupradores. O resultado de minha pesquisa na Justiça Civil mostra que a verdade está muito longe dos gabinetes das autoridades.

O primeiro levantamento sobre o passado criminal das vítimas dos matadores foi executado no serviço de buscas do cartório distribuidor da Justiça, computadorizado a partir de 1984, franqueado a todos os cidadãos. Para manter sigilo absoluto, não revelei meus objetivos aos funcionários do Judiciário, nem mesmo ao juiz corregedor que autorizou o trabalho. Contei apenas parte da verdade, procedimento adotado desde as primeiras reportagens relatadas neste livro. Por medida de segurança, e para evitar consequências indesejáveis às pessoas que me ajudaram, elas souberam apenas que a pesquisa girava sobre o assunto *morte por causa violenta* na cidade de São Paulo.

Os resultados da primeira etapa dessa apuração revelam que as autoridades estão desinformadas sobre a vida pregressa das pessoas mortas pelos PMs durante o patrulhamento regular da cidade. Submetemos ao cartório da Justiça o nome de 3.846 pessoas. Cerca de trezentas fichas nos foram devolvidas sem informações porque os dados sobre a filiação estavam incompletos ou porque havia grande quantidade de homônimos. O volume final dessa pesquisa se reduziu ao total de 3.523. Deste número, contabilizamos 1.220 vítimas com registros de crimes praticados no município de São Paulo. Isso significa que entre as pessoas mortas pela PM que conseguimos identificar, segundo a Justiça, apenas 34,6 por cento já estiveram envolvidas em crimes na capital.

Também submetemos nosso Banco de Dados ao confronto dos arquivos computadorizados da Polícia Civil, que recebem informações atualizadas da Justiça de quase todos os municípios mais próximos da capital. Nosso objetivo era descobrir se entre as pessoas mortas na cidade havia criminosos processados na área da Grande São Paulo. Contabilizamos nesta segunda parte da pesquisa mais 276 vítimas envolvidas em processos criminais fora do município. A soma das informações das duas fontes judiciárias elevou para 1.496 o número de criminosos mortos pela PM, ainda assim um volume baixo para o total de 3.523 vítimas.

As informações das duas fontes judiciárias também nos auxiliaram a conhecer o perfil das vítimas da PM. Descobrimos que a maioria não se constitui de autores de crimes de morte nem de estupradores, como afirmam as autoridades. O alvo número um dos matadores é o assaltante, o criminoso que rouba na presença da vítima: foram eliminados 657 em 22 anos de história da PM, o que representa 16 por cento do total das mortes registradas em nosso Banco de Dados. O segundo alvo preferido é o criminoso que rouba na ausência da vítima, o ladrão: 448 foram mortos no mesmo período. Seguem pela ordem decrescente, por número de delitos, os contraventores, 301; os traficantes de drogas, 189; os envolvidos em brigas de rua, 131. Um volume de 210 vítimas praticaram outros tipos de crimes. De outras 180 não obtivemos especificação de delito.

Os autores de crimes de morte formam a minoria. Foram mortos 157 homicidas, nome dado ao cidadão comum que não mata para roubar e que muitas vezes age por motivo fútil, como, por exemplo, uma briga de trânsito. O latrocida, o assaltante que mata para roubar, criminoso mais temido pela sociedade, raramente é morto pela PM. Do total de 3.545 vítimas da PM que identificamos, apenas 24 eram indivíduos que haviam matado durante um assalto. O estuprador, outra figura odiada pela sociedade, também é alvo raro dos matadores. Em 22 anos de ação da PM, conseguimos identificar apenas dez, ou a insignificância de 0,2 por cento em relação ao total das vítimas. A justificativa das autoridades para defender métodos brutais durante o policiamento da cidade chega a parecer ridícula diante desse balanço das informações judiciárias. Os estupradores e assaltantes que matam não chegam a representar 1 por cento das vítimas dos matadores da PM.

É importante deixar claro que essa proporção tem se mantido estável ao longo dos 22 anos de ação da PM. Na década de 90, por exemplo, a incapacidade dos matadores em perseguir pessoas que realmente representem um perigo à sociedade continua a mesma dos primeiros tempos da década de 70. Das 2 mil pessoas que o próprio comando da PM admite ter matado a partir de 1990, nós conseguimos identificar, até junho de 92, um total de 1.039. Destas, 324 estavam envolvidas em processos na Justiça por crimes variados. Pouquíssimas

CACO BARCELLOS

podiam ser consideradas perigosas: apenas trinta já haviam praticado um crime de morte em São Paulo.

Também nos chamou a atenção o grande número — 473 — de criminosos não reincidentes, ou seja, o indivíduo que tinha sido processado apenas uma vez até ser morto pela PM. O assaltante José Nogueira de Almeida, o Zezinho, era um desses: fora preso em flagrante, por roubo, se envolvera em várias brigas de rua e tinha sido condenado uma vez antes de ser espancado em público pelos PMs naquela manhã do dia 4 de setembro. A história de Zezinho é um exemplo que sintetiza o horror vivido pelos suspeitos quando apanhados por matadores que já sabem que eles são criminosos e originários de família pobre, indefesa.

Conseguimos identificar Zezinho como vítima da PM graças às informações de seus parentes, todos migrantes nordestinos. Aliás, os migrantes pobres constituem a maioria entre as vítimas dos matadores. Contabilizamos mais de 2 mil migrantes, dos quais 650 de origem nordestina, 213 nascidos em Pernambuco, como Zezinho. Trinta anos depois de ter saído do sertão pernambucano para fugir da seca e da miséria, o pai José Joaquim de Almeida, um biscateiro de 56 anos, estava revoltado com a polícia do Estado que adotou para viver. Ele nos procurou para denunciar as estranhas circunstâncias da morte de Zezinho. Contou-nos que ele saíra de casa em condições normais de saúde e que, dias depois de ser preso pelos PMs, seu corpo fora levado por policiais civis ao Instituto de Verificação de Cadáveres (IVC), local para onde são encaminhados os casos de morte por causa natural ocorridos em lugares públicos.

O laudo do exame de cadáver apontava *úlcera* como causa da morte de Zezinho, embora fossem visíveis as marcas de espancamento e tortura por todo o corpo. O detalhe da palavra "úlcera" despertou a suspeita do pai contra o chefe da delegacia da Vila Maria. Zezinho estivera três dias preso nesta delegacia e o delegado impedira o pai de visitá-lo. Em uma das tentativas, o policial interrogou José Joaquim de Almeida sobre os problemas de saúde do filho, alegando que Zezinho estava um pouco doente no xadrez e precisava comprar medicamentos adequados. O pai, ainda sem desconfiar da trama, informou que o único problema do filho já tinha sido curado há mais de um ano: *úlcera*.

— Naquela hora o meu filho já devia estar morto. E o delegado queria arranjar um motivo para evitar que o corpo fosse levado para o Instituto Médico Legal.

O raciocínio do pai de Zezinho tinha fundamento. O IML é o destino obrigatório de todas as pessoas que são vítimas de morte por causa violenta. O delegado que mandou o corpo para o IVC, como se Zezinho tivesse morrido por consequência da úlcera, enganara o pai para esconder a causa verdadeira. José Joaquim de Almeida tinha outros motivos para desconfiar dos policiais da Vila Maria. O responsável pela delegacia, delegado Hélio Tavares, era conhecido pelo seu envolvimento no extinto esquadrão da morte da Polícia Civil. Meses antes da morte de Zezinho, os moradores do bairro já haviam denunciado os policiais da mesma delegacia por deturparem a realidade da morte de outro jovem, José Aparecido Santana da Silva, de 20 anos. Aparecido também morreu depois de ser brutalmente espancado por PMs, e na delegacia da Vila Maria o caso ficou registrado como de *morte súbita*

A pedido do pai de Zezinho, fomos à delegacia para tentar descobrir o que havia acontecido depois de sua prisão. Chegamos de surpresa. Munidos de uma ordem judicial assinada pelo juiz corregedor, exigimos o direito de livre acesso ao xadrez.

Os presos foram testemunhas do sofrimento de Zezinho desde a sua chegada ao xadrez. Viram dois carcereiros arrastando-o pelos corredores, porque não tinha condições de manter-se de pé. Estava só de cueca. Trazia as suas roupas penduradas no braço. Foi jogado na cela, onde caiu de bruços. Encolheu o corpo e passou a noite assim, gemendo baixinho, em um canto. Ninguém lhe fez muitas perguntas. Todos tinham ouvido os gritos que vinham da *sala do pau*. Durante a madrugada, sem conseguir dormir, Zezinho comentou que tinha sido torturado por ordens do delegado de plantão, Apolônio Júnior.

No dia seguinte, como seu estado de saúde piorava, os carcereiros cederam aos apelos solidários dos presos e levaram Zezinho para o hospital. Ao voltar para o xadrez horas depois, ele se queixava de ter sido tratado estupidamente pelos médicos. Demoraram duas horas para atendê-lo algemado sobre uma maca, ofenderam-no por ser um criminoso, não ouviram suas queixas de dor e se negaram a lhe receitar remédios. Limitaram-se a enfiar uma sonda no pênis para esvaziar a bexiga inchada e o liberaram de imediato, alegando que tudo não passava de um truque de Zezinho para se livrar da cadeia. Os colegas de cela também denunciaram que Zezinho não tinha colchão para dormir, nem mesmo um cobertor para se proteger do frio do chão de cimento. O único medicamento recebido por Zezinho na delegacia foi um comprimido analgésico, que não evitou que entrasse em estado de coma. Ele morreu na madrugada do terceiro dia de prisão.

Nesta mesma visita que fiz de surpresa ao xadrez, quatro presos também denunciaram que haviam passado pelo mesmo tipo de violência sofrida por Zezinho ao ser preso na rua e ao chegar à delegacia.

— Aqui funciona a dobradinha Rota/Esquadrão — acusou o preso José Jaime dos Santos, do xadrez número 5, referindo-se ao delegado Hélio Tavares.

José Jaime denunciou que fora torturado pelos PMs de quatro viaturas da Rota quando tinha sido preso há duas semanas. Ele contou que fora levado para um descampado onde ficou mais de uma hora pendurado em um *pau de arara* improvisado no meio de duas viaturas. Enquanto discutiam se iriam matá-lo ou não, os policiais militares lhe aplicavam choques com uma maquininha elétrica ligada ao motor da Veraneio. Alguém acelerava quando se queria aumentar a potência do choque. Depois de confessar que era uma pessoa condenada, que cumpria pena em regime de prisão albergue, as torturas aumentaram. Chegaram a arrancar com alicate a unha de um dedo de sua mão para obrigá-lo a confessar crimes recentes. Levado preso para a delegacia da Vila Maria, a exemplo do que aconteceu com Zezinho, José Jaime foi direto para a *sala do pau*, por ordem do delegado Hélio Tavares. O objetivo da nova sessão de tortura, praticada por quatro investigadores, era a extorsão.

— Eu já estava perdendo sangue pelos ouvidos quando o delegado me disse: "Me dá 800 mil senão vai ficar em cana."

A denúncia do caso Zezinho, tornada pública pela televisão, envolvendo policiais civis e militares levou as autoridades da área de segurança a tomarem atitudes diferentes e conflitantes. Na área da Polícia Civil, as providências foram imediatas. Por medida de segurança, o juiz corregedor da Polícia Judiciária ordenou a transferência urgente dos presos autores da denúncia para outro presídio. E a Corregedoria abriu um inquérito especial para investigar o caso.

Já na Casa de Detenção, os presos confirmaram as denúncias, com a identificação de todos os policiais responsáveis pela violência contra Zezinho. O inquérito, presidido por um delegado da Corregedoria da Polícia Civil, teve apuração rigorosa. Identificou mais de dez testemunhas que viram Zezinho ser espancado pelos PMs na rua. Provou que ele morreu por consequência da fratura de cinco costelas e perfuração dos intestinos. A causa da fratura tanto pode ter se originado das agressões dos PMs no momento da prisão quanto da tortura sofrida na delegacia. Quatro médicos do Pronto-Socorro da Vila Maria, que não constataram as fraturas no corpo de Zezinho, também foram indiciados no inquérito.

A apuração imparcial da Corregedoria da Polícia Civil levou o promotor Paulo Edson Marques a denunciar um sargento, três cabos e três soldados da Polícia Militar responsáveis pelo espancamento, definido em seus termos como "um verdadeiro cerimonial de sadismo". O promotor também denunciou um delegado, dois investigadores e um carcereiro por agressão e omissão de socorro à vítima dentro da delegacia. Dos quatro médicos citados no inquérito, três acabaram denunciados por negligência e imperícia, que teriam contribuído para agravar as lesões que levaram à morte de Zezinho.

A Polícia Militar também fez uma apuração paralela, por meio de um IPM. O responsável pelo inquérito, major Antônio Edmundo Franco, chegou a conclusões contrárias às da Polícia e da Justiça Civil. Ele afirma em seu relatório que todos os PMs envolvidos no caso foram agredidos por Zezinho e tiveram dificuldades em prendê-lo devido *à terrível sanha da vítima*. O major destaca os ferimentos sofridos por um soldado, que machucou um dedo da mão, e *os danos* no bolso da jaqueta de um soldado. Afirma, a partir das informações do diretor do Hospital Maternidade Vila, um dos denunciados pela Justiça Civil por negligência, que as lesões sofridas por Zezinho foram de natureza leve e que nunca poderiam levar à sua morte. O major conclui o relatório do Inquérito Policial-Militar inocentando os PMs de qualquer responsabilidade.

Concluo pela inexistência de indícios de crime... Nada há a ser apurado no campo disciplinar.

Passados nove anos, o caso ainda não havia sido julgado pela Justiça Civil nem pela Justiça Militar. A família de Zezinho ainda tinha esperança de responsabilizar os policiais civis acusados, mas estava cética quanto ao processo contra os PMs. Guardava muitas lembranças amargas de toda a brutalidade sofrida pelo filho criminoso, que só teve o apoio dos companheiros de cadeia e de uma pessoa da rua.

Além do filho Alessandro, foram contadas mais de vinte testemunhas dos espancamentos. Mas apenas o aposentado Cláudio Rovaroto, o Russo, um alcoólatra da rua, tentou intervir a favor de Zezinho.

Revoltado por ver mais de dez PMs agredindo o amigo algemado, Russo reuniu as poucas forças que tinha e partiu, com as pernas trêmulas, para cima dos policiais.

— Isso é covardia — gritou, já tentando acertar uma cabeçada no primeiro PM que encontrou pela frente.

— Sai daqui, velho bêbado — reagiu o PM com um soco no rosto de Russo, que desabou sobre a lama.

O gesto solidário de Russo comoveu as mulheres da rua, que o socorreram e lhe deram trato de herói. Meses depois, o bêbado tinha razões ainda mais fortes para chamar a polícia de covarde. Desta vez, a vítima fora seu próprio filho. O menor Marco Antônio Rovaroto, de 16 anos, o caçula dos seus cinco filhos, foi morto pelos matadores da Rota em abril de 84.

— Vou odiá-los até a morte — jurava Russo em junho de 92.

CAPÍTULO 23 | **Radiografia**

*Se a pena de morte fosse boa a Rota já tinha transformado
São Paulo em um paraíso.*

(Octávio Ribeiro, o Pena Branca, em abril de 81)

Ao começar a fazer este livro, meu objetivo era denunciar a
ação de matadores oficiais contra os civis envolvidos em crimes na cidade. O balanço final do meu trabalho, em junho de
92, acabou surpreendendo a mim mesmo. Os criminosos não
representam a maioria entre as pessoas mortas pelos policiais
militares. O resultado de minha investigação, que abrange o
período de 22 anos de ação dos matadores, mostra que a maior
parte dos civis mortos pela PM de São Paulo é constituída pelo
cidadão comum que nunca praticou um crime: o inocente.

O resultado do confronto do nosso Banco de Dados com
os arquivos da Justiça Civil revela que 65 por cento das vítimas da PM que conseguimos identificar eram inocentes. Havíamos levado ao cartório de distribuição criminal as fichas
com o nome de 3.846 pessoas mortas em supostos tiroteios

com a polícia. Fora as cerca de trezentas fichas devolvidas sem informações, os funcionários nos entregaram dois outros pacotes que continham o resultado mais esperado por mim desde o início da investigação. Em um deles se encontravam as 1.220 fichas das pessoas já arroladas em processos criminais. O outro, no entanto, abrigava um volume ainda maior de fichas. Eram os nomes de 2.303 pessoas que nunca estiveram envolvidas em crimes no município de São Paulo. Um total que representa quase o dobro em relação ao número de vítimas que eram criminosas! Prova estarrecedora de que, de cada dez pessoas mortas pelos policiais militares, menos de quatro tiveram participação em algum crime. Mais de seis tinham o passado limpo. Suas fichas nos foram devolvidas com um carimbo de duas palavras: *nada consta*.

No processo de checagem, já havíamos encontrado nos registros da Polícia Civil mais 276 casos de vítimas envolvidas em processos agora na área da Grande São Paulo, dentro do universo dos 2.303 inocentes mortos na capital. Assim, o cruzamento das duas fontes judiciárias nos permite afirmar com segurança: se em um total de 3.523 vítimas da PM por nós identificadas 1.496 eram criminosas — o que representa 42,6 por cento —, os outros 57,4 por cento nunca haviam praticado crimes na Grande São Paulo. *Identificamos 2.027 inocentes assassinados pelos matadores da PM.*

Em relação aos policiais militares, o cruzamento das duas fontes judiciárias também revela fatos inusitados. Na seleção dos dez PMs com maior número de vítimas registradas em nosso Banco de Dados, pelo menos um deles tem uma história coerente com a sua fama de matador de bandidos. Quinto colocado na nossa lista dos *dez mais*, o tenente Wanderley Mascarenhas de Souza tem seu nome envolvido em 34 assassinatos. Nossa pesquisa mostra que a maioria das suas vítimas não era inocente, fato que nos chamou a atenção.

Os processos contra o tenente Mascarenhas explicam a diferença de seus resultados em relação aos principais matadores. Além de ter trabalhado muitos anos na chefia das equipes da Rota, o tenente Mascarenhas especializou-se na repressão a rebeliões de presídios. Dentro das cadeias, pelo menos, não costuma errar o alvo. Ele é um dos acusados de ter matado, em uma mesma ação, cinco dos quinze presos mortos pela PM durante a revolta da Casa de Detenção em 82. Também se envolveu no assassinato de seis doentes mentais criminosos, na rebelião do Manicômio Judiciário de Franco da Rocha em 83. Mascarenhas foi afastado da Rota em 86, quando vários matadores famosos também foram desligados do 1º Batalhão. Mas continuou matando.

No início da década de 90, o tenente Mascarenhas voltaria à ativa e seria promovido a comandante de uma unidade considerada de elite da PM, o GATE, um grupo especializado em operações de grande risco. Voltaria a matar mais cinco criminosos, um deles durante uma revolta na cadeia pública do município de Embu.

Wanderley Mascarenhas também estava à frente das tropas do GATE quando matadores da PM de várias unidades superaram todos os recordes de mortes em rebeliões: mataram 111 homens em uma ação para conter uma briga de presos dentro do maior presídio da América do Sul na época, a Casa de Detenção de São Paulo. O episódio ficou conhecido no mundo inteiro como massacre do Carandiru.

Outro fato que chama a atenção no balanço final do nosso Banco de Dados é o pequeno número de policiais militares mortos em tiroteios. Os dados oficiais divulgados pelo comando da Polícia Militar apontam quatrocentos PMs mortos no período de 1985 a 1991, sem especificar quais foram vítimas de confronto com criminosos. Os próprios oficiais da PM admitem que a maior parte morreu durante as horas de folga ou a caminho de casa. Estimam que 30 por cento, ou aproximadamente 120, seriam vítimas de tiroteio. No mesmo período, oficialmente, foram mortos 2.599 civis. Isso significa que, pelos dados da PM, seriam mortos quinze civis para cada vítima da PM. Nossa pesquisa, entretanto, apresenta um quadro muito diferente.

Conseguimos identificar 124 policiais militares mortos no município de São Paulo, no período de janeiro de 1970 a junho de 1992. O exame de cada caso mostra que a maior parte foi vítima da violência da cidade. Foram 56 PMs mortos pelo cidadão comum, não por criminosos, durante desavenças ou por vingança. Registramos também onze suicídios e quatro casos de policiais que morreram durante assaltos. As vítimas de tiroteio somam 42, menos de 3 por cento em relação ao volume total das vítimas da PM no mesmo período de 22 anos. A incrível desproporção com o número de mais de 4 mil civis mortos reforça nossas suspeitas sobre a legitimidade dos confrontos armados durante o policiamento. A proporção cresce para 97 civis mortos para cada vítima da PM.

O componente racista, que já havíamos observado na ação dos principais matadores, se confirma no balanço final do Banco de Dados. Do total de 4.179 vítimas identificadas, obtivemos informações sobre a cor da pele de 3.944: 1.932 eram brancas e 2.012 negras e pardas. A maioria de 51 por cento por si só já demonstra o preconceito contra as pessoas de raça negra e parda. Isso fica ainda mais claro se fizermos um confronto com os dados demográficos do Instituto Brasileiro de Geografia e Estatística sobre a população do município de São Paulo. Nas últimas duas décadas, universo de minha pesquisa, os habitantes da capital se dividiam, por raça, na proporção de 74 por cento de brancos para 22 por cento de negros e pardos.

Se analisarmos particularmente o grupo das pessoas que se envolveram em crimes, as diferenças se acentuam ainda mais. Os dados da Fundação Seade sobre o perfil dos indiciados em inquérito na capital mostram que os negros e pardos são a minoria entre os criminosos. O assaltante, tipo de criminoso que a PM mais mata, é branco na maioria de 60 por cento. A maior parte dos ladrões e homicidas, 65 por cento, também se constitui de brancos. A proporção cresce entre os criminosos mais odiados pela sociedade: 68 por cento dos estupradores são brancos.

As informações sobre o endereço e a profissão das vítimas revelam que a maioria quase absoluta é constituída de pessoas de baixa renda. Obtivemos as informações sobre o tipo de trabalho de 3.812 pessoas. Os operários e ajudantes de obras da construção civil são os mais visados: 877 foram mortos, representando mais de 20 por cento entre as vítimas da PM. Quase todos moravam em casas simples da periferia da cidade ou da Grande São Paulo. Por número crescente de vítimas, os bairros de Santo Amaro, São Miguel Paulista, Jabaquara, Vila Rica e Itaquera foram os mais atingidos. Nosso Banco de Dados registra 735 vítimas dos matadores nos extremos das zonas leste e sul, regiões onde se concentra a população miserável da capital.

Começamos a enfrentar o maior desafio na investigação dos crimes da PM munidos de uma lista com centenas de endereços das vítimas do bairro de Itaquera, onde os PMs mataram, no mínimo, 154 jovens desde 1970.

É madrugada. Vamos vasculhar uma favela, bem ao estilo do repórter policial que eu mais admiro. Octávio Ribeiro, o Pena Branca, parceiro de reportagens na revista *IstoÉ*, sugeriu esse horário como o mais adequado. Missão: encontrar sobreviventes. Objetivo: descobrir as circunstâncias em que as vítimas são mortas pelos matadores da PM.

Nosso plano é empregar a tática dos assaltantes de bancos: agir rápido, usar o fator surpresa para localizar criminosos sem residência fixa, os raros que sobreviveram aos tiroteios. Depois de ter procurado sem sucesso durante o dia, estamos de volta à mesma favela, já informados de que o assaltante que procuramos estará visitando sua mãe esta noite. O problema é localizar o barraco. Estou com medo, mas cheio de esperança. Confio sobretudo no instinto do repórter de 54 anos, habituado às adversidades do submundo, tarimbado pelas investigações dos crimes do esquadrão da morte na Baixada Fluminense e nos morros do Rio de Janeiro.

Chegamos à margem da favela em um Fusca, fazendo o mínimo barulho possível. Abandonamos o carro em frente a um botequim fechado e entramos rapidamente na primeira viela escura. Deixo Pena passar à frente, minha intenção é seguir seus passos. Mas ele logo me surpreende.

— Você pela direita. Eu pela esquerda — sugere, animado por já estar dentro da favela.

— Não é melhor seguirmos juntos? E se a gente se perder? — indago, com a esperança de demovê-lo da ideia.

— Aí a gente se encontra na praia... — cochicha Octávio antes de sumir na primeira viela à esquerda.

Sinto-me perdido antes de dar o primeiro passo. Ao mesmo tempo, estou preocupado em não decepcionar um dos meus ídolos profissionais. Sigo em frente. À medida que avanço, vou me acostumando à escuridão e já começo a enxergar o final da viela. Resolvo caminhar rápido. Já não estou com tanto medo do que vou encontrar depois da curva. Passo a perseguir o som de uma música sertaneja, que vem da minha esquerda. Em poucos minutos chego à frente do barraco onde alguém ouve rádio. Bato à porta. Quem atende é um vigilante noturno, que recém chegara do trabalho. Ele não sabe informar onde fica a casa de dona Rosa, mãe do Binha, o sobrevivente. Mas depois de uma rápida conversa adquire confiança. Dá uma boa pista e ainda me faz uma advertência:

— É um *mocó*, não esqueça a camisa.

Sigo apressado em direção à casa do irmão de Binha. As referências do vigilante são precisas. Em dez minutos estou na frente do barraco, um sobrado de madeiras remendadas que está às escuras. Não me esqueci da advertência. Devo tirar a camisa, bater três vezes à porta, repetir o gesto, recuar até um ponto em que seja possível ser visto da janela de cima. É um código de segurança, serve para mostrar que não estou armado e que a visita é recomendada por alguém de confiança.

A princípio, o irmão se nega a fornecer o endereço da mãe, mas, depois de explicar meus objetivos insistentemente, o rapaz concorda em me acompanhar até lá. No caminho, estou entusiasmado com a possibilidade de encontrar o assaltante antes de Pena e imagino qual será a reação dele quando souber da minha descoberta. Nossa chegada é anunciada por um assobio do irmão de Binha, que em seguida o chama pelo nome para acordá-lo. Repetindo a senha do assobio, alguém grita lá de dentro:

— Entra!

A porta está encostada. Abre-se com o toque do irmão. É um barraco de dois cômodos. A cama de Binha é o sofá da sala, como indicam os lençóis e cobertores revirados. O sobrevivente que tanto procuramos está sentado, de pernas cruzadas, fumando, conversando com alguém à sua frente, na poltrona forrada de plástico. Um homem gordo, moreno, com uma mecha grisalha nos cabelos, o Pena Branca.

— Quer dizer então que você fez 14 pontos na Loteca... — comentava Pena com o rapaz, enquanto lhe oferecia mais um cigarro.

— Nasci de novo. Os caras da Rota vieram com tudo. Sirene, *metranca, trezoitão*...

Pena Branca está acabando de ouvir a história de Binha, que confirma ter sido vítima de um ataque dos matadores. Desmente a versão de tiroteio. Conta que estava sentado, à noite, nos degraus da frente de uma padaria fechada, em companhia de dois amigos, quando foram surpreendidos pela Veraneio cinza. Os PMs, segundo seu relato, já chegaram disparando as armas, não sabe se para o alto ou se na direção deles. Ele correu em zigue-zague, sem olhar para trás. Os dois amigos estavam desarmados.

Binha, entretanto, não chegou a ver como os rapazes foram mortos, detalhe que nos obrigava a continuar procurando sobreviventes. Precisávamos de alguém que tivesse presenciado tudo, a cena completa de um suposto tiroteio.

Dias depois, estávamos no extremo oeste da cidade para ouvir outro sobrevivente, Luís Lunga, que encontramos no xadrez da delegacia do Capão Redondo. Armado com uma pistola, ele havia roubado em companhia de dois amigos a Brasília de um comerciante do bairro. Os três estavam dentro do carro estacionado quando perceberam a aproximação da Rota. O nervosismo dos rapazes chamou a atenção dos matadores. Não conseguiram nem mesmo fazer o motor da Brasília funcionar. Lunga conseguiu sair do carro, pular dentro de um buraco enorme e sair se arrastando no meio dos tiros até escapar correndo. Só mais tarde ele soube que os amigos morreram dentro da Brasília. Lunga desmentiu a versão oficial de perseguição de carro, seguida de resistência à prisão e tiroteio.

— Não houve nada disso, meus amigos estavam desarmados...

— Mas você tinha uma pistola. Você atirou na polícia?

— Tinha, mas e daí? Eu já sabia que a Rota existe para matar vagabundo. Vocês acham que eu sou louco a ponto de *trocar* com eles?

Em duas semanas de investigação encontramos outros sobreviventes que nos contaram histórias semelhantes. Alguns só concordaram em falar com a condição de não ser identificados. Todos nos transmitiram informações relevantes. Ajudaram a esclarecer, pelo menos, parte da história dos supostos tiroteios com a PM. Sabíamos, no entanto, que as declarações não constituíam provas definitivas sobre as circunstâncias dos crimes, pelo fato de os sobreviventes terem fugido durante o ataque dos matadores.

Rigoroso no levantamento das provas técnicas dos crimes, Pena Branca preocupou-se durante as entrevistas em descobrir detalhes e pistas que pudessem anular qualquer argumento. Essa preocupação nos levou a reunir uma série de acusações de sobreviventes, acompanhadas de vários laudos de peritos criminais, provando que algumas vítimas tinham sido mortas com tiros nas costas e na parte posterior da cabeça. Apesar de seus 30 anos de experiência profissional, Pena Branca não conhecia os critérios que vigoravam nos julgamentos dos PMs. Ele ficou perplexo ao constatar que as provas técnicas muitas vezes não são consideradas importantes na Auditoria Militar. Os advogados dos matadores, pelo menos, conseguem anulá-las com frequência durante os julgamentos.

— Tudo depende da interpretação do fato — explicou-nos o advogado Benedito Greco, um dos maiores defensores dos PMs nos tribunais militares.

Tenente reformado do Exército, 54 anos, à época de nossa investigação com Pena Branca, Greco era um dos dezesseis advogados criminalistas credenciados a atuar na Justiça Militar do Estado de São Paulo.

Ao conhecê-lo em 81, Greco ostentava um recorde: tinha conseguido absolver mais de mil matadores da PM. E preparava a defesa simultânea de outros 206 PMs envolvidos em crimes de morte. A benevolência dos membros do Conselho de Sentença no julgamento dos próprios colegas pode explicar em parte a fama de advogado infalível. Para Benedito Greco, no entanto, o segredo do sucesso é a sua técnica especial de defesa.

Quando um matador é acusado de atirar na vítima pelas costas, Greco consegue convencer os oficiais do júri de que talvez tenha havido um erro de interpretação. Ele já conquistou várias vitórias com um mesmo argumento de defesa baseado na tese de que o PM sempre está bem-intencionado durante a ação.

— Ele sempre atira de frente. Mas de repente, durante a trajetória da bala, o bandido vira-se de costas e aí dá-se a tragédia.

Argumentos deste tipo têm garantido absolvições aos clientes de Greco até em júris dos raros casos de tiroteios com sobreviventes, como constatamos na reportagem que fizemos com Pena Branca. Além de os matadores serem acusados de cometer excessos durante a perseguição no trânsito, as marcas dos tiros na parte superior dos carros de várias vítimas por si sós indicavam a intenção de matá-las. Mas ainda uma vez, para os oficiais do Conselho de Sentença, os argumentos de Greco foram mais convincentes do que as provas:

ROTA 66

— Os tiros foram disparados na direção dos pneus, sem dúvida com a intenção de conter os veículos. Os projéteis é que desviaram um pouco e penetraram no corpo das vítimas. No final da reportagem, Pena Branca não escondia sua frustração pelo resultado. Tínhamos feito duas descobertas fundamentais, das quais apenas uma conseguimos divulgar. A reportagem publicada mostrava que em dez anos de ação os matadores da PM tinham superado, pelo volume de seus crimes, a triste fama dos homens do grupo de extermínio mais temido da história policial do país, o esquadrão da morte do Rio de Janeiro. Nossa outra descoberta, que não divulgamos por falta de provas, estava relacionada com os métodos da PM. Tínhamos ainda que investigar muito para provar aquilo que Pena Branca resumia em poucas palavras em 1981:

— Quem mata é o sistema da PM, do comando à Justiça. O matador só aperta o gatilho.

A polícia fala mais alto! Os patrulheiros da Rota acabam de matar três elementos perigosos em um tiroteio na frente do Simba Safári, Diadema. Neste momento funcionários do Hospital São Lucas informam que um quarto indivíduo sobreviveu. O elemento está entre a vida e a morte na UTI. Por quê? Porque a polícia fala mais alto!

Esta notícia que ouvi através da voz de Chico Plaza pelo rádio levou-me, meses depois da reportagem com Pena Branca, a encontrar um sobrevivente que tinha condições de esclarecer com segurança minhas dúvidas sobre as circunstâncias dos tiroteios. Quando procurei o menor José da Costa Lázaro, de 17 anos, na mesma noite de sábado em que fora baleado, ele se encontrava em estado de coma no centro cirúrgico.

Lázaro tinha entrado no hospital na condição de preso em flagrante por resistência à prisão. Para não chamar a atenção do investigador responsável pela sua custódia, procurei discretamente me misturar aos amigos e parentes, fiéis de uma igreja evangélica. Passei a acompanhar a sua recuperação nas semanas seguintes, com visitas diárias ao hospital, sem me identificar como repórter. Evitava perguntas da família sobre meus objetivos, sempre levando nas mãos um pequeno livro de capa preta: a Bíblia Sagrada. Por contingência da natureza dos ferimentos, nossos encontros eram silenciosos. Lázaro tinha sido baleado oito vezes, um dos tiros fora disparado dentro de sua boca. Por isso, mesmo depois de passado o risco de vida, eu nada perguntava e nada ouvia dele. Dois meses depois, quando Lázaro adquiriu condições de falar, passei a entrar em seu quarto no final do horário de visitas, em uma tentativa de ouvi-lo sozinho sobre o tiroteio. Não foi assim que aconteceu. Lázaro estava deitado, com o pai ao lado, quando me contou pela primeira vez como tinha sido o ataque dos matadores.

Ao anoitecer de um sábado típico de verão, em janeiro de 81, Lázaro está abastecendo sua Brasília em um posto de gasolina quando é abordado por três rapazes, seus conhecidos. Eles lhe pedem carona até as proximidades da favela do Jardim Clímaco, na zona sul de São Paulo. Lázaro desconfia que o objetivo é a compra de maconha. Mas por medo de que o pedido se transforme em uma ordem de assalto resolve prestar o favor.

Na volta da favela, Lázaro percebe pelo espelho retrovisor que um carro se aproxima piscando intensamente os faróis. Continua em sua velocidade normal de 40, 50 quilômetros por hora até se dar conta de que está sendo perseguido pela polícia. A Veraneio cinza está quase encostada na traseira da Brasília.

— São os homens. Toca, toca, pé no fundo, meu! — grita um dos rapazes.

Lázaro está indeciso. O mesmo rapaz agora exige que ele corra.

— Eu estou *maquinado*, porra! Foge senão eles vão nos matar!

Lázaro aumenta um pouco a velocidade, não o suficiente para se afastar da viatura, que continua quase grudada na traseira de seu carro, ainda piscando os faróis e com a sirene aberta. Instantes depois, a Veraneio cinza ameaça ultrapassar a Brasília pela esquerda enquanto os policiais apontam as armas e gritam para Lázaro encostar à direita no acostamento de chão batido e esburacado, em um trecho escuro da avenida Cursino. Os PMs já descem gritando irritadíssimos por causa da demora de Lázaro em parar o carro.

— Cadê o *berro*? Eu quero o *trezoitão*. Abre logo o jogo! — exige um dos policiais enquanto os outros três esmurram os rapazes, que estão fora do carro com as mãos sobre o teto da Brasília. Em seguida, um soldado encontra um revólver mal escondido sob o tapete de borracha, atrás do banco dianteiro do motorista. No porta-malas também é encontrada uma espingarda, que Lázaro costuma usar na segurança do comércio de ferro-velho de seu pai. A descoberta leva os PMs a mudarem de atitude.

— Todo mundo está preso! — avisa o chefe da equipe, o sargento Mário Gonçalves Sastre, que obriga os quatro rapazes a entrarem no *chiqueirinho*, o espaço atrás do banco traseiro da Veraneio, onde os matadores costumam transportar presos e cadáveres. A viatura segue então em direção ao município de Diadema, seguida pela Brasília dirigida por um dos PMs. Em frente ao Simba Safári, os dois carros entram em uma área descampada e param junto a um barranco a 300 metros da estrada. Os rapazes são obrigados a descer. Algemados um no braço do outro, são agredidos a socos e pontapés até cair no chão. Começam então a ser torturados com um pedaço de arame farpado enferrujado. A primeira vítima é Wilson Aparecido de Souza, de 23 anos, branco. Wilson é casado e tem duas filhas. O PM passa o arame no seu rosto, provocando arranhões e sangramento. O torturador exige a confissão de qualquer crime.

— Qual é a *lança*? Fala logo antes de morrer!

— Não tem *lança* nenhuma. Pare, pelo amor de Deus!

Depois de sangrar muito, Wilson acaba confessando que já havia sido preso uma vez por vadiagem, quando era menor. Não satisfeito, o PM volta a esfregar o arame em seu rosto. O rapaz que está algemado ao seu braço, José Valdevino da Rocha, de 20 anos, pardo, também está sendo torturado por outro PM.

O vidraceiro Valdevino, empregado da vidraçaria Idramar, é casado, tem uma filha e a mulher está grávida de quatro meses. A polícia já o prendeu várias vezes como suspeito sem jamais ter provado nada contra ele. Torturado em outras ocasiões, Valdevino tem muito medo dos policiais, fato que revela logo no início da tortura:

— Eu confesso qualquer coisa. Mas pare com isso, pelo amor de Deus!

O terceiro a ser torturado, Armando de Mello, de 24 anos, é o dono do revólver apreendido. É o que mais sofre com o espancamento. Quando Armando desmaia, os PMs suspendem as agressões. Lázaro consegue escapar da brutalidade. Durante a sessão de tortura, os rapazes explicaram que ele apenas estava dando uma carona, nada tinha a ver com o programa dos três, a compra de drogas na favela.

Os quatro rapazes são colocados de volta no *chiqueirinho*. Em seguida, a Veraneio sai do descampado atrás da Brasília dirigida por um PM que trocou a camisa do fardamento por outra comum. De volta à avenida Cursino, os PMs começam a simular uma perseguição com os dois carros. Eles circulam por vários lugares movimentados em alta velocidade, dando tiros para o alto. O soldado-motorista da Brasília faz questão de mostrar a arma para fora da janela. Minutos depois eles estão de volta ao descampado. Agora mais tensos e apressados.

Os rapazes, com exceção de Lázaro, são colocados de joelhos junto a um barranco de menos de 1 metro de altura. Eles imploram para não morrer quando as armas começam a ser disparadas. Lázaro é colocado de costas para o local do fuzilamento e ainda tem esperanças. O PM o manda correr, mas Lázaro não obedece.

— Aproveita, moleque, e some da minha vida! — afirma o matador.

— Se eu correr, o senhor não vai atirar em mim, tio? — pergunta Lázaro.

O matador se irrita. Avisa que ele perdeu sua última chance. Derruba-o no chão, põe os coturnos sobre o seu peito e aponta a arma.

— Não me mate, tio. Espere um pouco mais, não tenha pressa! — implora.

— Teu coração está batendo muito, moleque. Isso me irrita.

Ao receber os primeiros tiros, Lázaro tem os olhos arregalados, fixos no rosto do matador. Põe as mãos instintivamente sobre o peito ferido três vezes. Encolhe-se de lado. A arma volta a disparar duas, três, quatro vezes... Lázaro ainda respira. Tenta fingir-se de morto, mas não consegue.

— Esse ainda não foi para o inferno — diz o matador ao perceber que Lázaro respira ofegante pela boca.

O PM aproxima a arma de seu rosto. Lázaro sente o cano de ferro nos lábios. Depois do último disparo, dentro de sua boca, Lázaro ainda está consciente. Agora consegue disfarçar melhor a morte. O matador já não parece ter dúvidas se ele está morto ou não. Preocupa-se apenas em completar a armação do tiroteio.

Lázaro sente que o PM coloca uma arma em sua mão direita. Em seguida, o soldado aciona o gatilho para deixar marcas de pólvora em sua mão. A cena se repete com os três rapazes, que estão caídos ao seu lado.

— Vamos levar esses podres para o hospital. Vamos logo! — ordena o chefe da equipe da Rota 9135, o sargento Mário Gonçalves Sastre.

— Espere aí, chefe. Esquecemos de tirar as algemas. Pode sujar! — alerta um dos três soldados.

Lázaro é o segundo a ser colocado no xadrez da viatura, Os outros dois rapazes são jogados em cima dele. No caminho do hospital ele ouve alguém acionar o rádio da viatura para comunicar à Central de Comunicações que quatro marginais estão sendo levados para o Pronto-Socorro São Lucas, no município de Diadema. Durante a conversa no rádio, a atenção de um dos matadores se desloca para um dos corpos que começa a emitir ruídos que costumam acontecer instantes após a morte.

— Acho que tem um aí ainda vivo, hein! — alerta o PM aos colegas.

— Então liquida logo — ordena outro PM, fazendo aumentar o desespero de Lázaro, que está embaixo do corpo que ronca, o de Wilson Aparecido. Um tiro seco na cabeça liquida a dúvida dos matadores. Lázaro sente o calor do sangue de Wilson escorrer pelo seu corpo. Esforça-se para suportar o horror e o peso dos corpos sem fazer qualquer ruído. De repente, percebe que a Veraneio aumenta a velocidade, abre a sirene, faz várias manobras bruscas e para. A porta do *chiqueirinho* se abre. Chegam ao hospital. Ele é o terceiro a ser carregado pelos PMs. Ainda finge-se de morto. Alguns homens vêm recebê-lo. Talvez sejam médicos, enfermeiros ou funcionários que comentam:

— Todos estão mortos. Levem para a geladeira.

A porta da geladeira se abre. Seu corpo é erguido. Ao sentir o frio nos pés, Lázaro começa a se debater. Um funcionário se assusta e grita:

— Socorre aqui. Ele está vivo!!

— Então deixa morrer, abandona aí — intervém um dos PMs que estava transportando mais um corpo para a geladeira.

Duas enfermeiras correm para socorrer Lázaro e ajudam o funcionário a colocar o rapaz em uma maca. Os PMs protestam mais uma vez:

— É bandido, deixa morrer!

— Vocês mandam lá fora. Aqui quem decide somos nós — responde uma das enfermeiras.

Lázaro esboça uma reação. Tenta erguer o corpo, falar à enfermeira. Mas se engasga com o sangue que jorra pela boca e desmaia.

Dias depois de ouvir pela primeira vez o relato de Lázaro, convenci seu pai, Antônio da Costa Lázaro, a registrar a denúncia do filho na Comissão de Justiça e Paz, da Cúria Metropolitana, antes de sua divulgação pela revista *IstoÉ*, onde eu trabalhava. Ainda antes de o caso se tornar público, a família providenciou a mudança do filho, ainda convalescente, para algum lugar da cidade, longe de casa.

Acompanhamos o processo de Lázaro até o seu desfecho na Auditoria Militar. A conclusão da Justiça não foi diferente em relação ao julgamento da maioria dos quatrocentos processos que examinamos durante a pesquisa para o nosso Banco de Dados. O responsável pelo IPM ignorou a denúncia da simulação de tiroteio. Também não deu importância ao exame necroscópico dos três rapazes mortos.

Os peritos da Polícia Civil constataram marcas de um tiro à queima-roupa na cabeça de Armando de Mello, cujo cadáver ainda não tinha sido identificado durante o exame. Morto com cinco tiros, Wilson de Souza recebeu disparos à queima-roupa, um deles no ouvido, outro nas costas. Os exames revelam provas de ter havido execução também na morte de José Valdevino da Rocha. Dos sete ferimentos em seu corpo, segundo os peritos, quatro apresentavam marcas de tatuagem e *chamuscamento*, características de tiro à queima-roupa.

No julgamento dos matadores do caso Lázaro, em maio de 1984, a hipótese de execução, já tornada pública, nem sequer foi discutida. Eles foram absolvidos pelo júri que avaliou o envolvimento dos soldados em um caso de resistência à prisão seguida de tiroteio e morte.

O balanço final de nosso Banco de Dados mostra que o chefe dos matadores no caso Lázaro, sargento Mário Gonçalves Sastre, começou a matar em 78, em companhia dos PMs envolvidos no caso Rota 66. Seu primeiro assassinato ocorreu durante uma ação em companhia do soldado Rony Jorge da Silveira Paulo, o soldado-motorista recordista em crimes de inocentes. Ambos receberam um troféu do comando, como recompensa pela morte de um suspeito.

Sastre também esteve envolvido em supostos tiroteios na companhia do capitão Roberval Conte Lopes e do soldado Everaldo Borges de Souza, o décimo colocado na nossa lista dos dez maiores matadores da PM. Depois de sair da Rota em 84, Sastre continuou matando com as equipes da tático Móvel, na região da Grande São Paulo.

Dez anos depois do caso Lázaro, nosso Banco de Dados registra dezenas de denúncias de execuções e de tiroteios forjados. Provar as circunstâncias desses crimes, entretanto, continuava difícil pelo mesmo motivo do passado: a falta de testemunhas e sobreviventes. As denúncias que resultaram em punição dos matadores em geral foram desencadeadas por ações isoladas, como a do promotor José Amado de Faria Souza, um dos oito do Tribunal de Justiça Militar de São Paulo.

Apesar da sobrecarga de trabalho — o exame de cerca de duzentos processos por mês —, o promotor se envolveu pessoalmente na investigação de um caso de tiroteio com sobrevivente. As vítimas eram os operários Carlos Alberto de Almeida Cambuim, morto com dois tiros, e Hélio Figueiredo de Matos, o sobrevivente. Depois de convencer Hélio a fazer a denúncia, o promotor investigou durante meses para desmontar a versão dos matadores.

Para conseguir seu objetivo, Faria Souza fez a reconstituição detalhada do crime. Levou o sobrevivente até o local do fuzilamento e pediu que o rapaz se deitasse no chão na mesma posição em que estava quando recebeu os tiros. O próprio promotor assumiu então a posição de tiro do matador, esticando o braço em direção ao peito da vítima. Em seguida, mandou o sobrevivente rolar para o lado e se agachou até que seu braço ainda esticado encostasse no chão. Nesta sequência, foi o suficiente escavar alguns centímetros de terra para que o projétil disparado contra o sobrevivente fosse encontrado.

A prova do projétil e o relato do sobrevivente foram fundamentais para que o promotor denunciasse os matadores. Neste caso isolado de 1991, eles foram condenados pela Justiça e expulsos da Polícia Militar.

A oportunidade de acompanhar desde o início uma operação de PMs contra suspeitos civis só viria a surgir, por acaso, em uma tarde de novembro de 1986.

O helicóptero da Polícia Militar passa à esquerda de nosso carro de reportagem e começa a voar em círculos sobre a favela Heliópolis, a segunda maior de São Paulo. Seguimos em frente, rumo à região do ABC para fazer nosso trabalho para o *Jornal Nacional* sobre a Constituinte. O companheiro de equipe, Pedro Montoan, observa que o *Pelicano*, helicóptero da Polícia Civil, também se dirige para o mesmo ponto.

— A operação deve ser grande. Olha lá a correria dos PMs na favela — alerta outro companheiro de equipe, José Reginaldo de Carvalho.

Desviamos nosso caminho para acompanhar o trabalho dos PMs dentro da favela. Eles correm em todas as direções. Ouvimos muitos tiros, mas ainda não vimos nenhum ferido. Nem conseguimos detectar se está havendo resistência, tiroteio. São mais de trinta PMs na busca de um homem que minutos antes tinha dado um tiro em uma viatura. Observamos nas primeiras detenções de suspeitos que os PMs estão irrita-

ROTA 66

dos, violentos. Temos dificuldade em registrar as agressões porque alguns policiais fazem barreiras com o corpo na frente da câmera.

Levamos um grande susto na primeira cena de violência que conseguimos gravar. Estávamos seguindo dois PMs que haviam acabado de prender um rapaz ferido na barriga. Os três caminhavam rápido à nossa frente. O repórter cinematográfico Renato Rodrigues andava atrás do grupo com a câmera ligada enquanto eu me aproximava com o microfone para entrevistar um dos PMs. De repente, outro policial que corria em sentido contrário ao nosso aproximou-se e, bem em frente à câmera, desferiu um soco sobre o ferimento do rapaz.

— Socorro, tio, eu estou ferido — grita o rapaz virando-se para a câmera. É um menor que aparenta 15 anos, negro, franzino. Usa bermuda sem camisa. O ferimento na barriga, descobrimos depois, é consequência de um tiro que havia levado dias antes em uma briga na mesma favela. Tentamos exigir uma explicação pela violência contra um rapaz ferido e algemado, mas não conseguimos nos aproximar dos agressores, que foram cercados pelos colegas.

Continuamos correndo atrás de outros PMs pelo meio da favela. Instantes depois percebemos a movimentação de um grupo de soldados em volta de um rapaz algemado, que é empurrado em direção a uma viatura. Aproximamo-nos a tempo de gravar a sua imagem de pé antes de entrar no *chiqueirinho* de uma Veraneio. Aparenta ser menor, talvez 16 anos, branco, cabelos encaracolados, calça jeans azul-claro, sem camisa.

Diversas Veraneios começam a se movimentar para fora da favela. Imaginamos que devem estar levando os detidos à delegacia da Polícia Civil, procedimento obrigatório, e nos dirigimos também à delegacia. Estranho: esperamos mais de meia hora e nenhuma viatura aparece. Decidimos então voltar à favela. No caminho, perto das ruas de acesso, percebemos um aglomerado de gente na parte alta de uma viela. Dirigimo-nos então para lá. Algumas pessoas, agitadas, nos indicam que devemos seguir até o posto da Polícia Militar.

Descemos rápido a rampa de acesso ao posto. Nossa chegada provoca uma grande movimentação de PMs. Eles formam um corredor polonês para esconder a passagem dos dois rapazes detidos, que estão sendo levados do posto para o xadrez de uma viatura. Tentamos gravar as imagens da passagem deles pelo corredor. Os policiais novamente impedem a filmagem colocando-se em frente à lente da câmera. Percebemos que os motoristas das viaturas estão acelerando os motores. Voltamos correndo para o nosso carro de reportagem dispostos a persegui-los até qualquer lugar.

Ao sair da favela, percebemos que o destino, agora sim, é a delegacia. É um comboio de sete, oito viaturas em alta velocidade, com faróis ligados, sirenes abertas. Peço ao motorista para acompanhar o mais de perto possível as viaturas.

— Se você quiser, eu passo deles — afirma nosso motorista, Décio Sanchez, enquanto manobra a direção em alta velocidade. Era a primeira vez que trabalhava com Sanchez, novato na TV Globo, e, sinceramente, eu ainda não tinha nenhuma confiança nele. Mas o pessoal da equipe avisou que eu não precisava me preocupar.

— Fica frio, Caco. Ele veio da PM. Estamos seguros — garante Montoan.

— PM? — perguntei surpreso.

— Isso mesmo, ele veio da Tático Móvel direto pra TV.

— Neste caso, passe deles então. É bom chegar antes na delegacia.

Graças ao nosso motorista ex-PM, conseguimos chegar à frente dos policiais bem a tempo de esperá-los em uma posição estratégica na entrada da delegacia. Quando estacionaram, Renato Rodrigues já os aguardava de câmera ligada e toda a cena da chegada daquele rapaz de cabelos encaracolados, de cuja prisão tínhamos sido testemunhas na favela, foi precisamente gravada. Seu rosto agora estava desfigurado, com manchas de sangue no nariz, na boca. Muitos hematomas pelo corpo e nos braços, sinais de que havia sido espancado no caminho entre a favela e a delegacia, mais provavelmente no destacamento da PM Um dos oficiais, o tenente Alaor Palácios, concordou em gravar entrevista.

— O senhor tem certeza de que foram esses rapazes que atiraram na viatura?

— Não temos certeza de nada. Eles estão sendo presos apenas para averiguação.

Logo depois da entrevista percebemos que os dois rapazes continuavam sendo agredidos por um grupo de PMs, junto à entrada da carceragem da delegacia. Discretamente, Renato Rodrigues coloca a câmera embaixo de seu braço esquerdo. Com a mão direita ajusta o foco. Aperta o botão que dispara a gravação um pouco antes do momento em que um PM chuta o menor ferido na barriga. Em seguida, o rapaz leva um tapa no rosto fora do ângulo de alcance da câmera, se desequilibra e volta para a posição em que estava antes. Um outro PM se aproxima do menor, enfia o dedo em seu ferimento, dá um beliscão. Avisado por um colega, o PM olha assustado em nossa direção. Recua imediatamente e consegue sair do ângulo de visão da câmera. Mas era tarde demais.

Horas mais tarde, as imagens das agressões aos dois menores foram transmitidas para todo o país pelo *Jornal Nacio-*

nal. E divulgadas ao mundo, meses após, por meio de um relatório da Anistia Internacional. Vinte e quatro horas depois da denúncia, por ordem do comandante-geral da Polícia Militar, três dos PMs acusados foram expulsos da corporação. Fora as cenas de horror que presenciamos, lembrar o dia 20 de novembro de 1986 me deixa especialmente feliz ao acabar de escrever este livro.

Naquele dia, acreditamos ter evitado registrar os nomes de mais duas vítimas em nosso Banco de Dados.